SPLENDEURS
ET MISÈRES
DES JOURNALISTES

YVES ROUCAUTE

SPLENDEURS ET MISÈRES DES JOURNALISTES

CALMANN-LÉVY

ISBN 2-7021-1963-8

SOMMAIRE

II
LES ARMES DE LA GUERRE

III
LES LOUPS ENTRE EUX

IV
LA BOURSE OU LA VIE : LE PIÈGE ÉCONOMIQUE

V
LA VOIX DE SON MAÎTRE : LE PIÈGE POLITIQUE

VI
LA COMPLICITÉ DES ÉLITES : LE PIÈGE ARISTOCRATIQUE

VII
LE RÈGNE DE L'OPINION : LE PIÈGE DÉMAGOGIQUE

« Quiconque a trempé dans le journalisme, ou y trempe encore, est dans la nécessité cruelle de saluer les hommes qu'il méprise, de sourire à son meilleur ennemi, de pactiser avec les plus fétides bassesses, de se salir les doigts en voulant payer ses agresseurs avec leur monnaie. On s'habitue à voir faire le mal, à le laisser passer; on commence par l'approuver, on finit par le commettre. À la longue, l'âme, sans cesse maculée par de honteuses et continuelles transactions, s'amoindrit, le ressort des pensées nobles se rouille, les gonds de la banalité s'usent et tournent d'eux-mêmes. Les Alceste deviennent des Philinte, les caractères se détrempent, les talents s'abâtardissent, la foi dans les belles œuvres s'envole. Tel qui voulait s'enorgueillir de ses pages se dépense en de tristes articles que sa conscience lui signale tôt ou tard comme autant de mauvaises actions. »

Balzac, *Spendeurs et misères des courtisanes.*

« La presse est en France le quatrième pouvoir dans l'État; elle attaque tout et personne ne l'attaque. Elle blâme à tort et à travers. Elle prétend que les hommes politiques et littéraires lui appartiennent, et ne veut pas qu'il y ait réciprocité. *Ses hommes à elle doivent être sacrés. Ils font et disent des sottises effroyables, c'est leur droit! Il est bien temps de discuter ces hommes inconnus et médiocres qui tiennent autant de place dans leur temps et qui font mouvoir une presse égale, en production, à la presse des livres. »*

Balzac, *La Revue parisienne*, 25 août 1840.

INTRODUCTION

« Le premier qui tire sur les journalistes est mort. » Thierry Pfister, après trois heures d'entretien, me met en garde. « Le premier qui tire sur les journalistes est mort » : Dominique Jamet, dix-huit mois plus tard, sans plus de précautions, répète l'avertissement. Mot pour mot. Étrange communion de deux hommes qui choisissaient naguère pour communiquer leurs plus belles flèches empoisonnées. Nul doute, ils savent ce qu'il en coûte de violer la loi du silence, de révéler ce mal qui couve sous les splendeurs de la profession : la connivence.

Connivence? Le terme (qui vient du latin *conivere :* fermer les yeux) n'est pas synonyme de manipulation. Par celle-ci le journaliste est pris, malgré lui, au piège d'un pouvoir extérieur plus fort, plus rusé. Au contraire, la connivence désigne une servitude volontaire : il n'est pire aveugle que celui qui ne veut pas voir. Partout elle rôde, touchant les sommets de la hiérarchie de façon exacerbée. Disséminant ses quatre formes d'existence : entre grands du journalisme, avec le propriétaire du média, avec les autres élites, avec... l'Opinion publique.

Dès le début de l'enquête, il y a plus de deux ans déjà, j'ai contourné la première de ces formes. Lorsque je téléphonai à Anne Sinclair, comme universitaire, pour obtenir un rendez-vous, ma demande fut rejetée. Sans manière. J'insistai, coiffant cette fois ma casquette d'« écrivain » :

même refus. J'avais commis une erreur : dire que j'étais un indigène. Quelques jours plus tard, alors que je passais dans les couloirs de TF1, je la rencontrai : « Bonjour, je m'appelle Roucaute-de-*L'Événement-du-jeudi.* » J'obtins un rendez-vous immédiatement... Finalement, ainsi chaussé, je réaliserai plus de cent vingt entretiens de plus d'une heure. Aux réticents, je laissai croire à une interview pour *L'Événement du jeudi.* Grâce à ce subterfuge, je n'essuyai aucun refus. Détail : après ma rencontre avec Christine Ockrent, Jean-François Kahn eut vent de mon manège (sur cette planète, tout se sait très vite). Il s'en amusa : ce fut ma chance.

La fin de l'enquête coïncida avec la guerre du Golfe. Pour la première fois, la télévision dominait la radio dans le traitement de l'information en direct. Elle rivalisait avec la presse écrite, par ses journaux et ses magazines télévisés, dans l'analyse des événements. Surtout, toutes les formes de connivence étaient poussées au paroxysme, en particulier la plus perverse : celle qui conduit à combler les désirs du public en lui offrant un pur spectacle. Une gajeure quand on possède aussi peu d'images...

L'occasion d'un débat approfondi était là; d'autant que, sevrée d'images, l'opinion était malgré tout largement informée. Il fut en partie sacrifié sur l'autel de cette spécialité française : le règlement de comptes. L'exécutif, nostalgie d'une mainmise perdue sur la presse, montra la voie. Michel Rocard appela solennellement les journalistes, le 20 août 1990, « à s'interroger sur leur rôle ». Un entretien avec Saddam Hussein? Les apparitions de l'ambassadeur d'Irak à Paris sur les chaînes? Les manifestations anti-américaines dans les pays arabes?... Durant six mois, il n'en démordit pas : tout cela, il fallait le taire. Le Premier ministre, silencieux sur la guerre et les affaires du pays, avait décidé de « prendre ses responsabilités ». Une situation qui amusa tant l'Élysée que François Mitterrand fut distrait : en cette période d'affrontement armé, il laissa au ministère de la Défense un homme opposé à l'intervention militaire. Le Parlement comptait les coups, jugeant sans doute que la presse méritait de telles mises en garde. Quant au Conseil supérieur de l'audiovisuel, autorité administrative « indépendante », persuadé que l'image est le nouveau

Mal, il emboîta le pas des Princes. Le quatrième pouvoir, quant à lui, se déchira dans la tourmente. Une partie de la presse écrite dénonça la presse audiovisuelle, qui répliqua. Le summum du débat républicain fut atteint lors de la grande affaire des « cormorans » présentés aux journaux télévisés comme les premières victimes de la guerre. Certains médiacrates de l'écrit chargèrent : « Ces images sont destinées à attirer le chaland, il n'existe pas de tels animaux dans cette région. » Finalement, l'information étant vraie, les bestioles purent mourir en paix. On trouva immédiatement d'autres motifs d'empoignades. Il y en avait à la pelle : les visages des prisonniers non mosaïqués dans les « news », les articles des quotidiens qui avaient crié victoire trop tôt, les combats simulés par les militaires devant les caméras, les fausses ogives chimiques, la vraie usine de lait...

En traquant la connivence, il s'agit moins d'attaquer une élite que de dénoncer une imposture. La différence est de taille. Mensonge, secret, complicité, hypocrisie, dissimulation, simulacre, narcissisme : voilà l'imposture journalistique. L'alternative? Le journalisme indépendant. Ceux qui préfèrent jouer dans la cour des grands, flatter les instincts les plus bas, se protéger par le jeu des clans, oublient que la véritable grandeur du journaliste tient dans sa quête de la vérité. Une quête qui passe par l'ouverture des débats, l'exposition de la pluralité, la défense des droits individuels, le droit à l'insolence. Ils oublient que le quatrième pouvoir devrait être le nerf de la démocratie.

Problème d'autant plus grave que, depuis 1968, une révolution triomphe : la « révolution médiacratique ». De plus en plus, l'élite journalistique contrôle la diffusion des messages sur l'espace public. On l'appelle pour cela « médiacratie » (de « média », support de diffusion massive de l'information et « cratos », qui désigne la force, la puissance, l'empire). Un réseau de 150 personnes environ. Présentateurs, responsables de magazines, éditorialistes, rédacteurs en chef dans un grand média parisien d'informations générales : ils sont le haut clergé. Une poignée qui surfe sur une vague grandissante : ils étaient 24 451 journalistes en 1989, 15 031 à Paris – du « journaliste titulaire » au

« sténographe-rédacteur » pigiste. Autant dire que par son attitude, le médiacrate porte une lourde responsabilité quant à l'avenir de nos démocraties. Responsabilité qui nécessite plus qu'une vague charte déontologique.

Alerter en distrayant : tel est le but ici. Propos qu'autorise une situation de nomade, à la fois universitaire, philosophe, politiste et journaliste. Ainsi je pouvais, un œil sur Diderot, ne pas craindre, après deux ans d'enquête, de « fouler aux pieds les préjugés, la tradition, l'ancienneté, le consentement populaire, l'autorité, en un mot tout ce qui subjugue la foule des esprits ». Quoi qu'il en coûte. Et il en coûtera.

« Le premier qui tire sur les journalistes est mort » disiez-vous? Finalement, j'en doute. À condition qu'on ne se trompe pas de cible : celui qui « tire » montre surtout qu'il est toujours bien vivant. Plût aux hommes qu'à cette croisée des chemins, nous ne décidions pas de voguer vers cet univers déshumanisé, contrôlé par une poignée de censeurs. Craignez-vous qu'il ne soit trop tard? Éprouvez-vous de l'angoisse, de la colère même, lorsque des Sganarelle, ces bouffons des Grands, sont aux commandes dans les médias? Tant que vous réagissez, il y a de l'espoir. Et ce livre pourra rester ouvert. Quand viendra le temps de l'indifférence, alors, oui, il sera trop tard. Et il faudra se taire.

I

VOL AU-DESSUS D'UN NID DE MÉDIACRATES

1. ILS COURENT, ILS COURENT, LES FURETS...

Le Paris médiatique de 5 h 30 du matin ressemble à ces immenses palais boursouflés d'ennui et de fatigue dressés près des lacs italiens. Le show-biz, sevré d'alcool et de cocaïne, transporté par taxi jusque sous les portes cochères des immeubles luxueux des beaux quartiers, ne jette pas un regard vers ces lieux magiques dont il attend tout pourtant... une fois le soleil levé. Il est vrai qu'il est difficile de distinguer au loin les enseignes de ces empires aux appellations étranges, TF1, A2, FR3, La Cinq, Europe 1, RMC, RTL... empires qui auraient séduit Lucien de Rubempré. À 5 h 44, rien encore. La langueur. Le silence...

Soudain, 5 h 45, XVIIe arrondissement : Jean-Marie Colombani *(Le Monde)* sursaute. Par la radio, il se connecte sur la planète médiatique. Le labeur déjà. Le stress aussi : « À 7 h 15 je dois être au journal. À 7 h 45 c'est la conférence dans le bureau du directeur. »

5 h 57, Paris, rue d'Assas : Alain Duhamel ouvre un œil. Il s'offre trois minutes pour avoir l'esprit alerte, avant le premier flash d'Europe 1 : celui de 6 heures. Vite : « À 7 h 15, je dois être à Europe 1, à 7 h 25 j'ai ma chronique. »

6 heures : dans ce 125 m^{2} dont il veut garder l'adresse totalement secrète, Daniel Vernet *(Le Monde)* est arraché à son sommeil. Cet homme, qui parle quatre langues, tend l'oreille vers la BBC. Puis c'est RTL. Vite : il devra encore lire les quotidiens français et le *Financial Times*, le *Times*,

le *Herald Tribune*, trois journaux allemands et quelques hebdomadaires... « À 7 heures, je dois être au journal, à 7 h 45 c'est la conférence de rédaction. »

La longue traque de l'actualité est lancée.

6 h 45, Rueil-Malmaison : Jean-Pierre Pernaut (TF1) plonge vers sa radio. Il ramasse, de son lit, les premières pépites d'information lancées par Europe 1 et France Info. La conférence de rédaction est à 9 heures. Il faut qu'il trouve le temps de feuilleter les journaux, d'appeler les correspondants et de regarder TF1.

6 h 45 encore, rue du Cherche-Midi, VIe arrondissement : Claude Imbert *(Le Point)* allume sa radio. Il s'accorde 15 minutes, pas une de plus, pour aller à l'essentiel. À 7 heures, un chauffeur lui apporte ses journaux à domicile : *The Times, Le Figaro* et *Der Spiegel*. Le chronomètre dans la tête, il se donne 1 h 30 de lecture. À 8 h 30 pile, le voilà qui va faire sa toilette. Puis... il joue quelques minutes du violon : quelques instants de détente avant le grand saut.

7 heures, Franz-Olivier Giesbert *(Le Figaro)*, l'œil déjà ouvert sur la vanité du monde, se jette sur France Info, puis RTL, France Inter, Europe 1, RMC et quelquefois la BBC. Il attendra 8 h 30 pour son petit déjeuner quotidien avec des personnalités du monde politique ou économique.

7 h 15 : La ruche médiatique maintenant bourdonne. Yann de l'Écotais *(L'Express)* vogue de station en station dans cet appartement du VIe arrondissement qu'il quittera vers 9 heures..., sans avoir toujours eu le temps de se restaurer.

7 h 30, XVIe arrondissement : Guillaume Durand engage la partie, à l'affût de toutes les radios d'audience nationale... « excepté France Inter ». Puis il joue un peu avec son fils, qui sera à l'école à 8 h 30. Il saute alors sous sa douche en écoutant France Info. Rinçage. Séchage. Départ. « À 9 h 30 il faut que je sois à La Cinq. À 9 h 45, il y a la conférence de rédaction. »

7 h 45, VIe arrondissement, rue Saint-André-des-Arts : le radio-réveil de Laurent Joffrin *(Le Nouvel Observateur)* retentit. La danse infernale commence, scandée par Europe 1 et France Info.

Vers 8 heures, Paris, X^e^ arrondissement : Serge July *(Libération)*, moins strict dans ses horaires que la plupart des autres indigènes, se réveille à son tour. Ne serait-ce que parce que son fils est avec lui ce jour-là. Accompagné d'Europe 1 et de France Info, il lui arrive même de traîner un peu au lit, « rarement après 8 heures ».

8 heures, une ville bourgeoise de l'Ouest parisien : Patrick Poivre d'Arvor (TF1) s'offre trois minutes pour retrouver la clarté. Il reste allongé sans un mot. La nuit a été courte. Puis le voilà qui saute dans un survêtement : il part pour un court jogging. Une mise en forme avant l'autre course, celle qui durera jusqu'au soir et qu'il commence, dès son retour, par l'écoute des radios françaises (« sans distinction »). À 10 h 30, avec son comparse Pierre Géraud, ne doit-il pas diriger la conférence du matin?

8 heures, Paris, un appartement près du Luxembourg : le radio-réveil de Christine Ockrent envoie dans la pièce les paroles d'Europe 1. Puis c'est France Info. Elle se consacre au sacro-saint petit déjeuner familial.

8 heures est l'heure limite du lever et du grand branchement radiophonique. Même Alain Ayache *(Le Meilleur)*, sans doute le plus hédoniste des médiacrates, ne peut faire mieux, c'est dire si le rituel oblige... Même ceux qui, tels François Bachy ou Jean-Claude Narcy (TF1), ont préparé le dernier journal, très tard la veille au soir, sont debout : « Si je veux avoir une information de qualité, il faut que je vive le journal de 13 heures, et que je suive les conférences de PPDA. Par exemple, si ce dernier dit que Mitterrand libère les pays du tiers monde de leurs dettes, je serai bien obligé, pour ne pas le répéter, de me préparer à montrer comment réagissent les chefs d'État. » Conséquences : J.-C. Narcy n'a pas le temps de prendre son petit déjeuner. Il compensera à 13 heures.

Une telle frénésie – François de Closets la dit « névrotique » – peut-elle s'expliquer par la fameuse « soif de transmettre des informations »? Autant expliquer les carrières politiques par la volonté de « faire le bien de l'humanité »... Le journaliste se trouve en vérité dans un état de drogue, un peu comme le fut François de Closets de retour de Jérusalem en ce mois de février 1991. Il ne dormait plus, ne mangeait plus, n'avait qu'une hâte : traquer l'information. De ce qu'on raconte à propos de l'arrivée de plus en plus tardive d'Yves Mourousi à TF1 lorsqu'il y était présentateur – après 11 heures – et de ses improvisations obligées et pas toujours réussies (puisqu'il ne connaissait plus les dossiers), il est difficile de ne pas conclure, momentanément, que celui qui refuserait de sacrifier au rite ne serait pas loin de son propre sacrifice.

Inutile de penser échapper au stress en « couvrant » uniquement le week-end. Le présentateur que la télévision n'a pas encore rendu fou, Bruno Masure, se lève à 8 heures dans son petit pavillon du XIIe arrondissement. Henri Chevalier, de France Inter, se réveille vers 6 heures : « Il faut être rigoureux même lorsque l'on a la responsabilité du week-end. » De la salle de bains à la cuisine, l'oreille tout entière consacrée à la radio, il se prépare avec diligence : « À 7 heures je dois intervenir sur France Inter. »

8 heures? Financiers, industriels ou grands commerçants trouveraient cette heure bien tardive et, pour tout dire... fautive. Le « monde ordinaire » aussi. Mais quand tant d'autres prennent leur petit déjeuner, distraits par le bruit nasillard du poste de radio, les grands journalistes sont immédiatement engagés dans cette première quête attentive de l'information qui exclut bien souvent le petit déjeuner.

Tout est là, non pas dans le fait de se lever tôt, mais dans le rythme, dans cette tension qui ronge dès le réveil et qui ne lâchera plus prise de la journée, dans le style de vie. Ce qu'exprime Benjamin, Claude, Robert, dit « Dominique » Jamet : « Quand je suis arrivé au *Quotidien de Paris* en 1973, c'était le bagne. 6 jours par semaine je devais me lever à 7 heures du matin pour être au courant le plus vite possible de tout ce qui s'était passé la veille et la nuit, pour la conférence de 9 heures. »

On est tout aussi loin du rythme des autres journalistes. Rythme du reporter qui impose un travail intensif sur quelques jours, suivi d'un repos... tout aussi intensif; rythme du spécialiste (mode, automobile, lettres, sciences, cinéma, presse féminine...) qui communie avec la temporalité du milieu qu'il est chargé de suivre; rythme des journalistes d'« agences », proche de celui des bureaux. Plus loin encore du rythme propre au journaliste « provincial ».

Car la province du matin, lorsqu'un quotidien a le monopole de l'information sur un département, en général, sommeille. Même éveillée, elle dort encore. Sa préoccupation, en un siècle et demi, depuis l'époque où Balzac l'avait croquée dans les *Illusions perdues,* a peu évolué : attendre. Attendre les nouvelles de Paris. Y a-t-il un scandale dans la région qui pourrait bousculer ce petit monde? Raison de plus pour surveiller... la réaction des Parisiens. Le tranquille petit déjeuner familial annonce un déjeuner tout aussi convivial avec les notables ou les journalistes à son service. L'esprit de famille... Le silence règne. Ce qui fait d'ailleurs l'affaire des médias parisiens, qui récoltent les informations que les « localiers » téléphonent... discrètement. Inutile donc ici de se précipiter sur radios et journaux dès la troisième minute du réveil. Vouloir être un journaliste d'influence quand on est en province? C'est trahir. Trahir sa ville. Trahir son milieu. Et c'est courir vers Paris pour tenter de participer au rite, à cette temporalité dans l'intensité de laquelle chacun reconnaît le pouvoir.

J'entends l'objection : et le journaliste chargé des émissions d'information avant 7 heures, ne participe-t-il pas de la médiacratie? En faisant par exemple le journal de France Inter ou d'Europc 1 de 6 heures, ces journalistes de la nuit, bien souvent talentueux, préparent le terrain, loin de l'espace contrôlé par les médiacrates. Une préparation qui commence tard le soir ou tôt le matin. Trop loin, trop tard, trop tôt. Pas un « grand journaliste » précédemment cité n'est d'ailleurs capable de fournir le nom de ceux qui préparent les journaux de 6 heures. Tandis que le monde nocturne connaît les Jean-Marie Cavada, les Robert Nahmias et les Étienne Mougeotte... Comme le dit Roger Gicquel : « J'estime beaucoup les gens qui travaillent la nuit pour les journaux du matin mais je reconnais que ce sont de glorieux anonymes. » Bref, « aux yeux de la médiacratie » – et c'est là l'essentiel – en termes de pouvoir, ils ne comptent pas. À leurs propres yeux, ils comptent peu.

D'autant que cette activité est exténuante : le plus exténuant des métiers du journalisme, sans doute. Écoutons C., journaliste d'une grande radio périphérique : « La radio, c'est plus éprouvant que la télévision, je dois me lever à 2 heures du matin et après 7 heures je n'existe plus. Et pourtant, je suis bien réveillé. Alors, je suis la conférence du matin. Puis je rentre chez moi. J'écoute les informations de 13 heures et je dors l'après-midi. Mais il faut bien que je me réveille pour regarder la télévision le soir. Je me couche ensuite, puis à 2 heures du matin commence une nouvelle journée. Si l'on peut appeler cela une journée. » Conséquence : « Je suis usé. » Pour exercer une influence sur son milieu, pour être reconnu, il faut quitter la nuit. Cette terrible nuit froide où tous les journalistes sont gris.

Tenons-nous-en à noter l'homogénéité de l'élite dans le « choix » des radios : Europe 1 surtout. « Un journaliste doit faire au moins deux choses dans la journée, dit Emmanuel de la Taille : de 7 h 20 à 8 h 15 écouter Europe 1 et, avant 15 heures lire *Le Monde.* Il doit pouvoir sortir du lit de sa maîtresse de telle sorte que, si on lui a dit : " Tu as vu ça? ", même dans la plus grande ignorance, il puisse toujours répondre : " Bien sûr, j'ai même un bon numéro là-dessus. " C'est le premier réflexe pour survivre! »

Le rouler vrai

Comment, une fois préparé, se déplacer rapidement à Paris? Y circuler tient de l'exploit. D'où la constitution d'un véritable lobby journalistique en faveur du projet, préconisé par Jacques Chirac, d'un tunnel routier sous les pavés. En attendant cet avenir radieux, comment faire? Plantu et Jacques Faizant, dessinateurs respectivement au *Monde* et au *Figaro,* ont trouvé une solution : l'envoi par fax de leurs dessins quotidiens. Remède qu'aucun grand journaliste n'utilisera jamais. Depuis Machiavel, on sait que le pouvoir passe par le corps : il faut se faire voir, sentir.

Résultat : le deux-roues est roi. « Je prends mon Solex », dit le prince des grands journalistes, Alain Duhamel. Et vous pouvez le voir, au pied de son immeuble, humant l'air qui lui vient du jardin du Luxembourg, enfourcher sa splendide monture. C'est un régal que de le suivre ensuite des yeux, descendant la rue d'Assas, fièrement casqué, le dos droit, bien décidé à arriver à Europe 1 avant 7 h 15 puis à faire la tournée de ses provinces.

À peine Alain Duhamel vient-il de disparaître au carrefour que vous faites une autre découverte. Imaginez-vous Jacques Calvet, Michel Rocard ou Nicolas Seydoux en scooter? Vous souriez? Comment des hommes aussi « puissants » pourraient-ils élire comme moyen de transport... cet engin toujours prêt à verser son chargement dans quelque caniveau? L'apanage du coursier devenu le bien des grands! Voyons, des hommes qui dînent avec le président, qui frayent avec ses courtisans! Et pourtant... il est difficile de ne pas remarquer l'omniprésence du scooter en médiacratie. Quel spectacle! Jean-Pierre Sergent (« Ça m'intéresse »), PPDA, Philippe Bauchard, Laurent Joffrin patronnent cette excellence. Descendons vers *L'Événement du jeudi,* installé rue Christine. On dirait que du haut en bas de l'échelle, par un curieux phénomène de mimétisme, maître scooter règne. Le directeur Jean-Marcel Bouguereau, le conseiller de la direction Jean-Francis Held, le reporter Pascal Krop, le chef du service étranger Bernard Poulet, Isabelle Girard... tous pour un scooter, un scooter pour tous! D'autant qu'un scooter cela se prête.

Certes, la moto(cyclette) n'est pas totalement délaissée, à la différence de la piteuse (car populaire) « mobylette ». Elle a les faveurs d'Yves Mourousi, d'Alexis Liebaert et de Bertrand Poirot-Delpech. Un déjeuner avec Luc Ferry *(L'Express),* qui enfourche son monstre à peine le café bu, montre que les intellocrates ne sont eux-mêmes pas insensibles à son charme.

Il reste que seul le scooter est à la mode. Ticket chic qui pourrait bien devenir un ticket choc, car la collision guette les adeptes du rouler-vrai. Un lobby s'est donc constitué, autour d'une charte, propulsé notamment par le ministre Michel Charasse, les journalistes Guillaume Durand et PPDA pour assurer la sécurité des deux-roues. L'union fait la force... Même s'il est vrai que Guillaume Durand, après s'en être fait voler une petite dizaine, préfère maintenant le confort des voitures.

Culte voué à dame vitesse? À condition d'ajouter : dans le respect de « l'individualisme héroïque » qui sied à la profession. Telle est la deuxième partie du secret.

Le refus quasi général des transports en commun en porte témoignage. Impossible de trouver un médiacrate expliquant ce refus par des raisons de promiscuité, d'odeur, de sonorités... Non! La raison avancée est presque toujours la même : la notoriété gêne... la foule ferait perdre du temps... Dans un monde qui bruit de leurs splendeurs, le transport individualisé s'impose.

Le Paris médiatique raconte pourtant un exploit. Que dis-je : une odyssée. Celle d'un oligarque qui utiliserait quelquefois le bus, Bruno Masure. Comment parvient-il donc à affronter les foules en délire? Dirigeons nos pas, hardiment, à 10 heures du matin, vers sa maison sise dans le XIIe arrondissement, près de la caserne Reuilly. Sonnons. Traversons le jardinet (pas très bien entretenu) et entrons dans une sorte de patio. Un peu en retard, Bruno Masure, en peignoir, monte prestement l'escalier pour finir de s'habiller. Cerné, à gauche, par les cassettes de Brel, de Mozart (le *Don Giovanni*), du « Bébête-Show » et, à droite, par un disque de Fitzgerald, attendons sur le canapé. Profitons-en pour examiner anxieusement la collection des 17 boîtes de cachous Lajaunie exposée à notre gauche, qui détonne un peu dans l'espace immaculé : escalier blanc, murs blancs, fauteuil blanc, canapé de cuir blanc... Au pied de l'escalier, un sac de sport jaune et une raquette de tennis. Bruno Masure, virevoltant, redescend et prépare lui-même le café au sous-sol. Discussion. Nous partons ensuite vers l'arrêt de bus. Assis en face de lui, j'attends l'émeute. Rien. Pas d'impatience. Est-ce parce que nous parlons? Nous cessons de discuter. Toujours rien. Pourtant, à quelques signes, il est clair que la « star » est reconnue. Pas un passager pourtant n'intervient. « Où vois-tu donc les foules en délire? » demande en riant Bruno Masure lorsque nous arrivons.

On touche peut-être par le transport individualisé la légitimité du milieu. Même si Emmanuel de la Taille, Franz-Olivier Giesbert ou Bruno Masure... dérogent quelquefois.

Il reste bien entendu ceux qui, résistant encore et toujours à l'envahissant scooter, se déplacent en voiture. À condition de ne violer aucune des deux règles – vitesse et individualisme – tout paraît possible. Les entreprises les plus prospères mettent à la disposition de leur haute hiérarchie un chauffeur particulier. Étienne Mougeotte (TF1), Patrick Le Lay (TF1), Willy Stricker (directeur de la publication de *L'Express*), Michèle Cotta, Jean-Louis Servan-Schreiber *(L'Expansion)*, Claude Imbert *(Le Point)* sont pourtant des cas exceptionnels. Le chauffeur est une denrée rare, par rapport à ce qui se pratique dans les milieux financiers ou administratifs. Ainsi, selon une tradition héritée de l'ORTF, à TF1 seuls les directeurs de l'information ont un chauffeur, pas les directeurs de la rédaction. Gérard Carreyrou dispose « seulement » d'une voiture de fonction sans chauffeur (mais avec téléphone) : le véhicule est vieux, il était celui même d'Hervé Bourges!

Plus traditionnel : la voiture mise à la disposition de l'oligarchie. Dans les médias proches des élites économiques, elle est d'une forte cylindrée. Jean Boissonnat a une R25 tout comme Gérard Carreyrou. Les R25 encombrent également le garage du *Figaro*. Du côté du *Monde*, plus proche de l'élite intellectuelle, la R25 s'est transformée durant des années pour Daniel Vernet en... Citroën AX (devenue Peugeot 405 depuis le mois de septembre 1990... *Le Monde* bouge).

Certains médiacrates, comme Serge July, Yann de l'Écotais *(L'Express)* ou Jean-Pierre Pernaut (TF1) utilisent enfin leur propre véhicule. Ceux-là, comme les précédents, disposent bien entendu d'un parking dans leur palais médiatique. Quelques journalistes prêtent à Franz-Olivier Giesbert un chauffeur. À l'oreille, trois fois, on... me susurre : « Il a même un chauffeur particulier. » Ce traître! Ce pécheur qui est passé de la presse de gauche à celle de droite a « même » un chauffeur! En réalité, Franz-Olivier

Giesbert préfère la marche ou bien il voyage en métro (première classe).

L'anecdote est révélatrice : la profession ressent inconsciemment les attitudes ostentatoires comme des atteintes à l'image qu'elle tente de délivrer d'elle-même : donner « le plus d'information, le plus vite possible, le plus objectivement possible ». Un grand financier sans chauffeur, c'est comme un thé anglais sans lait : curieux et un brin ridicule. Mais un journaliste recherchant le luxe serait un peu « suspect ». Contraire à l'image désintéressée, désincarnée même que le journaliste cherche toujours inconsciemment, ne serait-ce que pour se défendre, à donner de lui-même.

Intéressante à cet égard est la réaction de Yann de l'Écotais, qui justifie l'utilisation de sa voiture : « J'en profite pour écouter mon autoradio. » Au fond : la voiture est légitime « parce » qu'elle permet de travailler encore mieux et plus vite. D'où la place de parking attribuée à tout présentateur et rédacteur en chef à TF1, « sinon, je ne prendrais pas mon véhicule » déclare Jean-Pierre Pernaut.

À l'horizon, deux légitimités se croisent. Se heurtent aussi. Lorsqu'en janvier 1990, *L'Événement du jeudi* cherchait des partenaires financiers, apprenant que Jean-Louis Servan-Schreiber avait une voiture avec chauffeur – une Renault-Espace lui permettant de lire ses dossiers en toute quiétude – un journaliste s'est exclamé : « Cela ne m'étonne pas! »

Le prêt durant des années, par *Le Monde,* d'un véhicule de petite cylindrée à Daniel Vernet, pourrait s'interpréter dans ce cadre. Vous étonnez-vous, comme ce médiacrate, qu'un journal comme *Le Monde,* « quoique » le journal de la médiacratie la plus influente de Paris, ne prête qu'une AX? Un peu comme chez Proust, M. de Norpois émerveillait la mère du petit Marcel en étant aussi exact « quoique si occupé », ou si aimable « quoique si répandu ». Aurait-elle pu songer, nous dit Proust, « que les " quoique " sont toujours des " parce que " méconnus »? Le grand journaliste du *Monde* se lève comme un soldat et voyage comme il risque d'être payé et de dîner : dans une certaine austérité... La reconnaissance des autres appelle une parfaite conformité marquée aux règles de légitimité de la profession : vite, dans le désintérêt. Ainsi, aujourd'hui encore, Hubert Beuve-Méry continue à imposer à ses collaborateurs, par-delà la tombe, cet esprit janséniste qui lui paraissait seul adapté aux tentations dont il avait vu les terribles effets avant guerre dans le monde journalistique.

Le taxi reste le moyen privilégié pour ceux qui ne veulent pas d'un deux-roues et qui n'ont pas le « droit » de prendre les transports en commun. Le taxi? Il répond tout à la fois à la nécessité d'aller vite et d'aller « bien », à distance du « monde ordinaire ». Et Jean-François Kahn, fort de l'appui d'un tel moyen de locomotion, n'a jamais jugé utile de perdre son temps à apprendre à conduire...

Derrière cette recherche de la vitesse qui se passe du luxe, il est bien difficile de ne pas penser que les médiacrates sont prisonniers de leur image de prince de l'information dévoué au signe. Signe peut-être de cette immense comédie humaine que l'on joue, que l'on nous joue...

À moins que, de façon plus prosaïque, les médiacrates ne soient victimes de la dure loi des... cumuls.

La dure loi du cumul

Ils sortent, ils entrent, ils sautillent sur la comète médiatique. Tout est calculé. Aussi calculé que les poignées de main et les sourires. À la seconde près. Courent-ils après l'information? Peut-être, mais, pardonnez à un sceptique qui croit autant au désintérêt qu'aux tables tournantes : pas seulement. Les mouvements erratiques de leurs corps obéissent aussi à quelques règles.

Règle première : conserver les places acquises autant qu'il est possible. Tout pour moi, moi pour (presque) tout! L'« homme au Solex », Alain Duhamel, en pédalant joyeusement vers Europe 1, peut-il ne pas avoir en tête son agenda? Commentateur du *Point,* chroniqueur occasionnel du *Monde* (depuis 1963), consultant à *L'Express* (depuis 1966), éditorialiste au *Nouvel Économiste,* il ne méprise pas non plus *Témoignage chrétien* tandis que *Le Parisien libéré* veillait naguère sur lui comme à la prunelle de ses yeux (édition nationale reprise dans deux régionaux). Producteur et éditorialiste à Antenne 2, journaliste de « L'Heure de vérité », conseiller scientifique de la SOFRES et professeur à l'Institut d'études politiques, il sévit également dans les journaux de province, parmi lesquels *Les Dernières Nouvelles d'Alsace* et *Nice-Matin.*

Cumulons, cumulons... Philippe Labro, directeur à RTL, assure ses collaborations à *France-Soir, Paris Match,* TF1 et A2. Jean Boissonnat joue plus particulièrement sur l'effet de « groupe » : Directeur-rédacteur de *L'Expansion,* il est aussi directeur délégué de *La Tribune de l'Expansion* (quotidien) et du mensuel *L'Entreprise,* vice-président et directeur de rédaction dans le groupe Expansion, membre du conseil de surveillance du groupe Bayard-Presse et du conseil d'administration du groupe Ouest-France, éditorialiste à : *La Croix, Le Parisien libéré, L'Est républicain, Le Midi libre* et à Europe 1...

Je, tu, il ou elle cumule. Le commentaire, la notoriété, le pouvoir dans les rédactions, sont ainsi aux mains de 150 personnes dans le pays. Un oligopole s'est constitué au fil des ans : la médiacratie.

La seconde règle du cumul est celle de la visibilité. Le médiacrate doit agir de telle sorte qu'il soit aspiré vers « le haut » selon un ordre apparu au cours des années 70 : écrit, radio, télévision. Montrer son visage est « mieux » que faire entendre sa voix, faire entendre sa voix « mieux » que placer sa signature... Les exceptions confirment la règle. Claude Imbert, Jean-François Revel, Philippe Meyer *(Le Point),* Jean Daniel, Yann de l'Écotais... que l'on voit rarement, ont trouvé une solution élégante : leurs photographies dans le journal.

La radio est un lieu de passage usité sinon obligé de l'écrit vers le télévisuel. La première des radios pour cette propulsion est Europe 1. Une des raisons qui explique sans doute le taux d'écoute élevé du matin. Son « cycle des éditorialistes » de 8 h 15 est très recherché. Lundi : Serge July (qui a aussi un « Face-à-face » le dimanche avec Alain Duhamel à 8 h 45 et une chronique). Mardi : Claude Imbert. Mercredi : Jean-François Kahn. Vendredi : Jean Boissonnat.

Samedi : Jean-François Revel (commentateur au *Point*) et un quart d'heure plus tard, Jacques Julliard (directeur-adjoint du *Nouvel Observateur*)...

Les autres radios ne sont pourtant pas méprisées. Ainsi RTL. Philippe Alexandre, chroniqueur à *VSD* (après avoir abandonné *Paris Match*) et à l'hebdomadaire *Investir,* doit une grande partie de sa notoriété à ses sermons de 7 h 42 sur cette montagne. Les voies du cumul étant assez pénétrables, on ne peut s'étonner de voir officier un autre grand journaliste, humoriste plus qu'éditorialiste, Philippe Bouvard, échappé de *France-Soir* pour « Les Grosses Têtes ». André Fontaine préfère le « Magazine européen ». Et l'émission « Grand Jury RTL-*Le Monde* » d'Olivier Mazerolle le dimanche soir, la plus « fermée » des émissions de rencontre, attire du beau linge. Elle permet ainsi cette montée au ciel de barons à l'excellente réputation, comme André Passeron du *Monde.*

RMC n'a pas toujours été absente du grand jeu. Une émission assurait la mise sur orbite des médiacrates de la presse écrite. Et quelle émission! Longtemps, Gérard Saint-Paul, le dimanche, grâce au « Forum RMC-FR3 » (avec R. Arzt), a joué de la radio et de la télévision : vente de l'image de Moi assurée. Mais la défection de FR3 a réduit la visibilité espérée : l'émission est devenue « Forum FR3-*L'Express* ». Moins vu? Moins couru.

France Inter, avant que n'arrive Ivan Levaï, joua un tempo plus modéré. La station a néanmoins permis à quelques grands, comme Jérôme Garcin de *L'Événement du jeudi,* d'assurer leur image publique grâce à l'émission « Le Masque et la plume ».

Mais pour la propulsion de soi, la radio est à la télévision ce qu'est la patinette à la voiture de compétition. C'est en passant chez Michel Polac que Noël Copin, Dominique Jamet, Jean-Marcel Bouguereau, Pierre Bénichou et quelques autres se sont fait connaître. Hommes de radio ou de l'écrit cherchent donc à « monter » plus « haut ». Comme le déclare Michel Polac : « Il a suffi que je fasse " Post-scriptum " pour être reconnu par les gens. » Effets inattendus : en 1986, au salon du livre, c'est à Polac, installé pourtant à côté de Burgess, que les gens allaient demander un autographe!

« 7 sur 7 » d'Anne Sinclair, « L'Heure de vérité » de François-Henri de Virieu, Albert du Roy et Alain Duhamel, les grands magazines ou les rédactions en chef cumulées avec la présentation d'un 20 heures, procurent des sensations inégales mais toujours délicieuses. Peu de médiacrates, de Serge July à Franz-Olivier Giesbert, refusent même d'aller s'allonger sur le « divan » d'Henry Chapier à FR3.

La médiacratie audiovisuelle s'autorise également un cumul horizontal. Telle Michèle Cotta, vous pouvez alors dire adieu au *Point* comme Rastignac abandonna sa province : sans remords. Le gâteau suffit amplement... Même Joseph Poli cumulait la présentation du journal télévisé et une émission de livres...

Cela ne signifie pas que le médiacrate doive abandonner tous les postes précédemment occupés. La première règle n'a pas disparu : cumuler le plus possible. Si PPDA a dû abandonner *Paris Match* et RMC en cumulant « Ex-libris », la rédaction en chef et la présentation du 20 heures, il a néanmoins conservé *Le Journal du dimanche* dans sa besace.

Il arrive quelquefois que ces grands journalistes du visuel descendent vers l'audio pour élargir leur surface. William Leymergie cumule le terrible « Télématin » d'Antenne 2, qui le force à se lever avant l'aurore, et France Inter le dimanche. France Inter où Jacques Chancel, prudent, a conservé sa place. Yves Mourousi, qui jouait le matin sur RMC « Dialogue avec les hommes politiques » et écrivait dans *France-Soir,* confirme que la radio est d'autant plus belle que la télévision devient plus rare.

Un mot encore sur cette règle. Elle n'est pas tout à fait identifiable à une simple recherche d'audience. Le grand journaliste recherche d'abord... ce que recherche le grand journaliste. Je désire ce que tu désires. Et les prix montent d'une façon toute spéculative, un peu comme avaient grimpé les coûts des tableaux des « trans-avant-gardes ». Le rôle d'Europe 1 est assez instructif à cet égard. La politique de la station n'explique pas tout. Il s'agit peut-être avant tout du lieu où certains Grands veulent intervenir. Demande, offre, concurrence... désir. On oublie trop souvent le désir. Indice? À la fin de l'automne 89, France Inter, avec 13,6 %, devançait déjà très légèrement Europe 1 (de 0,2 %) et RTL caracolait en tête : 20 % d'audience cumulée. La passion de Serge July et de Philippe Alexandre pour participer sur TF1 à l'émission de Michèle Cotta diffusée après 1 heure du matin ne s'explique guère autrement...

Revers de la « médaille » : à peine disparue des écrans, votre image commence à se troubler et petit à petit, elle se meurt.

Troisième règle : la sécurité. Mieux vaut la direction d'un grand hebdomadaire ou quotidien « respecté » qu'une ou plusieurs positions de notoriété trop instables.

La sécurité est liée à trois éléments : la place dans la hiérarchie, le type de média et surtout les rapports de forces. Elle ne s'oppose pas à la prise de risques et au mouvement. Albert du Roy n'hésita pas : après avoir abandonné *L'Express* pour la rédaction en chef du *Nouvel Observateur,* il la quitte pour Antenne 2 qu'il délaisse pour *L'Événement du jeudi.* Puis, c'est *L'Expansion* avant le retour à *L'Événement du jeudi.* À chaque fois, une perte de salaire, un risque et un jeu fin qui conjuguent la recherche de la position hiérarchique la plus élevée et la plus solide possible avec le maximum de notoriété. Durant tout ce périple, il fut longtemps collaborateur du *Parisien libéré,* sans négliger la radio (RMC) et « L'Heure de vérité » l'accueillait toujours. Lorsque la lumière revint pour lui sur Antenne 2, il put y reprendre ses interventions dans l'actualité. Et s'il quitta la direction de *L'Expansion...* il y conserva une « collaboration ». Prudence n'est pas abstinence.

À la télévision elle-même, forts de l'expérience souvent désastreuse de leurs aînés, les présentateurs revendiquent souvent le titre de rédacteur en chef pour limiter leur fragilité. PPDA fut un des premiers à tenter l'application de la règle, quitte à en faire un *casus belli.* Lorsque Christine Ockrent arriva sur sa chaîne avec, comme lui, le titre de présentatrice mais ayant, en sus, celui de rédactrice en chef, il protesta, lutta, perdit, partit. Un pari. Un pari finalement gagné : il est ensuite revenu comme présentateur *et* rédacteur en chef.

Le danger avec les simples cumuls de notoriété est du même ordre que le travail sans filet. À l'horizon : le cimetière des éléphants du journalisme. Les Jean Lanzi, Raymond Marcillac, Joseph Poli sont nombreux. Christian Bernadac, qui fut l'un des médiacrates les plus connus de France, détient le record du temps passé au « placard » – dans lequel il restera probablement jusqu'à sa retraite : il avait omis cette règle.

Lorsque Pierre Bouteiller lui a proposé « Le Masque et la plume » sur France Inter, Jérôme Garcin, lui, a accepté sans l'ombre d'une hésitation..., tout en se gardant bien de quitter *L'Événement du jeudi.* Mieux vaut avoir les griffes de Franz-Olivier Giesbert ou de Serge July que celles d'Anne Sinclair ou de Marie-France Cubadda. Symptôme : jamais les premiers, malgré la notoriété, n'échangeront leur place dans le donjon d'une cité contre un poste de présentateur de télévision. L'intelligence sait être muette.

Quatrième règle enfin : tu cumuleras en province si perte de temps cela ne te procure pas. Que la province est jolie... vue de Paris !

Il est hors de question, quand on a une âme de médiacrate, de déplacer son corps pour les éditoriaux ou les directions de rédaction. Ivan Levaï, parti quelque temps à la direction du *Provençal* se transforma en turbo-grand-journaliste, avant de revenir bien vite à Paris, sur France Inter.

Et puisque le temps gagné, c'est la possibilité d'espaces de pouvoir supplémentaires, on ne peut s'étonner de voir que les éditoriaux de la presse de province sont quelquefois la répétition, pas même réécrite, des éditoriaux « écrits » ou « parlés » de Paris. L'anonymat permet à cet égard quelquefois bien des contorsions.

Il permet aussi d'éviter les railleries dans des milieux austères. Ainsi André Passeron *(Le Monde)* qui travaille non seulement à RTL mais aussi pour Reuter et *Var matin,* signe Du Baron dans *Le Dauphiné libéré.*

Cumulons donc en province autant qu'il est possible. Naguère Thierry Pfister écrivait les éditoriaux du *Télégramme de Brest* et de *L'Alsace*. Jean-Yves Lhomeau du *Monde* signe dans *La Montagne* et dans *Le Télégramme de Brest*. Jean-Marcel Bouguereau de *L'Événement du jeudi* fait les éditoriaux de *La France* et maintenant de *La République des Pyrénées*, Denis Jeambar et Michel Richard *(Le Point)*, sous le pseudonyme commun de Michel Collet, ceux du *Midi libre*... La province est un plat qui se mange froid.

Un plat qui se passe subtilement. Écoutons Serge Richard du *Canard enchaîné :* « Il y a toujours eu un club informel, dans le secteur politique en particulier, où se côtoient chroniqueurs et éditorialistes. Ce sont ces relations qui expliquent la distribution des correspondances de province. » Quand André Chambraud en a eu assez de la « Chronique » de *Ouest-France*, il la « repassa à un copain » sans que la direction intervienne, sinon pour cautionner, après coup, l'opération. Serge Richard ajoute : « Ce que les directions veulent, c'est que le papier soit intelligent, bien ficelé, et que la diction soit claire. » Diction claire? Le passage des « papiers », avant le fax, s'opérait surtout par téléphone...

Le cumul est partout. Peu de journalistes refusent de tels sacrements. Journaux étrangers ou des Dom-Tom? Alain Rollat du *Monde* signe de temps en temps dans *Le Journal de Genève* et dans quelques journaux des Dom-Tom, tandis que Claude Imbert fait des papiers dans la revue *Foreign Affairs* en plus de sa chronique sur Europe 1. Revues spécialisées? Bernard Pivot dirige la revue *Lire*. Cumul vers l'université et les grandes écoles? Elles sont si accueillantes quand il y a... des compétences; ainsi font Alain Duhamel, Laurent Joffrin ou Denis Jeambar. Combien sont-ils, comme Jacques Duchâteau (France Culture), Roger Gicquel ou Henri Charpentier (France Inter) à résister? Encore conviendrait-il de distinguer ceux qui résistent à la thésaurisation des espaces de ceux qui échouent dans leurs velléités guerrières.

L'idéal, non seulement pour obtenir le maximum de pouvoir mais aussi pour survivre, étant bien entendu que toutes les règles soient appliquées en même temps et que le hasard favorise de si nobles desseins. On comprend mieux Alain Duhamel. Il ne cumule pas dans le « désordre ». Il multiplie les espaces de notoriété et de pouvoirs, en même temps qu'il diversifie ses secteurs d'activité. Il devient presque impossible de le mettre au « placard » ou à l'écart.

Âmes libérales, vous rêvez d'une loi anti-oligopole? Vous rêvez vraiment! La découverte d'unc géographie où le bois médiatique, traversé par un long fleuve radiophonique « tranquille », apparaît comme un entrelacs de relations mouvantes entre médiacrates vous fait-elle craindre de ne plus pouvoir contrôler « l'information »? Mais l'avez-vous jamais contrôlée? Bon, vous pleurez la démocratie? Allons, allons, si ce n'est que pour cela, réjouissez-vous, la technique démocratique n'est pas plus menacée par la médiacratie aujourd'hui qu'hier. Le problème est bien plus grave...

2. LA ROUE DE LA FORTUNE

Il est un élément sans lequel la quotidienneté de cet oligopole ne pourrait même être vécue. Un élément certes « trivial » mais ô combien indispensable, un obscur objet de désir : l'argent.

Des salaires et des hommes [1]

À cet égard, Guillaume Durand dénonce « l'hypocrisie de la profession autour de l'argent ». Hypocrisie? Pour R. « on ne donne pas son salaire, car il n'est pas certain que la direction le veuille ». Transparence, quand tu nous tiens! Ainsi, Franz-Olivier Giesbert et Serge July communient dans le silence. Dans ce globe de verre de ce monde en verre qu'est le dernier étage de *Libération*, Serge July déclare : « Non, cela je ne le dirai pas. » Il dissimule ainsi ses émoluments hors *Libération*.

Pour Franz-Olivier Giesbert, c'est le salaire du *Figaro* qu'il faut cacher. Ce que K. traduit ainsi : « Il a été sous-

1. Plus de deux ans d'enquête pour la rédaction de ce livre ne m'ont pas toujours permis de réactualiser certaines données chiffrées (concernant le salaire des journalistes notamment). J'ai néanmoins choisi de mentionner les informations recueillies à des stades différents de cette longue investigation lorsque les ordres de grandeur et les rapports entre les sommes évoquées sont inchangés. *(N. d. A.)*

payé lorsqu'il est venu de l'*Observateur,* tandis que les ex-ministres et les académiciens émargent pour très cher en n'écrivant pas grand-chose. »

Silence d'un côté tandis que, de l'autre, on verse quelques larmes sur la « prolétarisation » du « milieu » : « L'élite des journalistes gagne proportionnellement moins que les autres élites, dit Pierre Bénichou *(Le Nouvel Observateur)* et elle a subi une perte sévère de son niveau de vie depuis quelques années. Je me souviens de l'époque où je fréquentais les cafés de Saint-Germain-des-Prés, j'étais un peu avec les surréalistes. Un copain m'a dit : " On peut gagner 100 000 F à *France Dimanche.* " J'y suis donc allé en proposant des articles. C'était en effet très bien payé. On ne s'imagine même plus aujourd'hui qu'un rédacteur en chef gagnait comme un chirurgien. Maintenant, il y a une prolétarisation de notre métier. Les jeunes journalistes sont les premiers touchés. À l'*Obs,* ils ne commencent qu'à 9 000 F. » Avant de verser notre obole avec Pierre Bénichou qui s'en va noyer son chagrin chez Castel, tentons d'y voir clair.

Quels sont les « justes prix » des seuls salaires sur le marché de l'élite? Commençons par l'audiovisuel. Combien valent, par mois, directeurs, présentateurs, rédacteurs en chef et responsables de magazine?

Anne Sinclair? « Tout le monde le sait maintenant, je gagne 110 000 F. » Alain Duhamel? « Je préfère ne pas vous le dire. Anne Sinclair gagne 110 000 F? Bon, eh bien je gagne plus qu'elle. » Bernard Pivot? : « Je gagne plus de 100 000 F. » Guillaume Durand, de La Cinq? : « 100 000 F par mois ». William Leymergie? Un peu moins que le précédent. Christine Ockrent? : « 78 000 F. » Bruno Masure? 80 000 F, lorsqu'il était à TF1, 60 000 F sur A2 aujourd'hui. Henri Sannier « vaut » un peu plus que Jérôme Bonaldi (Canal Plus, environ 65 000 F), Jean-Pierre Pernaut (environ 60 000 F) et à peu près autant que Jean-Claude Narcy. À Europe 1, on a des salaires inférieurs ou sensiblement équivalents à ceux de RTL et de RMC : à la direction de l'information politique d'Europe, Alain Duhamel gagne 40 000 F (ses autres revenus lui permettent de franchir la barre des 100 000 F). PPDA, lui, ne gagne

« que » 70 000 F à TF1, mais *Le Journal du dimanche* lui donne 18 000 F auxquels il faut ajouter son émission « Ex-libris ». Jean-Claude Bourret reçoit 85 000 F par mois (il paie 680 000 F d'impôts par an). Les journalistes des directions de l'information sur TF1, A2, La Cinq, Canal Plus, RTL ou Europe 1, de Michèle Cotta à Jean-Pierre Elkabbach, ne descendent pas en dessous de 70 000 F. Ils demeurent en général moins chers, jusqu'à présent, qu'Yves Mourousi, qui avait obtenu de sa triple fonction de présentateur du 13 heures, de chargé de mission et de responsable des émissions spéciales, environ 350 000 F par mois (en lui retirant la présentation, ses indemnités furent calculées sur une base de 250 000 F environ par mois, pendant treize ans!).

En tout état de cause, les grands journalistes de l'audiovisuel sont de plus en plus proches du « dernier et seul » salaire à 100 000 F de Michel Polac; en pleine chute (ou, comme préfère le dire Michel Polac en « perte de puissance médiatique »), il obtient, avant de prendre sa retraite, 35 000 F « seulement » à M6 et 8 000 F à *L'Événement du jeudi.*

Résultat : l'élite de l'audiovisuel, en 1990, vit sur une base de 65 000 F minimum par mois et une moyenne de 75 000 F. Notable exception : François de Closets. Ses 50 000 F confirment pourtant la règle : « Mes livres me rapportent suffisamment, je ne cours pas après l'argent », dit-il...

Il reste apparemment de vraies exceptions. Claude Sérillon gagne 36 000 F, dont 26 000 F comme rédacteur en chef. Roger Gicquel (France Inter) seulement 25 000 F net. Exceptions? À moins qu'il n'y ait là l'effet d'une séparation public-privé et, plus encore, d'une « dynamique de baisse » qu'il nous faudra cerner.

Venons-en aux directeurs, éditorialistes et rédacteurs en chef des hebdomadaires.

À *L'Express,* la feuille de salaire de Yann de l'Écotais, directeur, indique 77 000 F. Les rédacteurs en chef perçoivent entre 45 000 et 55 000 F par mois. Au *Point,* Claude Imbert, directeur, touche 77 000 F, auxquels il faut ajouter

8 000 F pour sa chronique sur Europe 1. Denis Jeambar? Il obtient plus de 45 000 F comme directeur-adjoint, 10 000 F comme éditorialiste du *Midi libre* et un peu d'argent pour son séminaire à Paris I. À l'*Observateur*, Jean Daniel emporte 42 000 F chez lui. Laurent Joffrin? Il reçoit 37 000 F (tout comme Pierre Bénichou) et 3 000 F pour sa chronique mensuelle dans *Challenge*. À *L'Événement du jeudi*, Jean-François Kahn proclame que « payer 60 000 F à 80 000 F de salaires par mois est malsain ». Il ne s'est donné à lui-même que 33 000 F. Mais 8 000 F de *L'Est républicain* tombent dans son escarcelle et autant pour sa chronique sur Europe 1. Jean-Marcel Bouguereau, directeur, conformément au principe énoncé plus haut, a obtenu 32 000 F, mais les 17 000 F de *La France*, dont il fait l'éditorial, viennent s'y ajouter. Quant à Jérôme Garcin, lui aussi directeur, membre du directoire, il gagne 30 000 F, auxquels il faut ajouter sa collaboration au *Provençal* (3 500 F), ses piges à « Bouillon de culture » (de Bernard Pivot) et surtout « Le Masque et la plume », dont il est animateur et producteur. Combien reçoit Jean Boissonnat de *L'Expansion*? Pas moins de 75 000 F assurément. Albert du Roy, lorsqu'il était à la direction de *L'Expansion*, recevait quant à lui 51 000 F auxquels s'ajoutaient les 10 000 F pour chaque « Heure de vérité » et 3 000 F pour sa pige au *Parisien libéré*. Passé à *L'Événement du jeudi*, il y perçoit 35 000 F, une perte de salaire réelle, mais il a conservé une pige à *L'Expansion* et des émoluments à Antenne 2.

Pour tous, le treizième mois, au moins, s'ajoute. Le quinzième au *Canard enchaîné*. Sinon, le salaire d'un rédacteur moyen (17 000 F par mois) dans cet hebdomadaire appellerait (presque) la pitié et Claude Angéli, avec ses 28 850 F, pourrait crier famine. Mais tout compte fait, prime (importante) en sus, Claude Angéli gagne 74 000 F par mois brut, 60 000 F net... Ah, la prime! Variable selon les médias, elle tombe souvent au bon moment.

Au total donc, pour cette élite, un seuil minimal de 45 000 F par mois environ et une moyenne supérieure de 55 000 F.

Faut-il désespérer de la presse quotidienne? Au *Figaro*,

Franz-Olivier Giesbert, dans son large fauteuil de cuir noir, répond par un sourire énigmatique : « 50 000 ou 80 000? C'est peut-être un de ces deux chiffres, mais vraiment, ne m'en veux pas, je ne peux pas te le dire. » Du vrai « off! ». Mais il suffit de quitter son beau bureau, de passer derrière la vitre en verre, pour que l'on vous glisse qu'entre deux maux, il a choisi le moindre : « Il gagne 56 000 F. » Un peu plus bas, Jean Bothorel, qui est là mais qui pourrait être ailleurs, gagne 40 000 F. À *Libération* Serge July, qui joue au trappiste mais a aussi des talents de trapéziste, s'en tire fort bien : ses 25 000 F à *Libération,* les 20 000 F probables de ses interventions à Europe 1 ainsi que ses émoluments à TF1 lui permettent de ne pas succomber aux affreuses tentations de l'austérité. Ses coéquipiers n'ont pas tous cette chance. La plupart se trouvent dans la situation du *Monde.*

Depuis Hubert Beuve-Méry, cette dernière maison ne se lasse pas de prôner les vertus monastiques. Les (nombreux) rédacteurs en chef? Ils ont entre 20 000 et 30 000 F. Le salaire de Jean-Marie Colombani se situe à 25 000 F net : « Je suis le plus mal payé des rédacteurs en chef d'un service politique, donc le plus mauvais », dit-il en riant. Ce médiacrate persifleur acceptait néanmoins 20 000 F pour chacune des émissions de « Questions à domicile » et aujourd'hui, il est payé environ 15 000 F pour « L'Heure de vérité ». Et puis il doit compter avec le treizième mois et les primes qui s'élèvent à 35 000 F par an environ pour un rédacteur en chef. Daniel Vernet, quant à lui, gagne 45 000 F brut, en étant directeur de la rédaction. Ses commentaires à la BBC lui permettent à peine de vivre moins « chichement » : 300 F l'intervention.

Du « plus » *(Le Figaro)* au « moins » *(Le Monde),* tout compte fait, ces médiacrates gagnent au moins 40 000 F par mois et 50 000 F en moyenne.

Voilà donc cette cité médiatique. Encore ne parlet-on pas des « patrons-directeurs ». Comme le dit Alain Ayache, du *Meilleur :* « J'habite dans un hôtel particulier de Saint-Germain-des-Prés. Oui, je gagne beaucoup d'argent. Je me paie 200 000 F par mois, pardon 169 000 F net. »

La différence entre l'élite et les journalistes qui travaillent au pied des pistes est telle que parler d'un « milieu journalistique homogène » peut être promu au rang de naïveté nationale. En 1985, la Commission de la carte révélait que 4,8 % des journalistes seulement – il y avait 14,2 % de non-réponses – gagnaient plus de 20 000 F. Les grands reporters qui font frémir la France et trembler les pouvoirs de leurs exploits (*Rainbow-Warrior,* fausses factures...), et qui risquent leur vie – comme Jean-Louis Calderon, tué en Roumanie – ont droit à 20 000 F net pour Bertrand Le Gendre du *Monde,* 20 500 F pour Edwy Plenel (17 800 F net) du *Monde*... Jacques Derogy perçoit 22 000 F à *L'Événement du jeudi* comme « conseiller de la direction »...

Paupérisation, Pierre Bénichou avait dit « paupérisation »? Entre un Léon Zitrone qui, au début de la télévision de masse, avait à peine de quoi vivre et les médiacrates qui ont obtenu de la machine médiatique salaires et avantages en nature dignes d'un dirigeant d'une grande entreprise, la situation a nettement évolué... le terme de « paupérisation » ne paraissant pas le plus adapté. À moins que les adeptes modernes du « parler vrai » ne soient aussi ceux du « toujours plus »...

Les disparités de salaires s'expliquent-elles par la place dans la hiérarchie? Gérard Carreyrou entre à TF1 comme éditorialiste. Il gagne 35 000 F brut. Devenu directeur pour la politique française quelques mois plus tard, son salaire atteint 52 000 F. Nommé directeur de la rédaction le 14 novembre 1989, le voilà avec 70 000 F net. Et il cumule bien entendu : il est directeur de « Profession politique » (15 000 F). Pourtant, la place dans la hiérarchie n'est pas un élément d'explication suffisant. Les rédacteurs en chef des télévisions gagnent souvent plus que les directeurs des médias écrits.

Faut-il alors faire intervenir une hiérarchie des médias en fonction de leur chiffre d'affaires et des bénéfices qu'ils dégagent? Elle serait constituée à peu près ainsi : télévisions privées, radios privées périphériques, A2, *L'Express-Le Figaro,* le groupe Expansion, radios publiques, FR3, *Paris*

Match, Le Point, Le Parisien libéré, Le Nouvel Observateur, L'Événement du jeudi, Libération et *Le Monde...*, les journaux « militants » fermant la marche. Une hiérarchie qui n'est, bien sûr, pas « stable », comme le montre la position spécifique de Canal Plus, qui ne cesse de progresser. Une hiérarchie très approximative, avec des journaux à peu près inclassables comme *Le Journal du dimanche* ou les grands journaux indépendants de province, comme *La Nouvelle République* (où un rédacteur en chef gagne 33 000 F brut). Mais à place équivalente, on gagne généralement deux fois moins en province qu'à Paris, et trois fois moins au *Monde* qu'à TF1. Néanmoins, ce rapport hiérarchique externe n'est pas toujours respecté. Gérard Carreyrou (TF1) n'est pas rémunéré davantage que Yann de l'Écotais *(L'Express)* et surtout les présentateurs semblent largement survalorisés, qu'ils soient dans le public ou le privé.

Faut-il alors faire intervenir la popularité? Le Médiamat fait indéniablement monter les salaires en attisant la concurrence entre entreprises de presse en quête de clients. La chasse aux têtes connues est une réalité. Mais comment expliquer que Jean-François Kahn gagne nettement moins que Yann de l'Écotais?

Faut-il faire jouer la notoriété dans la profession? Daniel Vernet ou Jean-Marie Colombani, du *Monde*, devraient alors être parmi les mieux payés des médiacrates.

Comment se décide donc le prix du médiacrate? Alors que chez les rédacteurs de base ou les reporters-dessinateurs, les conventions patrons-syndicats de journalistes ont un rôle important, rien de tout cela dans le haut clergé médiatique. Il faut admettre une explication plurielle. Tous les facteurs précédemment énoncés jouent un rôle. Éléments internes au monde médiacratique : le type d'entreprise sur le marché (sa richesse notamment), la place dans l'entreprise, la professionnalisation technique, enfin l'ancienneté. Éléments externes : la notoriété, la popularité, enfin le respect de la profession pour ses qualités. Et puis, *last but not least :* le hasard, les « copinages » et l'art de la guerre.

Il faut en effet, à cette analyse statique, ajouter une perspective dynamique : la capacité manœuvrière, cet art de la guerre. Car le salaire monte ou descend aussi en fonction des rapports de forces dans cette concurrence perpétuelle que se livrent les médiacrates.

Rien n'illustre mieux ce mouvement que l'« affaire Ockrent ». Passée du public au privé (TF1), la « reine Christine » reprend un billet pour A2 en août 1988. Cette Athéna devait assurer l'audience, refaire les miracles de 1982-1985, ce temps béni des dieux où A2 caracolait en tête. La chasse n'aurait certes pas commencé si, en pleine puissance, Christine Ockrent était arrivée. Mais affaiblie, Christine n'était déjà plus « reine ». Pour sonner l'hallali, on donna son salaire en pâture aux journaux. Comme le dit une cavalière qui préfère l'anonymat : « On est des journalistes, pas des vedettes de cinéma, on court l'information, pas le cachet... » Christine Ockrent qui abandonnait sur TF1 un salaire bien supérieur, savait d'ailleurs de quoi il retournait. Comment agir avec délicatesse quand on vise des trônes comme ceux du 20 heures? La loi de la concurrence ne va pas seulement au plus offrant mais au plus fort.

Ceux qui ne s'accordent le droit d'être insolents qu'avec plus faibles qu'eux s'empressèrent : ils dénoncèrent l'insolente. On cria donc au loup dans ce monde de loups, on dénonça l'obscurité des transactions dans ce monde obscur, on organisa la rumeur, dans ce monde dit de « l'information ».

Un brin nostalgique, ne tenant pas plus à maquiller ses sentiments que son visage, souriante, décontractée, désabusée, naturelle en un mot, vêtue d'un blue-jean et d'une sorte de débardeur, Christine Ockrent parle de son « affaire » avec détachement : l'image inverse, professionnelle, de certaines poupées articulées qui apparaissent quelquefois sur les écrans. « Ils n'ont pas même pris la peine de me téléphoner pour demander le vrai chiffre de mon salaire et encore moins de s'informer des salaires des autres vedettes d'Antenne 2 et, accessoirement, des présentateurs des autres chaînes », dit-elle, alors coincée à Antenne 2 dans un local partagé avec Hervé Claude. Le vrai prix?

Quelle importance? Les 120 000 F sont devenus 130 000 F puis 150 000 F, faisant par la rumeur des petits imaginaires.

« L'erreur était de revenir au 20 heures. » Pourquoi n'avoir pas conservé les 120 000 F? « Oui, cela fait peut-être deux erreurs, mais la lassitude... j'en ai eu assez, j'ai proposé de baisser mon salaire et de le mettre à 78 000 F. » 78 000 F avec un contrat court d'un an qui interdit le treizième mois. Christine Ockrent avait commis en vérité d'autres erreurs. Elle n'avait pas attaché assez d'importance à l'émission diffusée avant le journal télévisé : que peut le professionnalisme contre « La Roue de la fortune »? Et surtout, elle n'était pas armée : peu d'amis l'entouraient. Arrivée dans une rédaction « éruptive », à laquelle on venait de refuser l'embauche de deux journalistes – dont un pigiste à 6 000 F par mois –, elle n'avait d'alliés qu'au sommet. On ajoutera qu'elle est femme, ce qui rend souvent les choses plus difficiles.

Les conséquences furent assez immédiates : le sorcier avait annoncé la pluie et la pluie, c'est-à-dire l'audience, n'était pas venue. Le sacrifice s'imposait. D'où cette phrase dix fois entendue à A2 de la part des journalistes : « Christine Ockrent est morte. » Moribonde en tout cas.

Le salaire de Christine Ockrent ne pouvait que baisser. Hervé Claude, joker jouant sa carrière en douceur et « en solo », remporta la mise. Pas pour longtemps.

La guerre propulse ainsi vers les cimes et « lave » le ciel. À la moindre faiblesse, à la moindre vague, l'empire que l'on s'est donné, fait d'images et de pouvoirs, chancelle, prêt à s'abattre. Et en un jour, en une heure quelquefois, les revenus fondent comme guimauve au soleil. Monde instable et gélatineux dont il ne faut attendre aucune pitié : le malheur de l'un(e) fait forcément le bonheur d'un(e) autre.

Les hommes de ménage

Les salaires ne sont pas tout. L'épouvantail de la misère est définitivement éloigné grâce aux « ménages ». Les ménages? Certains les appellent « perruques », mais le terme ménage paraît mieux approprié. Il désigne assez justement à la fois un couplage – au sens où l'on dit que des êtres peuvent se « mettre en ménage » – et une activité sociale, analogue à celle que l'on attribue aux « femmes de ménage ».

Par ces activités rémunérées en dehors de la presse, et, en général, sans rapport avec l'information, le médiacrate « slalome » sur ce qui est devenu la grande mode : co-mmu-ni-quer. Solution aux problèmes sociaux, aux campagnes électorales, aux variations du dollar, aux aléas de la concurrence, aux problèmes psychologiques du maire, aux maux de tête du ministre... Communiquer appelle des communicateurs; les journalistes sont apparemment bien placés pour répondre à cette demande. Sur la vogue de la communication, les genres se mélangent. Un grand fourre-tout est né dans lequel on trouve l'information, les relations publiques, la communication d'entreprise... Il ne faut pas confondre le ménage avec toute une série d'activités pour lesquelles le savoir-faire journalistique peut être appelé. Ainsi, la création d'un journal d'entreprise demande un grand professionnalisme. « Il ne suffit pas de mettre des couleurs », dit Didier Buffin qui, en attente au Centre de formation des journalistes d'un poste « actif » (qu'il obtint finalement à RFI), se fit payer entre 20 000 F et 30 000 F la journée pour un travail qui – de la conception d'ensemble jusqu'au choix de l'imprimerie – avait indéniablement demandé un long temps de préparation.

Autre demande : les « trainings ». Ils permettent aux élites d'éviter les pièges médiatiques. Ainsi Harlem Désir, Pierre Juquin, Jean-Pierre Chevènement... furent-ils préparés par « Lucie », l'entreprise de communication de Jean-Charles Eleb et André Campana. Trois journalistes sont invités à poser des questions dans une salle du sous-sol préparée dans le style « L'Heure de vérité ». André Campana lui-même joue le rôle de François-Henri de Virieu. Après l'épreuve, dans un petit salon attenant, un verre à la main, la discussion commence avec le commanditaire. Puis le groupe visionnera l'enregistrement et la discussion reprendra. Le commanditaire, moyennant finances (seul

Pierre Juquin n'avait pas dû verser d'argent) revient tant qu'il n'est pas au point. Ainsi, dit T. « nous avons été étonnés par l'ignorance d'Harlem Désir sur la plupart des questions, il répondait mal et à côté ». Harlem Désir fut pourtant l'un des plus grands succès de « Lucie ».

Conférences et interventions dans les séminaires sont une autre de ces activités techniques qui peuvent justifier l'intervention d'un journaliste. Les thèmes abordés sont divers; la Défense par exemple, avec Emmanuel de la Taille et Albert du Roy. « Nous appelons souvent des journalistes à intervenir dans nos séminaires », dit Jean-François Doumic, un ancien du *Matin* qui dirige aujourd'hui une entreprise de formation de cadres en communication pour les entreprises. « Leurs interventions durent une à deux heures. Je tiens à ce qu'elles soient de bonne qualité. »

À côté de ces techniques professionnelles, il existe un autre type d'activités que l'on peut dire d'animation : les « ménages ». De l'animation par François-Henri de Virieu d'un petit déjeuner-débat sponsorisé par Axa le 14 juin 1990, jusqu'à celle d'une publicité... tout est possible. La plupart des médiacrates donnent ici un peu de leur temps contre beaucoup d'argent.

Comment sont nés les « ménages »? Il fut un temps où les secrétaires de rédaction étaient aussi bien payés, sinon mieux, que les rédacteurs : aux seconds les honneurs, aux premiers les richesses. Ainsi Yves Mourousi, à ses débuts, avait-il un salaire de 20 % inférieur à celui de son assistant. Puis les choses avaient changé au bénéfice des rédacteurs et des présentateurs. Encore ne convenait-il pas d'appeler « ménages » ces pratiques. Tant que l'activité vendue est essentiellement « technique », la relation d'échange est simple : je donne un travail, on me paye en contrepartie. Il n'y a pas d'excédent. Puis – le développement des télévisions y est pour beaucoup –, il devint difficile de distinguer cette assistance technique de la pure et simple figuration. Celle-ci finit même par devenir le mobile premier. À l'ère des « tiques » – informatique, bureautique... –, l'« homme de ménage » naît. Activité réservée au médiacrate.

Le prix des « ménages »

La prolifération des demandes conduit de plus en plus les médiacrates tentés par les « ménages » à faire appel à un imprésario. « Oui, j'en ai un, dit François-Henri de Virieu. C'est lui qui règle les problèmes. Quand on me téléphone, je réponds qu'il faut s'adresser à lui. » Nombre de demandeurs sont envoyés à l'agence Plate-Forme dirigée par Nathalie de Rochechouart.

Pour mieux comprendre comment sont fixés les tarifs, demandons à un médiacrate ami de téléphoner à une « boîte » spécialisée dans la vente de ce type de biens. L'amplificateur du téléphone fonctionne.

« Quels sont les tarifs moyens pour les ménages?, demande-t-il à son correspondant.

– Ils varient beaucoup, tu sais.

– Selon quels critères?

– Essentiellement, selon la notoriété. Par exemple, Gérard Holtz vaut environ 30 000 F la journée pour une petite convention. Christine Ockrent même si elle n'en fait pas en ce moment, a été revue à la baisse, de 40 000 à 30 000 F la demi-journée. Jean-Claude Bourret, lui, se maintient au-dessus de 50 000 F la journée...

– Même quand ils n'en font pas ou plus guère comme Jean-Claude Bourret, il y a une sorte de bourse des cours?

– Si on veut. Disons qu'on discute avec certains chefs d'entreprise. On chiffre pour eux, en fonction de leurs demandes, des besoins, des offres. Ce qui nous conduit plus ou moins à évaluer les grands journalistes. Il y a beaucoup de variations. En fait, la négociation est un aspect absolument fondamental.

– Les journalistes ont toujours intérêt à négocier?

– Évidemment. Nous leur proposons souvent des prix inférieurs à leur valeur au départ, puis, dans la discussion, nous finissons par nous mettre d'accord. Quelquefois, certains abusent. Ainsi L. avait proposé des prix trop élevés.

Mais elle a été obligée de revoir ses prix à la baisse. On ne pouvait accepter ce tarif. À l'inverse, Henri Charpentier de France Inter ne savait pas trop quoi demander : à 12 000 F la journée, il a accepté.

– On ne leur demande que de la figuration?

– Pour les plus connus, c'est un point essentiel. Mais il y a aussi l'aspect travail réel. J'y tiens beaucoup. Si on offre trois jours, tous frais payés et une forte somme à Bilalian, on demande en contrepartie une disponibilité et un travail, pas seulement une frimousse.

– Quels sont les journalistes les plus chers?

– Mourousi est encore très coté, même s'il n'en fait pas en ce moment à ma connaissance. Les animateurs aussi, les 4 stars de RTL par exemple. Mais encore une fois, cela dépend de tellement de facteurs! Si tu sais mener une négociation, tu as plus que si tu ne le sais pas.

– Les trouves-tu chers, en général?

– Ils ne sont pas très chers. À leur juste prix plutôt. Surtout quand le sujet les intéresse. Moins chers que des vedettes du show-biz.

La demande survient dès que la notoriété commence : « Quand je me suis retrouvé à la télévision venant de l'AFP, j'étais alors un journaliste spécialisé, dit François de Closets. Le premier de ce genre. Aucune demande. Il a fallu 6 mois pour que je sois connu. Je m'en suis rendu compte car les sollicitations ont commencé. Notamment pour réaliser des films industriels. Finalement, après une période durant laquelle j'en ai fait, j'ai refusé systématiquement. »

En trois heures d'entretien avec François de Closets, nous fûmes dérangés pas moins de quatre fois par des entreprises qui lui offraient des « ménages »; par cette alliance de la popularité et du professionnalisme, il a indéniablement un profil de call-girl. François de Closets les refuse courtoisement : « Non pour des raisons morales mais par choix personnel. Actuellement, je préfère gagner de l'argent en écrivant – c'est une affaire d'opportunité. En revanche, je trouve inadmissible que certains en profitent pour faire de la publicité. J'ai la chance de gagner assez d'argent. Quand j'interviens, c'est gratuitement, par plaisir. Quand Véronique Neiertz, par exemple, me demande d'accepter la présidence de la Réforme de l'efficacité de l'État, je ne suis pas payé un centime. »

La loi du prix des « ménages » peut s'énoncer ainsi : elle est proportionnelle à la recherche de la notoriété et inversement proportionnelle à la recherche de la technique. Le prix des animateurs ayant tendance à être aspiré à la hausse par celui des étoiles du show-business.

D'où la réaction de Jean-François Doumic, qui recherche surtout des techniciens capables de parler de leur travail : « Lorsque j'appelle dans ma boîte de grands journalistes, je les paie seulement 2 000 à 4 000 F les deux heures. Je trouve que c'est correct. Il ne faut quand même pas abuser. » Il me dit cela le 23 juin 1990. Il est 12 heures. Il fait beau. Nous sommes à Biarritz, au Festival de l'audiovisuel organisé par Michel Frois sous l'aile protectrice du CNPF. C'est le moment de la distribution des prix. Sur la scène : Jean-Claude Narcy. Durant trois heures, il présente les lauréats et les films. Le directeur de la communication d'une grande entreprise française me glisse à l'oreille : « Pour sa prestation d'une demi-journée, on vient de payer 30 000 F à Narcy, on lui a payé en plus l'hôtel du Palais, le voyage en avion, les repas... » Encore aurait-il pu admettre que Jean-Claude Narcy est loin d'abuser de sa notoriété. Il se débat comme un beau diable au milieu des problèmes techniques et « sauve » la remise des prix.

Quand on s'appelle Roger Gicquel, la demi-journée est comptabilisée de 7 000 F à 20 000 F : « Il y a une semaine de travail pour préparer le dossier », précise-t-il. Sur le marché, Jérôme Bonaldi vaut 20 à 30 000 F pour une journée et ses tarifs montent... comme sa notoriété. Quand on s'appelle François-Henri de Virieu ou Les Nuls, on part donc évidemment avec un avantage. Claude Sérillon vaut 40 000 F. « Il est courant que certains se fassent payer 50 000 F la journée », dit Albert du Roy, qui évite les « ménages » quoiqu'il avoue avoir par trois fois, en 1990, succombé à la tentation. 40 000 F la journée est un prix correct. 100 000 F un cours atteint, notamment, par Jean-Claude Bourret. 80 000 F n'est pas excessif. Ce fut par exemple le prix proposé à Alain Duhamel qui... refusa; le prince des médiacrates préfère les conférences sur des sujets qu'il fixe : une dizaine par an, souvent non payées.

Inflation, inflation : en trois ans, les prix ont presque triplé pour l'élite. 25 000 F la journée en 1987 pour un présentateur connu, environ 70 000 F aujourd'hui. Difficile dans ces conditions de ne pas céder. Paul Amar, après une courageuse résistance, a fini par trouver du charme aux « ménages ».

La Commission de la carte gardienne de la légalité

La recherche des richesses? « L'intérêt de notre métier est que le maximum de journalistes gagnent le maximum d'argent, à condition de respecter la légalité », dit Jean-Claude Bourret qui ajoute à propos des « ménages » : « J'en accepte beaucoup moins maintenant. Avant, j'en prenais 20 ou 30 par an quand j'étais sur TF1, maintenant j'en fais deux ou trois dans l'année. C'est mon business, je paie des impôts là-dessus. »

Peut-on légalement répondre à toutes les propositions si l'on veut conserver sa carte de journaliste? Certes pas. Il est interdit de faire, comme Patrick Sabatier en novembre 1989, des publicités dans le métro pour les meubles Darnal. Et l'animateur a beau proclamer partout que s'« il le voulait », il pourrait avoir sa carte de journaliste, une petite enquête auprès des membres de la Commission de la carte montre qu'il n'en est rien : « Ce n'est pas un journaliste et il ne pourrait pas l'être », dit Nicole du Roy.

Les membres de cette Commission ressemblent aux Érinyes d'avant Homère : elles ne reconnaissent aucune autorité, leur destin est celui du « journalisme » et de ses lois pas toujours écrites. « La Commission ne chasse pas les gros salaires, elle ne fait pas de fixation sur les gens qui réussissent », précise Nicole du Roy. Mais s'il le faut, aux plus grands, elle retire la carte. André Campana n'est plus journaliste. Christophe Dechavanne non plus. Philippe Gildas a abandonné sa carte. « Nous ne tolérons pas non plus que les journalistes fassent des animations pour la Régie française d'espace (RFE) », ajoute Nicole du Roy.

La RFE est un espace qui permet la diffusion (sur FR3 seulement aujourd'hui) d'émissions commanditées par les entreprises pour vendre leur image et leurs produits. Naguère, personne ne s'en souciait : tout beau, tout nouveau. Michèle Cotta fut la première à mettre son petit monde en garde. Même les plus sourcilleux furent pris au piège. Au moment de la privatisation de Saint-Gobain, on a ainsi pu voir Bernard Rapp sur les écrans. « On le lui a reproché. Il est difficile à un journaliste de garder son indépendance de jugement lorsque, payé par une entreprise lors d'une émission, il devra parler de cette même entreprise dans le journal télévisé de la chaîne », souligne Nicole du Roy. Sans difficulté, Bernard Rapp a accédé à cette demande. Ce qui n'est pas le cas de Philippe Gildas ni, *a fortiori,* de Philippe Bouvard, auquel la profession décerne le pompon des hommes-sandwichs.

Il est également interdit de se charger des relations publiques d'une entreprise : « Même si c'est gratuit, précise Nicole du Roy. Si quelqu'un fait le dossier de presse Paco Rabanne, on lui retire sa carte. »

L'indépendance de cette Commission paritaire est indéniable. On peut instruire des dossiers en un mois. Les enquêtes sont régulières. Les vedettes télévisées et de radio sont particulièrement surveillées. La Commission peut jouer d'une arme absolue : si le gain hors activités journalistiques – à l'exclusion des livres – dépasse le salaire de journaliste, la radiation est prononcée.

Une arme absolue difficile à utiliser. Comment la Commission pourrait-elle sanctionner des pratiques invisibles ou troubles? La prolifération des maisons de production empêche toute transparence. Un Jean-Marie Cavada, nommé directeur des programmes de FR3, qui se voit confier une soirée par semaine « La Marche du siècle » produit par sa société, joue le jeu : il se retire du management de sa société (qu'il confie à Philippe Gildas) et gèle ses actions. Il veut ainsi éviter toute collusion. Pour un Jean-Marie Cavada, combien de journalistes qui persistent en secret? Et puis que dire d'Ève Ruggieri qui, étant directrice des programmes sur Antenne 2, non seulement programme « Musiques au cœur » qu'elle produit mais continue à gérer et à toucher les dividendes de sa société? Rien, sinon qu'elle n'a pas et ne peut avoir de carte de presse. Légalité, quand tu nous tiens...

Dans ce jeu avec les radars de la Commission, devenir furtif n'est pas difficile. Comme le déclare F., le directeur de la communication d'une très grande entreprise : « Payer par de l'argent les très grands journaleux n'est pas le seul mode de rétribution. On sait être plus discret. (On notera au passage ce terme de " journaleux ", souvent employé par le patronat.) Il m'est arrivé, poursuit F., de payer aussi par d'autres biais. Ainsi j'ai offert beaucoup de matériel d'électroménager à une journaliste qui le revendait ensuite. » Il arrive également que l'on paie par des billets d'avion. C'est ainsi que B. qui, avec Christophe Dechavanne (non journaliste), est l'un de ceux qui fait le plus de prestations, a été payé par UTA en billets d'avion. Cela n'empêche pas de demander aussi de l'argent. Pour quelques heures, Dechavanne se fait payer parfois 50 000 F.

La Commission manque de moyens pour pister la faute déontologique, même lorsqu'elle flaire l'imposture. Elle sait de toute façon que sa sanction est inefficace. Pour la plupart, le risque vaut la chandelle : entre une carte de journaliste et 40 000 F la demi-journée, beaucoup, quand il leur faut choisir, acceptent la sanction d'un cœur d'autant plus léger que leur portefeuille est lourd.

« Le Canard enchaîné » gardien de la légitimité

Illégal, vous avez dit « illégal »? Quand une convention de notaires à Paris propose 40 000 F la journée à Bruno Masure simplement pour être présent, que dire? Bruno Masure, qui refuse ce rôle qu'il qualifie de « pute de luxe », ajoute : « Gagner en une demi-journée ce que des gens gagnent en quatre mois, cela me perturbe. » Trop de morale? Pas assez? La légalité cache une autre question : celle de la légitimité journalistique.

Peut-on se faire le porte-parole d'un patron, comme Jack Setton dans une convention des cadres Pioneer, quand on est journaliste? Deux journalistes étaient ainsi chargés de passer de table en table pour justifier le revirement du P-DG : « Finalement, rassurez-vous, il n'ira pas s'installer sur la Côte d'Azur... Oui, oui tout s'arrange »... Deux heures à manipuler le personnel d'une entreprise pour 10 000 F chacun. N'y a-t-il pas de limites déontologiques aux « ménages » légaux? *Le Canard enchaîné* le pense. Il joue, du point de vue de la légitimité, le rôle qui était celui de la Commission du point de vue de la légalité.

Notre bipède pourfend les abus, dénonce les « ménages » trop rémunérés, relève les incompatibilités entre unc profession journalistique indépendante et certaines pratiques. Et ses « notules médias », chaque mardi après-midi, font frémir les rédactions. Ainsi Jacques Chancel, nommé directeur des programmes de FR3, contraint d'abandonner son émission télévisée, se voit-il accusé de vendre à des laboratoires pharmaceutiques (comme le 15 mars 1990 à Parke-Davis), le titre de son émission et les « équipes d'animation et de réalisation ».

Pourquoi cette vigilance? Peut-être parce que le microcosme sent bien que cette montée en régime de la figuration perturbe les relations entre les journalistes et les autres pouvoirs.

Vous dites-vous, comme certains médiacrates, que la présence du journaliste suffit à expliquer le prix du « ménage »? Chacun y trouve apparemment son compte : l'invitant, le journaliste invité, le public heureux de trouver son sorcier, le média de l'invité qui se fait lui aussi de la publicité. Pour remplir une salle à Cannes, 50 000 F est un véritable « service » rendu..., sous peine d'avoir une salle à moitié pleine.

Les parties sont-elles quittes? C'est quelquefois vrai. Mais pour un prix élevé et aussi peu de véritable travail, les grands journalistes sont nombreux à frapper à la porte. Et parmi eux, plus d'un peut fournir le service : il ne s'agit pas en effet d'un travail technique mais d'une figuration. Le spectacle terminé, la transaction n'est pas encore finie tout simplement parce que le médiacrate souhaite revenir ou passer l'affaire à un ami. « Bien, bien. Vous reviendrez, bien entendu. Mais cette ville est une belle ville, elle a un bon maire dont on peut parler, elle organise des festivals difficiles à... » Oh, sollicitations sans ostentation, on ne « demande » à proprement parler rien... mais le médiacrate qui a déjà accepté le « don » va faire sienne cette analyse : glissement progressif du principe d'indépendance.

Ont-ils vraiment le choix, d'ailleurs? Un jour, François de Closets accepta de donner une conférence à EDF. EDF voulut payer, Closets refusa et eut les mains libres pour publier un peu plus tard un livre qui mettait en cause le fameux comité d'entreprise CGT d'EDF. Celui-ci réagit avec vigueur : il fit aussitôt courir une rumeur : François de Closets attaquait alors qu'il avait été grassement payé pour ses dernières conférences... Par prudence, le médiacrate avait conservé le double de sa lettre refusant toute forme de paiement. Sa motivation, François de Closets l'exprime d'un mot : « Je ne veux pas qu'un jour au téléphone on puisse me dire : " Entre nous, cher ami, je pensais que... " Je ne veux pas être tenu. »

Magnifique expression. Être « tenu » à quoi? Sinon à donner, par exemple, cette contrepartie tacite qui aurait manqué dans l'échange s'il avait accepté un « cadeau » royal. Pour les mêmes raisons, un médiacrate comme Gérard Carreyrou, qui craint instinctivement d'être engagé dans une spirale de connivence, refuse jusqu'aux « ménages techniques ».

L'indépendance s'achète... par le refus d'être payé quand on fait des animations. Ainsi fit Yann de l'Écotais lorsqu'il intervint en 1989 à l'Unesco pour la convention franco-allemande du Mouvement européen. Ou encore Alain Ayache, qui donne 30 à 40 conférences par an, payées de 8 à 1 200 F les deux heures, plus le remboursement des frais : « Mais je ne prends pas l'argent car je n'en ai pas besoin. »

Idem pour Edwy Plenel, devenu célèbre par ses enquêtes au vitriol dans *Le Monde,* et auquel la Fédération nationale des élus socialistes proposa 10 000 F pour 1 h 30 de conférence : « J'ai envoyé une lettre où j'indiquais mon refus d'être payé, dit-il, texte à l'appui. Sinon, allez enquêter ensuite sur les fausses factures... » Ce souci d'indépendance explique, en partie, que certains journalistes n'acceptent que des conférences techniques adressées à des spécialistes, comme Bertrand Le Gendre *(Le Monde)* qui se produit à l'École nationale de la magistrature pour... 500 F.

Ce n'est pas seulement l'indépendance qui a un prix, mais bien l'honneur aussi. Le terme de « journaleux » couramment utilisé par le grand patronat pour désigner ces hommes de « ménages » dont ils ont fait leur personnel... domestique le dit assez.

Écoutons par exemple ce directeur de la communication d'une grande entreprise : « Il m'est arrivé de dire à T., qui est journaliste : " Bon, laisse tomber, je fais moi-même l'article. Tu le signeras. " Je le lui ai écrit et il a paru tel quel. » Pour lui, le « journaliste » est « journaleux ».

On le voit, du « ménage » à la connivence, il n'y a souvent qu'un pas. Il faut avoir la décontraction d'un Jean-Claude Narcy, les nerfs d'un Albert du Roy ou l'humour d'un Emmanuel de la Taille pour ne pas sombrer corps et âme. Ils gagnent trop d'argent, dites-vous? S'il leur vient d'un travail réel dans notre société concurrentielle, qui s'en plaindrait? Mais ce ne sont bien souvent que des « animateurs », ajoutez-vous irrités. Certes, la réaction baudelairienne d'un Philippe Alexandre, qui fait mille et une courbettes tout en préparant déjà le venimeux texte qui va occire le lendemain, sans remords, sans pitié, n'est pas à la portée de tous. Pour sortir du salon doré, il passe par la porte d'entrée tandis que d'autres ouvrent la porte du placard à balais. Raison de plus pour conserver son calme. Tant qu'il y a du journalisme, il y a de l'espoir. L'espoir d'affronter ce redoutable problème : les infortunes de la vertu. Car, après tout, cette roue de la fortune qui emporte les animateurs ne tournerait pas sans l'acquiescement des... spectateurs.

3. TOUJOURS PLUS?

Officiellement, il n'y a que trois « avantages » liés à la profession : 30 % de déduction fiscale (plafonnés à 50 000 F), le coupe-file et la célèbre tactique des frais. Frais de restaurant, frais de déplacement, frais d'hôtel... Tout juste peut-on constater que ceux-ci sont d'autant plus élevés que le poste est important. Et que certains sont tout à fait spécifiques et... curieux, comme les frais de vacances. Ces sommes rondelettes que certains médias mettent à la disposition de leur haute hiérarchie, à l'étranger – à cause du fisc – dépassent le plus souvent 20 000 F. Le médiacrate vit alors un drame : il « doit » les dépenser sous peine de les perdre...

Mais à côté de ces atours, le système est pris dans la spirale inflationniste d'un « toujours plus » dont le médiacrate François de Closets a oublié de parler dans l'ouvrage du même nom...

Les petits riens qui peuvent faire l'amitié...

Les réductions chez certains grands couturiers sont légion. Héritage d'une situation initiale, celle des présentatrices, qui avaient une prime de 2 000 F pour leur garde-robe. Les médiacrates, en reprenant ainsi le flambeau d'une noble tradition, trouvent les avantages des journalistes spécialisés dans la mode. « Les réductions peuvent aller jusqu'à 40 % » dit Roger Gicquel qui n'en profite plus depuis qu'il n'est plus présentateur. 40 % chez Ted Lapidus, Dolto, Smalto ou Brummell. Voire des vêtements gratuits proposés par les attachés de presse des grandes maisons qui tiennent à ce que les vitrines télévisuelles de la France soient " élégantes ". » Alain Duhamel obtient 30 %, comme Jean-Pierre Elkabbach. Se « débrouillent-ils » moins bien? Ou sont-ils moins « visibles »?

Derrière la tentation dc la connivence, l'habit dit assez le moine. Plutôt rive droite chez les médiacrates des radio-télévisions et du *Figaro :* coupe élégante, de bonne qualité; origine : les grands couturiers, qui habillent aussi le pouvoir financier et économique. Plutôt style « rive gauche » et petits magasins de Saint-Germain-des-Prés du côté de la médiacratie des « news » et des quotidiens – chez Delaunay par exemple pour Jérôme Garcin –, notamment chez ces couturiers qui habillent nombre d'hommes politiques de gauche.

Comme si tout cela confirmait l'existence d'une géographie de la médiacratie répartie entre deux pôles.

Mais par-delà ces hypothétiques clivages, on aura quelques difficultés à admettre que ce « don » des couturiers pour les hommes qui ont le plus de « visibilité » se fasse sans contre-don. Tu reçois et ...tu portes. Tu montres ce que tu portes.

La pression peut passer par de multiples biais. Un magazine de télévision téléphone-t-il au médiacrate pour « faire la couverture »? On lui demande en même temps : « Accepteriez-vous d'être habillé par B.? » Au loin rôde la connivence. Celle qui permit à Yves Mourousi de présenter dans son journal une collection de vêtements signés Johnny Hallyday « dont la promotion était assurée par sa propre femme » rappelle Noël Mamère. « On ne vous voit jamais », se plaignent à Paul Amar les attachés de presse de deux maisons connues. Paul Amar craint tout simplement de devoir « donner en échange »... Ce qui explique aussi que François de Closets préfère acheter, à leurs prix, ses habits chez Barnes tandis que Yann de l'Écotais s'habille en Saint-Laurent au prix fort des soldes permanents chez Bidermann.

D'ailleurs, fini le temps de l'antenne, les cendrillons retournent à leur citrouille. « Du jour où je ne suis plus passé à l'antenne cela a été fini dit D. J'y suis retourné souvent pourtant, mais c'est vrai que le vendeur a été, disons, " moins aimable ". »

Comme tout journaliste, l'oligarque bénéficie de 8 à 10 % de réduction sur l'achat d'une voiture. A-t-il besoin d'un prêt? Le « parc presse » de Peugeot a 120 véhicules, celui de Citroën une trentaine, Renault une centaine. Est-il en panne? « Il est arrivé que l'on me prête alors un véhicule » dit Roger Gicquel. « Quand j'ai une voiture à réviser, ils me prêtent un véhicule » lui fait écho Alain Duhamel, qui ne circule pas qu'en Solex... Le médiacrate a ainsi les avantages des journalistes spécialisés dans l'automobile.

Henri Charpentier (Radio France) souligne qu'« il est difficile de reprocher aux journalistes de l'automobile de se faire prêter un véhicule car ils ne peuvent se contenter d'un tour pour en faire la critique ».

Voilà un « devoir » qui n'explique peut-être pas le jeu médiacratique lui-même. Pour lancer la Citroën Visa, des charters ont emmené de nombreux journalistes en Grèce. Ils étaient 450 invités au Yémen, lorsque Renault présenta sa R21. Peugeot préféra le Maroc, et les Japonais les Antilles. Fiat, qui conduisit 600 journalistes à Cap Kennedy, eut son modèle – harmonie du monde – élu « voiture de l'année ». Le médiacrate peut également se trouver invité à un rallye « cabriolet d'or » pour quatre jours très agréables dans une maison mise à sa disposition et il lui est même proposé de gagner un... cabriolet.

Cette sollicitude peut aller plus loin encore comme lors de ce rallye africain. Le soir, l'un des sponsors de l'épreuve va au bar de l'hôtel. Il se dirige vers un grand journaliste et lui dit : « C'est comme chaque année, tiens, voilà ton enveloppe. » 10 000 F en billets! Erreur : ce n'était pas le journaliste habituel. Demi-erreur : l'heureux remplaçant prit l'enveloppe et la mit dans sa poche. Il venait de comprendre pourquoi son « collègue » tenait tant à venir ici et – contre-don – à passer tant d'images concernant les produits de la société du sponsor.

« Ce qui est embêtant, ironise Serge Richard, c'est que les voitures n'ont pas beaucoup de défauts. » Elles sont supposées tourner parfaitement autour de circuits truffés de publicités... et le médiacrate tourne avec elles : en rond. Il n'y a pas d'horizon dans une dynamique de connivence.

Pourquoi payer ce que l'on peut avoir gratuitement? Aucun bien n'échappe à cette règle, pas même les biens culturels. Les expositions? On vous y invitera gratuitement. Jean-Marie Colombani pourra aller voir les projections en avant-première ou visiter tout à son aise les expositions « avant qu'elles n'ouvrent ». Les livres? Quoi de plus naturel. Jean Daniel ou Jean-Pierre Elkabbach les recevront gracieusement. Jean-François Kahn désire-t-il aller voir un opéra, au même titre que le spécialiste de musique Alain Duault? Il recevra l'invitation : pas d'attente, rien à payer.

Tout cela pourtant ne suffit pas pour faire une amitié. Un médiacrate ne se fait pas « acheter » pour si peu. Il considère au mieux que c'est un dû, au pire que ce n'est pas assez.

Un don appelle plus de générosité, cela doit venir du cœur. Don : pour le *New York New York* de Nicole Avril, les journalistes amenés par grappes à New York savaient de quoi il retournait. Contre-don : l'ouvrage méritera ensuite d'être consacré; cela d'autant plus facilement que, tel ce critique célèbre, vous êtes directeur de collection et participez allégrement à des jurys.

Tout est à l'avenant : des cosmétiques – les entrepreneurs n'hésitent pas à faire tester leurs produits aux... Seychelles – aux distributions de HLM à Paris par Chirac. Si Jean-Jacques Roulmann de Pechiney dit, d'après Sylvain Cipel (revue *Dynasteurs*), avoir « un mal de chien à inviter les journalistes américains en voyage de presse », il n'en va pas de même de certains médiacrates français friands d'invitations de ce genre. On a vu la femme d'un journaliste automobile faire le tour du monde. Le médiacrate veut-il faire un petit tour au Maroc? Le roi accueille en musique dans cet hôtel de renommée internationale de Tanger, le Mamaya d'où l'on voit les « choses » avec de tout nouveaux yeux.

Les grands préfèrent-ils les croisières? Pas de gros problème. Les Croisières Paquet vous tendent les bras. C'est la « croisière à thème ». Dans une salle du *Mermoz*, France Roche, Albert du Roy, Jean Daniel, Jacques Derogy, Claude Julien, PPDA, Claude Guillaumin, Marc Ulmann, Dominique Jamet, Bertrand Poirot-Delpech côtoient Yvon Gattaz. Ils préparent le « journal » en une heure et demie. Le soir, ils se dispersent aux tables des « payants ». Bertrand Poirot-Delpech récite son discours de réception à l'Académie française puis joue de l'accordéon. Ils chantent aussi, au grand plaisir des « gentils membres ». Arrivés à Porto Rico, ils visitent une douzaine d'îles... jusqu'au Venezuela voisin. Ah les beaux jours! On échange entre médiacrates des invitations. Jean Daniel peut même dire à Jacques Derogy qui venait de quitter *L'Express :* « Tu sais, on t'attend à l'*Obs.* » On s'attend et on s'entend.

Le public trouble-fête

Boulevard Pereire, un jeune garçon en vélo, raquette de tennis sur le dos, attend Pierre-Luc Séguillon devant l'immeuble de La Cinq. Il veut un autographe. « Une signature s'impose », dit Séguillon amusé. Regards, signatures, questions, lettres... La quotidienneté de cette élite est ainsi traversée non seulement par un système de don-contre-don vis-à-vis des autres pouvoirs mais par ces actes de reconnaissance de la population. Comme le dit Paul Amar : « Tu sens le regard des autres sur toi, tu bénéficies d'une certaine notoriété. Il ne faut pas être hypocrite. Quand je suis allé à Châteauroux, le fait d'être reconnu m'a beaucoup aidé. Et narcissiquement, c'est formidable. C'est agréable même si c'est aléatoire. »

Ces actes de reconnaissance sont proportionnels à la notoriété. Cette contractuelle est prête à mettre son procès-verbal quand, soudain, elle reconnaît dans le fautif la noble figure de Jérôme Bonaldi : « Oh, monsieur Bonaldi, je ne vais pas vous faire payer. Pas vous! » Un jour, Jean-François Kahn et Pascal Krop en grande discussion se promènent dans les rues de Paris. Une voiture de pompiers toutes sirènes hurlantes fonce. Soudain, dans un crissement de pneus, les pompiers l'arrêtent à la hauteur des deux compères pour demander... un autographe.

Ces actes dépendent encore de la popularité, c'est-à-dire de la façon, bonne ou mauvaise, dont vous êtes reçu. Ce qu'on appelle encore la sympathie. Ils résultent enfin de l'occasion. En vacances ou dans les moments de détente, la familiarité augmente. Les barrières acceptées en temps normal paraissent n'avoir plus de raisons d'exister.

Méfions-nous pourtant d'une interprétation hâtive qui nous ferait passer à côté de l'essentiel. Trop de thèses savantes pourraient être réduites à cette formule naïve : « Le grand journalisme, et surtout la présentation télévisée, c'est du show-biz. » Le médiacrate lui-même n'est pas insensible à cette accusation. N'est-il pas étrange pourtant que ce soit là une accusation? Il est difficile de ne pas la rapprocher de cette autre : « Les journalistes sont des menteurs. » Accuse-t-on Gary Cooper de faire du show-biz? Dit-on de Madonna qu'elle est une « menteuse »? Sur cette différence, écoutons Michel Polac : « Il y a une phrase typique pour m'accueillir. Les gens disent : " Bonjour Michel. " Alors qu'ils disent : " Bonjour monsieur Noiret ". » Quant au monde des « variétés », Bruno Masure constate amusé que si les gens ne l'importunent jamais, il arrive qu'ils fassent un petit clin d'œil, discret, de connivence, avant qu'il ne descende du bus en allant à son travail. Rien à voir avec les « fans » qui hurlent sur le passage de Renaud, Prince, ou de Hallyday... Insistons encore un peu sur cet aspect : jamais on n'a vu de bandes de jeunes se prendre pour Christine Ockrent ou jouer à Bruno Masure, jamais la coupe de Laurent Joffrin, le cigare de Serge July, la manière de parler de Jean-François Kahn, le sourire de Franz-Olivier Giesbert n'ont fait des adeptes dans la population. La relation d'échange avec le public n'appelle pas l'identification.

Jean-Paul Sartre avait raison, qui disait que le cinéma hollywoodien mettait en œuvre une relation de « ressemblance-identification-mystification ». Qui regarde de tels films peut se « prendre » pour un héros au crâne rasé ou à la fossette aigrelette... mais il n'y a pas de processus d'identification avec les médiacrates.

Contrepartie : les relations passionnelles bien particulières que le « public » entretient vis-à-vis de cette nomenklatura. Un jour, dans une rue de province, une voiture roule à pleine vitesse et stoppe. Un grand gaillard descend, s'approche d'Anne Sinclair, la retourne et la montre à sa famille : « Je vous l'avais bien dit que c'était Anne. » Réactions qui varient du nord au sud de la France. « Au nord de la Loire dit Jean-François Kahn, quand on est vraiment en désaccord avec moi, on me dit : " Je ne suis pas d'accord avec vous. " Au sud, à Saint-Paul-de-Vence, alors que j'étais avec les Levaï, un individu me dit : " Je voulais vous dire à quel point je vous hais. " Je lui ai répondu : " C'est cela qui me donne le plaisir de vivre. " Un autre jour, dans un wagon-couchette, un usager de la SNCF " condamné " à passer la nuit dans le même compartiment que moi s'est exclamé : " Et dire que je vais passer la nuit avec un individu comme lui "... »

Amour-haine : telle est la loi de cette intimité que jamais le spectateur sensé n'imaginera avec une Jane Fonda ou un Alain Delon. Ni idole, ni « star », bien au contraire. Les consommateurs d'informations n'ont pas reçu en habits d'apparat. Ils n'ont pas sorti les plats, petits ou grands. Le médiacrate qui se plaindrait serait comme un invité qui a fait son possible pour être là, qui voudrait être réinvité et qui dirait au maître de maison : « Décidément, vous ne me plaisez pas. »

Nous verrons plus loin le sens véritable de cette relation d'amour-haine, mais une chose est d'ores et déjà certaine : les médiacrates sont sous haute surveillance et le public ne pardonne pas la connivence avec les élites lorsqu'il la décèle. Écoutons et fermons les yeux : « mensonges », « show-biz »... Il faut de la tenue pour faire plaisir aux publics. Il faut mériter de signer des autographes. Les consommateurs d'information condamnent les médiacrates qui mettent leur vitesse au service premier de la recherche de salaires élevés, des « ménages », des cadeaux... des multiples relations de complicité. Comme si Hermès, le dieu des médiacrates, jouait avec le public pour contraindre le médiacrate à répondre à l'appel des seules règles de légitimité qui sont aussi celles de sa véritable position parmi les élites.

Dernier domicile connu...

Le logement : il est possible que rien n'indique mieux la proximité et la distance entre la médiacratie et les autres élites. La façon de loger de la première est en effet à nulle autre pareille.

Claude Sérillon, le soir venu, entre dans un de ces immeubles de la mairie de Paris construits par Bofill. Une mairie qui loge aussi Gérard Carreyrou, Claude Weil *(Le Nouvel Observateur),* Maurice Szafran *(L'Événement du jeudi),* Alain Denvers... Les médiacrates seraient-ils donc surtout locataires?

Jean-Claude Narcy? Locataire à Courbevoie. Yann de l'Écotais? Locataire d'une compagnie d'assurances dans le VIe arrondissement. Pierre Bénichou? Jean Boissonnat? Locataires dans le VIIe. Jean Bothorel? Locataire dans le IXe. Paul Amar? Locataire dans le XIe. Bernard Pivot? Locataire dans le XVIIe. Guillaume Durand? Locataire dans le XVIe. Laurent Joffrin? Locataire dans le VIe. Gérard Carreyrou? Locataire dans le XVe. Jean-François Kahn, Hervé Algalarrondo *(Nouvel Observateur),* Christine Ockrent, Dominique Jamet, Jean-Marie Colombani, Daniel Vernet, Jean-Claude Bourret...? Locataires encore et toujours. Même Alain Duhamel est locataire (dans le VIe)...

Certes, il y a des journalistes « heureux propriétaires ». Mais ils n'habitent pas les beaux quartiers, à la différence des autres élites. Comme Serge July, devenu propriétaire en 1989 dans le Xe arrondissement. Comme Jean-Marcel Bouguereau, qui vient lui aussi d'acheter, dans le XIe arrondissement. Ils parviennent également à être propriétaires en... banlieue, comme Roger Gicquel, dont la maison est à Bièvres, Albert du Roy à Saint-Maur-des-Fossés ou Bernard Rapp à M., dans les Hauts-de-Seine...

Et puis combien de propriétaires doivent-ils leur bien

à leur seul statut de grand journaliste? Peu, à part Ivan Levaï peut-être. Les 200 m² d'Alexis Liebaert dans le VIIᵉ arrondissement ou le duplex dans le VIᵉ arrondissement de Sylvain Gouz s'expliquent plutôt par l'héritage.

Plus révélateur encore : Thierry Pfister n'est devenu propriétaire en 1987 qu'après avoir quitté le journalisme et être allé faire en 1981 un tour du côté du pouvoir, qui l'a conduit à écrire quelques livres dont les droits viennent d'être investis dans ces murs du IXᵉ arrondissement. Bruno Masure lui-même, qui seul, avec Alain Ayache, possède une maison à Paris, admet : « Je suis devenu propriétaire grâce à la vente de mes livres » (même si cette vente époustouflante s'expliquait par sa fonction de médiacrate). Propriétaire, François de Closets fait une réflexion similaire : « C'est l'auteur François de Closets qui est propriétaire. » Michel Polac, avec son appartement du XVᵉ arrondissement, fait-il exception? C'est oublier qu'il s'agit de... 45 m² seulement qu'il a acheté à crédit sur vingt ans... Quant à PPDA, il habite certes une belle banlieue, à la différence de Pierre-Luc Séguillon, mais il est seulement... « demi-propriétaire ». Un symbole.

Peu d'exceptions du type de Claude Imbert, propriétaire de son appartement de 220 m² dans le VIᵉ. Vivre comme locataire près des grands ou comme propriétaire loin d'eux : il faut choisir. Qu'il semble loin, l'appartement de Simone Veil à partir duquel un médiacrate aurait pu contempler les Invalides en rêvant du Panthéon...

Locataires donc, mais pas n'importe où. L'élite de TF1, A2, La Cinq, Europe 1, RMC, RTL, et du groupe L'Expansion, employée dans des entreprises qui brassent beaucoup d'argent ou qui sont, par leur contenu, à proximité des pouvoirs liés à l'argent, habite en général non loin des lieux de résidence du pouvoir économique parisien : l'Ouest parisien et la banlieue Ouest. De Philippe Labro (VIIᵉ) à PPDA (Ouest parisien), en passant par Jean-Louis Servan-Schreiber (VIIIᵉ) ou Emmanuel de la Taille (VIIᵉ), c'est la grande proximité des lieux.

Les journalistes de *Libération*, du *Nouvel Observateur*, de *L'Événement du jeudi*, du *Monde* ou du *Canard enchaîné* habitent plutôt les quartiers parisiens fréquentés par les artistes et les jeunes intellectuels (IXe, Xe, XIe, Est parisien) ou les quartiers classiquement fréquentés par les intellectuels « installés » : VIe et Ve arrondissements.

La tribu journalistique semble envoyer les rayons de ses phratries là même où elle penche par ses habits, ses restaurants, ses salaires...

Alors que la plupart des journalistes de base vivent dans de petits appartements, l'élite occupe de... grandes surfaces. 110 m^2 pour Jean-Claude Narcy, 115 m^2 pour Emmanuel de la Taille, 120 m^2 pour Jean Boissonnat, 125 m^2 pour Daniel Vernet, 140 m^2 pour Gérard Carreyrou, 170 m^2 pour Pierre Bénichou, 180 m^2 pour Yann de l'Écotais, 200 m^2 pour Jean-François Kahn, 230 m^2 pour Jean Bothorel, 240 m^2 pour Guillaume Durand, 250 m^2 pour Bernard Pivot... Sans héritage, ce « milieu » incapable d'accéder au(x) fond(s), rivalise dans la forme avec les autres élites : l'étendue de la surface occupée.

Non seulement l'étendue mais aussi le style. La similitude dans l'organisation du logement entre les médiacrates et les milieux dont ils sont proches est déroutante. Ceux qui, par leur position, penchent vers le pôle intellectuel des classes supérieures conçoivent un salon où s'entassent les tableaux et où trône sur la table basse une statue moderne, comme chez Thierry Pfister. Ceux qui sont mis sur orbite autour du pôle économique des classes supérieures paraissent préférer le mobilier d'époque, comme dans le duplex de Sylvain Gouz.

Ce monde n'est pas que celui de la copie, menacée d'une perte d'être par rapport à son modèle. Partout, le livre occupe une grande place. Les œuvres d'art sont rarement absentes et bien souvent elles sont « originales »... Le médiacrate est d'abord et avant tout un intellectuel. Mais un intellectuel d'un nouveau type attiré par la connivence, une forme de folie consistant à se prendre pour son modèle. Oubliant alors qu'une copie, à la différence d'une répétition, est un mixte : elle n'existe que dans sa proximité au modèle et son irréductible distance. La connivence est ce moment où l'on ne distingue plus qui est qui, ce moment où le médiacrate tente – « vanité des vanités » – de retrouver une unité, de se dissoudre dans une pseudo-classe supérieure pour se fixer.

En jouant ainsi l'identification par l'assimilation, le médiacrate perd son identité. Et en se perdant, il menace de nous aliéner tout autant.

4. SPLENDEUR PUBLIQUE, MISÈRE PRIVÉE

La collusion avec les autres élites, le plaisir d'une position de pouvoir, apparaissent avec évidence lorsque les médiacrates jouent midi et soir « Lunettes noires pour nuits blanches », l'ancienne émission « branchée » de Thierry Ardisson.

Dis-moi où tu déjeunes...

Dès 13 heures : le Paris médiatique ressemble à une immense fourmilière qui se viderait en quelques minutes de ses habitants, aristocratie en tête. Courent-ils à la recherche d'un plaisir gustatif? Vous n'y êtes pas. Du corps, on ne s'occupe guère. Nicolas Domenach comme Denis Jeambar ne toucheront d'ailleurs presque pas les bouteilles qu'ils ont généreusement mises à votre disposition. Jean-Claude Narcy avertit : « Je suis un homme de déjeuner. Mais il n'y a pas de déjeuners amicaux, seulement des déjeuners de travail. »

Avantages évidents pour tous les journalistes : les invités sont détendus..., ils prennent le temps de parler. Mais l'oligarchie journalistique marque sa différence d'avec les autres journalistes par les lieux qu'elle fréquente, par la qualité des invités et en poussant au paroxysme les relations que le milieu entretient avec ses informateurs.

Soit 150 grands journalistes parisiens, toujours les mêmes, invitant dans une vingtaine de restaurants, toujours les mêmes, 200 ou 300 personnes, toujours les mêmes. Vous vient-il à l'idée de rappeler à Jacques Attali qu'il a déjà déjeuné avec ce journaliste, lui tenant des propos similaires quelques jours auparavant? Vous vous tromperiez. C'est bien Jacques Attali, il dit peut-être la même chose – quoiqu'il lui arrive de garder pour l'un ou l'autre un scoop – mais le médiacrate a changé de visage. Hier Julien Dray était assis à la table de Nicolas Domenach, aujourd'hui il est à celle de Denis Jeambar. Il vend son livre, son image de jeune loup de la politique, ses idées. À quoi tient-il le plus? Les journalistes ne le savent pas. Le sait-il lui-même? Qu'importe. Ces êtres valsent. Tournis. Les seuls éléments stables dans tout cela ce sont... les tables... et les chefs cuistots, qui ne sont d'ailleurs pas toujours à la hauteur de leur réputation.

Arrêtons-nous un instant sur ces hauts lieux de « distinction ». Commençons par le plus célèbre : le Fouquet's. Le rite ici dit beaucoup sur le « sens » de la danse. Les médiacrates, surtout ceux de l'audiovisuel, flirtent apparemment avec le haut personnel politique, publicitaire, financier... Ils font partie du Fouquet's Club, présidé par Maurice Casanova. Une carte de membre, gratuite (bientôt payante), l'officialise. Une fois parrainé par quatre membres, voilà le médiacrate autorisé à aller déjeuner à la « Terrasse George V ». Les clients non agréés sont condamnés, selon leur importance, au salon intérieur – là où vont les journalistes non encartés – ou, pis, au « côté Champs-Élysées »... « là où sont les touristes japonais », dit en souriant le serveur.

N'y a-t-il plus de place? « On s'arrange pour le club. » Le directeur adjoint du Fouquet's y tient. Le restaurant possède un service de relations publiques : les médiacrates ne sont pas esseulés comme des provinciaux arrivés à Paris dans une salle des pas perdus. Les nobles des différentes tribus parisiennes se rencontrent donc sur la terrasse pour un repas club au prix forfaitaire de 220 F en 1990. Bernard Pivot, Jean-Claude Bourret, Jean-Claude Narcy, PPDA, Ève Ruggieri, Jacques Chancel, Yves Mourousi, Jean-

Pierre Joulin, Philippe Labro, Stéphane Collaro, pratiquement toute la direction de RMC et de RTL, et de nombreux journalistes connus de *France-Soir* et du *Figaro* communient. Ils pourront rencontrer... Francis Bouygues, Marie-Claire Pauwels ou Jean-Paul Belmondo. Ils échangent des politesses, parlent de femmes (les élites sont surtout masculines) et se font des cadeaux. Certains font la tournée des tables. Les journalistes de télévision tiennent la vedette. Tous peuvent feuilleter, de façon inattentive, le « Fouquet's magazine ». La carte « club » permet aussi de participer à l'annuel « trophée de golf » qui a lieu à Saint-Germain ou au « pot-au-feu », organisé « sans mondanité excessive » précise le directeur adjoint.

Lorsqu'il a fallu « sauver » le restaurant de son propriétaire qui ne voulait pas renouveler le bail, avec José Artur en tête, presque tous les médiacrates ont participé au comité de soutien. Croit-on que la presse n'aurait pas su défendre la démocratie menacée? Croit-on que la presse n'ait pas de pouvoir? Elle l'emporta. Avec elle, le Fouquet's. Certes, comme le déclare le directeur adjoint du Fouquet's, il y a aussi des « boudeurs ». Jean Daniel évite cet endroit, Serge July y « vient quelquefois, mais pas souvent », un peu comme ceux du *Monde* qui préfèrent d'autres lieux. Lesquels?

Lipp par exemple. Au clinquant du Fouquet's répond ici le feutré. Alors que l'audiovisuel régnait là-bas en quasi-maître, ici la médiacratie de l'écrit domine. On se trouve indéniablement sur la rive gauche, boulevard Saint-Germain.

On y rencontre Jacques Chapus (RTL) – un régulier – qui croise Charles Pasqua – un séculier. Philippe Labro déjeune près de Bernard-Henri Lévy. Ivan Levaï et Robert Boulay font bonne figure quand Georges-Marc Bénamou de *Globe* et Pierre Bénichou de *L'Obs* s'attablent. Julien Besançon vient le même jour que Françoise Sagan et... Michel Poniatowski. François Siegel de *VSD* salue le garçon qui vient de servir Alain Ayache du *Meilleur*, lui aussi un habitué.

On se parle moins qu'au Fouquet's. Il semble même de bon ton de ne pas se regarder. Sauf lorsque l'on déjeune à la même table, comme François Mitterrand, Pierre Bergé et Jack Lang ce 17 janvier 1990. Une table vous sépare-t-elle de votre confrère? Pierre Bourgeade fait semblant de ne rien voir, tout comme Étienne Mougeotte et Jean-Marie Cavada. Il arrive qu'on vienne ici matin et soir comme le fit Catherine Nay, ce dimanche 15 janvier, côtoyant au déjeuner Jean Daniel et Jean-François Deniau et le soir Patrick Le Lay... Mais on constatera l'absence de Bernard Pivot, qui venait plutôt les soirs d'« Apostrophes ».

Chez Edgard – les intimes disent « Chez Paul » car le maître d'œuvre ici est Paul Benmussa–, ouvert depuis 1969, est un peu le pôle moderniste – centre droit-centre gauche – de ces restaurants professionnels. Il est jugé trop « à droite » par Mitterrand, au grand désespoir du patron qui rappelle que Jacques Delors, Pierre Bérégovoy et Georges Fillioud viennent régulièrement s'y restaurer... dans la zone « droite » du restaurant. Il est jugé trop à gauche par ceux de *Minute,* d'ailleurs interdits d'entrée dans ce lieu.

On y voit surtout des éditorialistes et des députés – pour trouver les sénateurs, mieux vaut aller à La Méditerranée – même si Jean Bothorel boude depuis quelques mois, si Bernard Pivot ne vient presque jamais et si Christine Ockrent n'y va plus guère, préférant manger une pomme et un sandwich dans son bureau. Albert du Roy, PPDA, Gérard Carreyrou, Philippe Gildas ou Alexis Liebaert y côtoient Lionel Jospin, Philippe Séguin, Michel Noir, Charles Millon et François d'Aubert (ce fut d'ailleurs le haut lieu de rendez-vous des « rénovateurs »).

L'esprit de la cohabitation règne. Et, à la fin du repas, on peut tranquillement enfumer son voisin avec un énorme cigare, un rite obligatoire quand se réunissent ici une fois par mois ceux du CIJAC, le club des amateurs de cigares composé de Jean-Claude Narcy, Philippe Gildas, Michel Denisot, Airy Routier, Jacques Lanzmann, Serge July, Jean-Claude Paris, Bernard Pivot, Thierry Roland, PPDA... « Nous faisons ici la trêve », déclare Philippe Gildas à Patrick de Carolis, le président.

D'anonymat, il n'est guère question... au rez-de-chaussée. On est là pour se montrer. Les gens parfois se saluent.

Paul Benmussa passe quelques informations de table en table. Les attachés de presse rivalisent de dextérité et de sourires. Valéry Giscard d'Estaing et ses œufs brouillés au champagne, Raymond Barre qui vient d'abandonner son rouge cassis pour cause de régime... tous sont bien présents, bien voyants, flambant neufs ou « retapés ». C'est ici que, pour faire cesser les rumeurs d'une mésentente entre eux, Jean-Claude Paris et Gérard Carreyrou ont déjeuné ensemble.

Mais on peut aussi décider de conserver son anonymat. Au plus fort de l'« affaire *Greenpeace* », l'amiral Lacoste déjeunait au premier étage tandis que les médiacrates qui le faisaient rechercher par leurs équipes dans le pays s'alimentaient au rez-de-chaussée.

Il y a bien entendu d'autres lieux de rencontre, souvent installés près des médias afin de réduire la perte de temps. Suivons Gérard Carreyrou. Il sort de TF1. Tourne à gauche. Puis le voilà qui poursuit à droite. Il traverse le pont de l'Alma et entre au Relais de l'Alma. « Il vaut mieux autant que possible aller près de son lieu de travail dit-il. J'avais pris l'habitude d'aller Chez Edgard quand j'étais à Europe 1. Je l'ai conservée car ce n'est pas loin de Cognacq-Jay. Mais je vais ici aussi. » Comme le dit Claude Sérillon : « Je vais déjeuner tout près. On est comme les chiens, on fait ses crottes pas loin. » Depuis qu'il a perdu sa place au journal télévisé, ce dernier se nourrit souvent avec son équipe dans l'immeuble même, de plats « autogérés ».

Certains journaux ont leurs propres tables. *L'Événement du jeudi* a son restaurant, *Le Point* et *Le Nouvel Observateur* ont leur salle... Ceux du *Figaro*, tel Alain Peyrefitte, rejoignent parfois Robert Hersant dans sa salle à manger avenue Matignon mais la haute hiérarchie fréquente plutôt la salle du journal. Certains, tels Louis Pauwels et Philippe Grumbach, préfèrent La Cantine, au fond du jardin du Palais-Royal. Autres restaurants fréquentés : Chez Francis (TF1 et France Inter), La Fermette Marbeuf et Chez Olson (A2), le restaurant Le Doyen, Caviar Kaspia, La Fontaine Gaillon, Chez Françoise, Dodin Bouffant où vous pourrez d'ailleurs voir des gens du *Point*. Chez Pharamond,

Chez Pauline ou au Mercure Galant, vous verrez, de Franz-Olivier Giesbert à Laurent Joffrin, ceux de l'*Observateur* ou du *Figaro* : proximité géographique oblige... un peu. À moins qu'il ne vous faille remonter place des Victoires, au Louis XIV, fréquenté autant par de nobles journalistes de gauche que de droite, tandis que Chez Georges est plutôt fréquenté par ceux de l'*Obs*. À l'Espace Cardin, une sorte de « cantine » bon ton des Champs-Élysées, vous rencontrerez le gratin de l'audiovisuel, excepté FR3 qui, à part Henry Chapier, n'a pas beaucoup de moyens...

N'allez pas au bas de la rue de Richelieu, chez Pierre Traiteur, pour voir les journalistes du *Canard enchaîné*, vous perdriez votre temps. Ils n'y vont plus depuis que la direction a fait « une opération de dégraissage des effectifs antipathiques »... Au *Canard* on a ses idées et elles sont plutôt de gauche...

Voulez-vous aller là où se rencontrent les élites journalistiques et publicitaires? Il faut vous rendre vers l'ouest, au Bistrot de la Jatte. Dans ce type de restaurant, vous rencontrerez ceux de Havas et de Canal Plus, tandis que chez Les Antiquaires, la bonne table de l'hôtel Nikko, vous verrez ceux de Publicis et de Radio France, comme d'ailleurs au Quai d'Orsay.

Bien entendu, quelques médiacrates font exception. Il est ainsi difficile de rencontrer Jean-Marie Colombani, qui préfère les « petits » restaurants. Et puis il faut compter avec le souci qu'ont les médiacrates de déjeuner avec leurs équipes. Bruno Masure et Sylvain Gouz, avec cinq ou six des leurs déjeunent chez Baumann en hiver : un rite qui continue alors que le premier est parti sur A2. Un rite que suit également Jean-Pierre Pernaut deux fois par semaine. En été, il trouve une terrasse près de TF1. Paris sera toujours Paris...

Peut-on trouver un sens à cette géographie du ventre? Peut-être. Tout se passe au fond comme si quelques grandes tendances se dessinaient.

Il y aurait deux limites extrêmes : d'un côté Lipp et de l'autre le Fouquet's. La belle unité des médias semble ainsi voler en éclats.

D'un côté, une restauration qui tendrait les bras aux médiacrates animant des cités de « gauche » *(L'Observateur, Libération)*, situés à « gauche » dans les cités médiatiques de l'audiovisuel (Ivan Levaï) ou « branchés » sur des espaces dont l'élite est intellectuelle (Alain Ayache, Philippe Labro). Simplicité, raffinement, discrétion...

D'un autre côté, il y aurait les médiacrates des grands empires économiques (TF1, Europe 1), plutôt liés aux élites économiques *(L'Expansion)*, plutôt classées à droite *(Le Figaro, Le Quotidien de Paris)*. Les médiacrates du *Figaro* quittant plus souvent leur quartier Réaumur que ceux de *L'Observateur* pour aller faire bonne chère avec leurs confrères du grand Ouest.

Et l'on pourrait s'amuser – rappelons que tout cela n'est qu'amusement – à penser Chez Edgard comme une sorte de « centre » médiacratique, centre droit-centre gauche. Réconciliant ceux qui sont plutôt connectés avec les pouvoirs « intellectuels » et ceux qui le sont avec le pouvoir économique, ceux qui apprécient la gauche et ceux qui penchent à droite. Lorsqu'en 1972 les médiacrates Jacques Duquesne, Philippe Ramond, Claude Imbert décidaient de leur stratégie pour *Le Point*, c'est Chez Edgard qu'ils allaient. Dira-t-on que leur siège était alors installé avenue Pierre-Ier-de-Serbie, près du restaurant? Certes. Mais lorsque le journal déménagea vers le quartier Montparnasse, à dix pas de la FNAC, le patron de Chez Edgard obtint de fournir les repas...

Qui manges-tu?

Que mange-t-on dans ces déjeuners? L'important est d'être là, ensemble et que cela se sache. Cherchez-vous l'intimité? Passez votre chemin, suivez les gens du *Canard* Chez Marius, Chez Molière ou au Globe d'Or. Encore que la discrétion y soit assez aléatoire. Les hauts lieux de restauration sont indéniablement d'abord des lieux de démonstration. Démonstration d'affinité et de réconciliation : on mange de la notoriété.

On mange de la reconnaissance et de l'exclusivité aussi.

C'est-à-dire du pouvoir. Les élites économiques, politiques, administratives... ne se tromperont plus d'adresse. Ont-elles une information à faire passer? Elles auront recours à leur hôte. Celui-ci devient la médiation privilégiée vis-à-vis de l'« extérieur » et, dans son média, le point de passage obligé pour l'obtention de l'information. Il est l'interface.

Mais on mange tout autre chose encore. Nous touchons ici peut-être l'essentiel : la menace de cannibalisme. En effet, aller à l'« information » est obligatoire pour tout journaliste. Plus encore : refuser de rencontrer un homme politique revient à lui faire le coup du mépris, à proclamer qu'on ne parlera pas de lui, en bien ou mal, à valoriser ses concurrents. Autant dire que le refus de la rencontre, donc de l'offre du don-information, équivaut à une déclaration de guerre. C'est bien ainsi par exemple que Robert Vigouroux interpréta, à juste titre, les non-relations que les médiacrates entretenaient avec lui... Ne pas « donner » d'informations pour un homme de pouvoir revient aussi à manifester une distance, une méfiance, voire une agressivité, puisque c'est empêcher le bon dénouement d'une obligation.

Lorsque la guerre n'est pas déclarée, les médiacrates se voient offrir des dons-informations qu'ils acceptent de recevoir. C'est-à-dire d'ingurgiter. Mais que donnent-ils en échange de ce cadeau? Tout est là. Leur poignée de main? Leur sourire? Précise-t-on, comme Claude Imbert du *Point*, que le médiacrate invite de façon à n'être pas dans une relation de dépendance? Allons, allons! Certes, on évite ainsi d'ajouter une nouvelle relation de dépendance mais si le prix de l'information équivalait à celui d'un repas, les médiacrates ne seraient guère informés. Car un repas contre la reconnaissance, une certaine monopolisation de l'information dans son entreprise, une réponse à la concurrence, la satisfaction des consommateurs de presse... cela paraît bien mal payé.

En vérité, le contre-don n'a pas eu lieu avant la sortie de table. La danse ne finit pas au restaurant. Elle se termine dans l'entreprise elle-même, dans sa production, dans la présentation de l'« information ». Et malheur au médiacrate qui faillit : il n'aura plus sa nourriture spirituelle.

Comment se réalise donc le contre-don? Par des signes :

des mots, des sons, des images, un ton. Dire, c'est faire. Quelquefois aussi par le silence : ne pas dire, c'est faire encore. Car si était rapporté le dixième de ce qui se raconte dans ces repas, Paris serait en ébullition, la province entre rires et pleurs. « L'important pour les journalistes dans ces déjeuners n'est pas de ramener des informations », dit Michel Gaillard, du *Canard enchaîné.* En effet, de ces déjeuners, peu transparaît dans les conférences et dans la presse. Alors? Cette relation de proximité est-elle condamnée, comme le pensent certains sociologues un peu rapides, par la force du contre-don, à se terminer dans la connivence? Le médiacrate est-il condamné à se faire manger par celui qu'il avait cuisiné?

Soirées particulières

Délaissons les lieux privilégiés des rencontres de midi pour nous enfoncer dans la nuit noire. Nous voilà propulsés dans cette institution parisienne : le Siècle. Georges Bérard-Quélin, le fondateur, décédé depuis peu, m'avait précisé : « Une fois par mois a lieu un dîner qui n'est pas mondain, mais convivial. Les hommes et les femmes qui ont des responsabilités s'y retrouvent pour discuter de problèmes généraux. » Mais il se refusait à donner les noms des membres et la teneur de ses activités : « Nos statuts ne le permettent pas. »

Georges Bérard-Quélin était lui-même un grand journaliste de l'ombre. Ce fils d'industriel avait été choqué par le rôle de la presse pendant la guerre. Résistant et franc-maçon, il tint, dès la Libération, à mettre un peu d'ordre dans ce monde plutôt « collaborateur ». D'où la création, le 2 septembre 1944, du Siècle. Georges Bérard-Quélin cumulait, bien entendu : P-DG de la Société générale de presse, directeur général de l'Office français d'éditions documentaires, de l'Agence française d'extraits de presse, il dirigeait surtout *La Correspondance de la presse* à laquelle les médiacrates sont tous abonnés – par leurs entreprises, car le prix est très élevé –, ne serait-ce que pour connaître les offres d'emploi et les changements qui ont lieu dans les empires concurrents ou partenaires.

La réunion mensuelle du Siècle a lieu dans les salons de l'Automobile-Club, place de la Concorde, l'ancienne place Louis-XV... dont le nom convient assez à l'esprit du club. Deux activités au programme : l'apéritif au bar et le dîner, qui réunit environ 250 personnes autour de petites tables rondes. Quel est le moment le plus important? Les avis divergent. Au bar, on adresse la parole à ceux que l'on connaît déjà. À table, on fait connaissance entre quelques verres de bon vin. But : brasser les populations de décideurs et faire passer des informations qui ne sont pas toutes destinées à rester secrètes.

Ils sont 500 membres, tous éloignés des « extrêmes » (gauche ou droite); le bon chic de la Ve République à la sauce média. Jean-Marie Colombani y côtoie François-Henri de Virieu, Jacques Fauvet, Michèle Cotta, Maurice Ulrich, Michel Aurillac, Pierre Moussa, Ambroise Roux, Alain Minc, Jérôme Monod, des hommes politiques, des énarques, des producteurs aussi comme Jacques Pomonti (administrateur également de la Compagnie luxembourgeoise de télédiffusion).

Comment entrer? Par cooptation, comme dans tous les clubs d'intérêt... particulier. C'est ainsi que Yann de l'Écotais peut dire : « Olivier Duhamel m'a fait entrer au Siècle » avec Jérôme Jaffré. Luc Ferry, à son tour, a réussi à se faire accueillir. On dit que ce « club » cessera ses « activités » en l'an 2000... Gageons qu'il saura survivre...

Le Siècle est loin d'être unique de son genre. La Fondation Saint-Simon a elle aussi ses partisans. Qui peuvent d'ailleurs être les mêmes... cumulons, cumulons.

Ils sont 70 à 80 membres. Rarement plus de 50 sont présents, en moyenne une trentaine. Quatre personnes dirigent les opérations : Alain Minc, François Furet, Pierre Rosanvallon et Roger Fauroux. Une personnalité est invitée, qui n'est pas forcément membre de la Fondation : Alain Juppé, Simone Veil, Carlo De Benedetti... Un principe : cet endroit doit parvenir à dépasser les clivages droite-gauche. On évite les communistes, l'extrême gauche et l'extrême droite. Bref, ces hommes, souvent rocardiens, centre gauche ou centre droit, étaient, avant l'heure, ceux du consensus. Et ils le sont restés.

La cooptation a ainsi permis d'accueillir Yann de l'Écotais, soutenu par Luc Ferry. Il a retrouvé Serge July, Jean Boissonnat, Jacques Julliard, Christine Ockrent, Anne Sinclair, Laurent Joffrin, Françoise Giroud, Jean Daniel, Bernard Kouchner, Hélène Carrère d'Encausse, Olivier Duhamel, Simon Nora, Marcel Gauchet (régulièrement absent), Jean-Claude Casanova, Jean-Étienne Cohen-Séat...

En plus des assemblées, la rue du Cherche-Midi accueille des séminaires. Cinq ou six chaque année. Ouverts aux profanes, ils sont payants. Environ 800 F pour chaque participant individuel et 6 000 F pour les entreprises. Les organisateurs sont ici payés et l'ensemble parvient à s'autofinancer.

On raconte que le recrutement y est bloqué... jusqu'à nouvel ordre.

Des soirées de l'Automobile-Club de France (Claude Imbert) à celles du Pen-Club français (Philippe Alexandre), inutile de souligner que les médiacrates sont entreprenants et... entrepris. Il y a pour certains un attrait sportif qui ne doit pas échapper à Alain Duhamel : pour rester en forme, il fréquente le Racing-Club de France...

On notera plus particulièrement la montée du Cercle Europe, situé à la Défense, dont on ne sait trop si ce sont les déjeuners ou les dîners qui importent le plus. On y trouve à côté du patron du CNPF, François Périgot, Philippe Villin, P-DG de *France-Soir* et directeur général du *Figaro,* Pierre Bergé et quelques autres... Ses membres, une fois le repas pris au Fouquet's Europe, peuvent en profiter pour faire un tour dans la salle de sport, à l'Acqua-Espace ou au putting green... pour 5 000 F de droits d'entrée (contre 12 000 F au Cercle de l'Union interalliée) et une cotisation annuelle de 10 000 F (contre 6 500 F de cotisation et 4 800 F pour les activités sportives au Cercle de l'Union interalliée). Ce n'est finalement pas cher... et cela peut rapporter gros (de relations).

Plus intéressant pour la médiacratie, le dernier-né des clubs, créé en 1986 par Emmanuel de la Taille sur le modèle américain : le Press Club. Situé avenue d'Iéna, il est financé par les journalistes qui paient une cotisation d'un franc par jour et des entreprises qui versent 65 000 F par an (les entreprises de presse donnent leur quote-part en publicité). Les 1 000 m^2 de bureaux sis au-dessus du restaurant permettent l'organisation de conférences. Et les possesseurs de la carte, ainsi que quelques invités, peuvent participer aux soirées les plus diverses. Notamment, une fois par mois, à une soirée de jazz.

Tout aussi efficace, mais en marge : le Club des Cent. Un « simple » club de gastronomie qui ne comprend pas plus de 100 personnes, d'où son nom. On y retrouve Bernard Pivot, Jean-François Revel, Claude Imbert, Philippe Bouvard, Jean Miot... Mais nous voilà déjà partis du côté des dîners plus intimes.

À côté de ces clubs, les soirées privées sont consacrées à conforter des liens qui pourraient se distendre. Les « projections privées » que donne Philippe Labro sont enviées. Il y a là les élites de la presse : Patrick Le Lay, Jean-Pierre Pernaut, Ivan Levaï, Christine Ockrent, Christophe Dechavanne, Jacques Lanzmann, Laurent Joffrin. Directeurs de médias, chroniqueurs radio, présentateurs, animateurs connus, rédacteurs en chef : tous se mêlent sans s'emmêler. Nécessité vitale quand l'on songe que TF1 n'a pas même une salle où puissent se rencontrer les grands des médias et du monde politique.

Plus encore que les invitations aux avant-premières lancées par Jack Lang, le mardi en général, les dîners à la table des hiérarques sont les plus recherchés.

Le *nec plus ultra?* Sans doute la table rare de Claude Imbert, le seul médiacrate français qui participe à la Trilatérale (où il retrouve le patron du *Zeit*). 16 personnes, pas une de plus, pas une de moins. Réparties par petites tables, elles viennent de milieux très divers et discutent de la pluie et du monde comme il va. Leurs noms : François Mitterrand, Jacques Chirac, ou Valéry Giscard d'Estaing...

Autre dîner coté : celui de Laurent Joffrin. Une fois par mois, il invite : « Ce n'est pas vraiment mondain, mais comme directeur de la rédaction, je suis obligé de composer une table. » La hiérarchie du *Nouvel Observateur* vient s'asseoir (Claude Perdriel, Pierre Bénichou...) mais aussi quelques intellectuels et hommes politiques, selon un savant dosage. Ainsi Alexandre Adler y rencontrera Pierre Bénichou. Jean Daniel pourra discuter avec Harlem Désir, le président de la BNP s'entretiendra avec Jean-Gabriel Fredet.

Comme le dit Emmanuel de la Taille pour expliquer la naissance de son club : « La relation personnelle est la clé. Elle permet d'être au centre du milieu social et accélère la circulation des idées. C'est pourquoi d'ailleurs au Press-Club, nous ne nous contentons pas d'asseoir les gens, mais nous les présentons les uns aux autres. » Épisodiquement mais sûrement, le dîner permet de constituer ce que le sociologue Pierre Bourdieu appellerait sans doute un « capital social » et de le faire fructifier. Les amis de Guy Sorman y deviennent aussitôt ceux de Robert Hersant et c'est ainsi que Franz-Olivier Giesbert a rencontré pour la première fois Philippe Villin. Car le lecteur l'a bien compris : éviter de payer 40 F pour aller voir un film n'est pas la motivation première de cette élite. Ce qui compte c'est d'être là « ensemble », de capitaliser les relations; un capital indispensable à la survie du médiacrate.

Derrière la comédie : la souffrance

La splendeur de ces messagers qui semblent portés par les paillettes de la ville dissimule une autre réalité. Une réalité qui parle de la souffrance des grands de l'information. Vous les enviez? Illusion! Écoutons Jean-Marie Colombani : « Je reste chez moi le soir et je privilégie toujours ma famille pour le dîner sauf une fois par mois, exceptionnellement, pour celui du Siècle. » Jean-Marie Colombani est sincère. Et pourtant, même réduite, comme nous venons de le voir, la soirée reste une obligation et une règle.

Une telle insistance, de la part des médiacrates interrogés, à appeler exception ce qui n'est pas exceptionnel ne manifeste pas une hypocrisie sur la nature de leurs relations mondaines, comme pourrait le croire un moraliste pressé. Cela manifeste plutôt leur sincère volonté de rester chez eux, avec leur famille ou leurs amis, leur authentique désir de tranquillité. Contrepartie d'une violence quotidienne que les individus supportent difficilement, « un moment vient où ils sont obligés de ralentir et de s'y soustraire en partie » comme le notait au début du siècle le fondateur de l'anthropologie Marcel Mauss pour expliquer le besoin de vacances et de lieux protégés de l'agressivité extérieure. Nous avons peut-être ici un autre signe de cette condition de l'élite que stress, déplacements, danse professionnelle, cumuls... donnaient tous à lire. Cette condition où la comédie montre son véritable visage, celui du drame.

Sur cette soif réelle de préserver un espace de « non-comédie », les témoignages sont multiples. Yann de l'Écotais explique : « La plupart du temps, je ne fais pas de dîners et je passe mes week-ends loin des embarras mondains. » Roger Gicquel avoue : « Je ne dîne qu'avec des copains parmi lesquels je suis à l'aise. Il y a peu de journalistes et encore moins d'hommes politiques. » Jean-Pierre Pernaut rentre chez lui entre 19 heures et 21 heures et précise : « Je ne sors pas. Je préfère rester en famille ou regarder la télévision. » Le clan Servan-Schreiber, sauf exceptions, est connu dans tout Paris pour s'endormir à 23 heures précises, tandis que, invité chez Alain Duhamel, si vous avez oublié l'heure, vous le voyez se lever à 22 h 30 pile et vous saluer : l'heure d'aller se coucher est arrivée. À 23 h 30, sauf exception, Jean-Claude Bourret est au lit.

Laissons parler Franz-Olivier Giesbert : « En rentrant chez moi, le plus souvent entre 22 h 30 et 23 h 30, quelquefois à 1 heure du matin, je suis peu disposé aux mondanités. » Présentateurs et rédacteurs en chef des journaux télévisés du soir ressemblent à Jean-Claude Narcy : « En revenant chez moi vers 1 heure du matin, je ne peux que dîner très légèrement et surtout je lis des livres historiques car la lecture est mon seul moyen de décompression. De toute façon, après le stress du journal, personne ne peut vraiment dormir et on n'a pas très envie de penser au boulot qui nous tient depuis le lever. » Voilà pourquoi Serge July lui-même ne va que rarement batifoler du côté de la Fondation Saint-Simon.

Fuir. Fuir la violence d'une profession, d'un monde.

Fuir dans la famille ou près des amis. Retrouver le sourire qui manque, l'authenticité qui est morte, une image de Moi qui ne serait plus cette sorte de copie du Moi idéal qui me revient, étrangère et bruyante, par les canaux médiatiques et que les autres m'imposent comme étant moi.

Mais aussi fuir dans la fête, quand on en a encore la force. Ainsi Jean Schmitt, le directeur exécutif du *Point*, qui sort jouer de la trompette dans son orchestre (à mi-chemin de la fanfare des Beaux-Arts et du jazz New-Orleans). Dans la fête ou le spectacle, Guillaume Durand tente ainsi, dès qu'il le peut, de « faire le contrepoids absolu. Le week-end, je vais voir des galeries de peinture, l'après-midi je fais quelquefois du sport, tennis ou footing. En semaine, ce sont les amis de toujours que je vois, beaucoup plus que les gens que je fréquente professionnellement. Il m'arrive aussi d'aller au cinéma, aux projections privées, malheureusement peu au théâtre car lorsque je sors, il est trop tard. Tout ce qui est vulgaire dans l'image, je le compense comme cela. J'obtiens ainsi un relatif bonheur ».

« Relatif »? La recherche du bonheur ne se fait pas dans la profession, mais à l'extérieur.

La vie familiale est bien souvent sacrifiée. Guillaume Durand l'admet : « Maintenant j'habite près de mon lieu de travail, c'est pratique. Avant j'habitais le XIIIe arrondissement, boulevard Arago. Il y avait un petit jardin qui donnait sur les Gobelins. C'était sympathique, mais je ne voyais pas mes enfants. J'arrivais par exemple d'Europe 1 à 21 heures, et ils étaient au lit. » « Ce travail pose des problèmes de disponibilité déclare Jean-Marie Colombani. Je ne peux guère consacrer de temps à mon entourage sinon entre 19 heures et 21 heures et une partie de la journée du dimanche, et encore pas toujours. » Jean-Pierre Pernaut ne voyait sa famille que le week-end, jamais le soir. PPDA avoue : « Oui, j'ai beaucoup donné à ce métier. Il vous vole vos enfants. » Et Jacques Derogy, le célèbre enquêteur de *L'Événement du jeudi*, résume ce qu'il fut, d'un terrible mot qui conviendrait à toute l'élite journalistique : « Le père du dimanche. »

Yann de l'Écotais décrit bien la situation : « On est

amené pour sa carrière à faire des piges, à se déplacer. Par exemple j'ai accepté d'aller à Bruxelles, quand j'étais à l'AFP. J'avais beau faire attention dans mes horaires, je ne voyais plus beaucoup mes filles. C'est pourquoi maintenant, je ne prends plus de rendez-vous le soir, ou le moins possible. Je fais attention. Je prends souvent mon petit déjeuner chez moi. Je me sens bien avec ma femme, mes trois enfants et les amis. Je les emmène quelquefois dîner chez Castel. J'essaie d'arbitrer en faveur de ma vie privée à la différence de nombre de mes confrères. »

Arbitrer. Est-ce possible? « C'est un métier dévorant, car il faut une telle disponibilité pour le journal! Il y a cette dimension du quotidien vis-à-vis de l'événement qui me stresse et qui réduit ma disponibilité d'autant que je fais plusieurs métiers à la fois, je suis directeur et journaliste », dit Serge July.

Comment s'étonner si divorces, séparations, enfants tourmentés sont souvent le prix à payer pour le pouvoir? L'« exception », indéniablement, tue.

Destruction des enfants. Ne donnons pas de noms. Rappelons une vérité que ce siècle de fer semble avoir oubliée : le divorce fait des ravages d'abord chez les enfants. L'absence creuse les sillons de la désespérance. Un seul journaliste, Jean Bothorel, a eu le courage de dire, et d'écrire, de quoi il retournait à propos de son fils devenu drogué. Un aveu qui cache bien des malheurs.

Destruction de soi-même. L'abolition ou l'affaiblissement des lieux où l'élite peut perdre son masque est aussi l'anéantissement des lieux où la conscience peut parvenir ou revenir à elle-même. Plus les espaces de non-contrainte manquent, plus l'image façonnée, l'image narcissique du moi idéal, fait de ravages.

La connivence du médiacrate vis-à-vis des élites et, surtout, envers la machine médiacratique est alors peut-être, plus encore que la preuve d'un mal radical, le premier symptôme de cet effondrement général des défenses, le dernier masque et la première marque du chemin de fuite. Nous sentons bien que lorsque les espaces où le journaliste peut retrouver une authenticité se seront définitivement effondrés, le drame surviendra. Avec la chute professionnelle, ce qui reste de soi, cette image médiatisée, cette image projetée par le biais de la signature, de la photo ou de la télévision, en se brisant, en disparaissant, emportera tout dans le néant. Jaillira alors soudainement la vérité de cet être qui se croyait naguère au centre des mondes : sa « zéro-dimensionalité ». Temps des dépressions, de l'alcoolisme, du suicide...

II

LES ARMES DE LA GUERRE

1. LA MONTÉE DES VOCATIONS

Nous voici arrivés au point où un regard « extérieur » sur le microcosme ne permet plus d'avancer. Il faut à présent forcer les portes des consciences individuelles, prendre en compte les héritages, regarder de près les itinéraires. Nous allons découvrir ces armes utilisées par le médiacrate pour sa guerre au sommet.

Il fut un temps où le journaliste était le raté de la famille, celui qui n'avait pu être chef d'entreprise, notaire ou... académicien. En quinze ans, tout a basculé. Et comme par enchantement, avec le surgissement d'un véritable pouvoir journalistique autonome, ce métier est vécu comme une... « vocation ». À présent, il fascine. Mais est-ce bien le métier du journaliste qui séduit ou la possibilité qu'il donne de côtoyer les grands et de donner libre cours à son narcissisme?

Le journalisme, voie de secours

La vocation a longtemps été si peu indispensable au métier qu'on peut parfaitement, encore aujourd'hui, admettre ne l'avoir pas eue. Écoutons par exemple Michel Polac : « Au lycée Janson de Sailly, on avait fait une radio-club et un journal inter-lycéens, mais je ne pensais pas du tout devenir journaliste. J'avais surtout envie d'être écrivain. » Ses activités intéressent Jacques Peuchmaurd, futur directeur littéraire chez Laffont qui lui propose d'entrer à *Arts* pour y faire la chronique théâtre. « Pour autant, je n'étais pas devenu journaliste poursuit Michel Polac. Dans le même temps, j'ai écrit mon premier roman chez Gallimard et si l'on m'avait demandé mon métier, j'aurais dit : " écrivain ". » 1955 : c'est « Le Masque et la plume ». Michel Polac s'occupait de la partie théâtre. « C'est en faisant mon premier roman que j'ai découvert les magouilles du milieu de l'édition, les jeux étaient faits d'avance. Ce monde était truqué. » Il fait ensuite un peu de radio à Europe 1 dont il voit le démarrage : « Franchement, je ne me pensais pas journaliste. » Deux séries pour Europe, puis il part vivre en Iran : « J'ai vu les magouilles des journalistes étrangers. Les correspondants allaient tous dans le même hôtel. Je me disais : le journalisme, c'est cela? Boire un coup au bar d'un palace? Dans ces conditions, je n'étais pas très attiré par ce métier. »

Puis c'est le retour à Paris, « Le Masque et la plume », « Dim dam dom », « Bibliothèque de poche » remplacé par « Post-scriptum ». « Post-scriptum? » « Une émission de débats de type post-soixante-huitard répond M. Polac. Un jour, le thème est l'inceste. C'était en 1971. La direction prétend que j'aurais fait " l'apologie de l'inceste ", et l'émission hebdomadaire devient mensuelle. » Il proteste et part. Pendant dix ans, il réalise des films, des téléfilms et écrit des livres. André Harris, en septembre 1981, lui demande de préparer une émission grand public. C'est « Droit de réponse » : « J'ai découvert la hargne de la presse, souligne-t-il. J'ai eu une critique gigantesque qui, unanimement... m'accusait. À part deux papiers : un dans *La Croix* et un de Jean-François Kahn dans *Les Nouvelles littéraires*. Quand j'ai menacé d'arrêter l'émission, car on me la retardait, j'ai eu un papier dans *Le Monde* disant en substance : " Tant mieux, on ne le regrettera pas. " Après trois ans, les critiques ont quand même été plus indulgentes. C'est à ce moment-là que j'ai demandé une carte de journaliste, surtout pour obtenir le droit au secret professionnel, même s'il n'est pas reconnu par la justice. » Après son départ, il dirige une émission plus culturelle sur M6 puis, c'est la retraite. « J'ai retrouvé le temps de faire ce que j'aime, l'écriture, les films... »

Cette façon de venir au journalisme dominait au XIXe siècle, à l'époque où Balzac écrivait : le journalisme n'était pas alors un métier à part entière, ni même l'effet d'un choix, mais plutôt une obligation pour les « déclassés » ou les échoués qui, en attendant le vol des grives, mangeaient des merles. Sanction : la soumission ou l'aigreur.

Aujourd'hui, une telle trajectoire ne conduit pas forcément à la connivence. Cette distance critique par rapport au monde de l'information peut être un antidote à la complicité quasi naturelle envers les autres élites et, plus encore, à la tentation narcissique; on ne s'étonnera donc pas de voir Michel Polac quelquefois avec excès ou certaines errances, faire l'apologie du refus de la complaisance.

Il n'en demeure pas moins qu'un tel itinéraire est devenu rare. Avec la professionnalisation, être médiacrate contraint à renoncer, fût-ce avec nostalgie, à toute activité qui ne serait pas directement « branchée » sur la comète journalistique. En un mot : le journalisme est devenu un métier.

Le temps du renoncement

Renoncer? Roger Gicquel (né en 1933) dut s'y résoudre : « J'ai toujours été très curieux, mais je n'avais pas du tout la vocation pour le journalisme. Je voulais écrire des pièces de théâtre. Il faut dire que mes études furent mauvaises. Finalement, j'ai été stewart à UTA en 1953. Par hasard, j'ai rencontré en 1961 un gars qui était correspondant d'une édition locale du *Parisien libéré*. Je me suis dit : " C'est le moment d'aller sur le terrain. " À partir de 1968, je travaillais le jour au *Parisien* et la nuit à France Inter. Je venais à minuit deux jours par semaine, je sortais à 6 heures du matin. Ce n'est pas très valorisant, mais je me disais " J'ai un pied à la radio, je pourrai peut-être m'en sortir. " J'ai eu une chance inouïe : l'intervention en Tchécoslovaquie de l'été 1968. Je suis le premier à donner le flash de nuit. Je n'en mesurais d'ailleurs pas l'importance. Je me suis vite trouvé dépassé. J'ai appelé au secours. Le rédacteur en chef est venu. Je me suis rendu compte à quel point cela va vite dans une radio; j'ai été obligé de me mettre en contact avec plein de sources : les agences américaines, les radios itinérantes de Prague... Finalement, je ne m'en suis pas trop mal sorti. » Il est nommé à l'édition du matin et il invente la revue de presse telle qu'elle existe aujourd'hui. Il est directeur de l'information sur Radio France en 1973. Quand l'ORTF éclate en 1974, le pouvoir recommande des directeurs de l'information. « Chez Lipp, un jour, précise Roger Gicquel, Marcel Jullian demande à Jacques Sallebert : " Que diriez-vous de devenir directeur sur la 2? " Jacques Sallebert donne son accord. Il me demande un nom de rédacteur en chef. Je propose Philippe Gildas. Mais le gouvernement refuse : il le trouve " cryptocommuniste ". Scandalisé, je vais protester auprès de Gouyou-Beauchamps à l'Élysée : c'est moi qui avais placé Philippe Gildas au 6-9 heures. Il avait largement prouvé son professionnalisme à France Inter. Mais c'est en vain. Dans les couloirs de l'Élysée, je rencontre Henri Marque qui vient d'être nommé directeur de l'information de TF1 : " Je cherche à vous joindre ", me dit-il. Et il me propose d'être présentateur à TF1. Je lui fais remarquer que je ne sais pas parler en direct. " Il n'y a pas de problèmes ", me répond-il. Me voilà embarqué. »

Voilà comment Roger Gicquel a pu devenir en 1975 un des journalistes les plus populaires de France. Cette façon de parvenir au pouvoir est caractéristique d'une génération venue souvent au journalisme à la fin des années 50, et qui a percé au début des années 70. Une seule obligation (dont l'abandon des autres activités est le symptôme) : le professionnalisme. « Aujourd'hui encore, dit-il, alors que je suis revenu sur France Inter, j'ai le sentiment de faire mon travail de façon professionnelle. »

Quand le larron trouve la vocation

La transition est ce moment où le médiacrate rencontre la vocation après s'être engagé.

Phase un : lorsque le médiacrate, non sans nostalgie, est saisi par la passion du journalisme. François de Closets annonce ce nouvel âge. Un seul désir au départ malgré ses études de droit et de science politique : la littérature. « Mais j'ai arrêté mes études littéraires et je suis entré à l'AFP quand ils ont eu besoin d'un journaliste scientifique. Ce jour-là, j'ai dû dire adieu à mes prétentions littéraires. Et depuis vingt-cinq ans, mon travail m'occupe tant que j'ai dû renoncer à mes passions : poésie, théâtre, littérature. Et pourtant, de la spécialisation scientifique à l'économie, de là aux " faits divers " ou à un reportage à Jérusalem en pleine guerre du Golfe, mon enthousiasme pour le journalisme renaît sans cesse. »

La phase deux de la transition commence lorsque l'adieu définitif aux autres activités sociales n'est plus vécu sur le mode du renoncement. Un changement qui s'opère, pour l'essentiel, avec la génération de la guerre d'Algérie.

« J'ai fait mes études au conservatoire d'art dramatique et d'art lyrique, dit Jean-Claude Narcy. J'envisageais sérieusement de faire carrière à la sortie de la guerre d'Algérie. J'avais pendant celle-ci collaboré au journal *Le Bled*. Mais quand je suis sorti de l'armée, j'ai eu une occasion. Il faut dire que la télévision des années 60 avait des difficultés à recruter des journalistes. En septembre 1960, il y avait donc une place au journal télévisé. J'y suis allé. Et je n'ai jamais regretté ce choix. J'aime ce métier passionnément. J'y ai trouvé ce que je cherchais. »

La transition est achevée lorsque c'est l'activité non journalistique qui se vit comme renoncement et le journalisme comme idéal. Cette nouvelle vision du monde s'impose avec la génération des médiacrates arrivée au journalisme en 1968. Archétype, l'adieu à l'enseignement de Guillaume Durand : « J'ai commencé par être professeur d'histoire-géographie pendant trois ans et demi. J'avais fait une prépa HEC à Janson de Sailly, puis des études d'histoire à la Sorbonne et, avec la maîtrise, je m'étais retrouvé prof. Cela ne m'intéressait pas vraiment. Mais j'étais marié, mes parents n'avaient pas beaucoup d'argent, contrairement à ce que beaucoup croient, et il fallait que j'assure ma vie quotidienne. Là, je me suis dit : " Il faut faire autre chose. "

Le journalisme, après m'avoir intrigué, m'intéressait diablement. Un soir, je suis allé chez un ami qui travaillait à Europe 1 et je lui ai dit : " J'en ai marre, est-ce que tu ne pourrais pas me faire rencontrer Étienne Mougeotte? " (alors patron d'Europe 1.) Cela s'est fait très rapidement. Étienne Mougeotte m'a proposé un stage de trois mois l'été. Il m'a néanmoins prévenu : " Si cela ne marche pas, eh bien tant pis, c'est fini. " Le métier m'a tout de suite emballé. Cela a heureusement marché. J'ai ressenti une sorte de rédemption. J'avais le sentiment d'être à un endroit qui me convenait. D'autant que, politiquement, j'étais très curieux de tout, attiré par ce qui est nouveau, ouvert : ma famille ayant eu des idées libérales, je n'avais jamais eu à surmonter des blocages en devenant gauchiste. Les organisations politiques, cela me faisait mourir de rire. J'étais ami avec Henri Weber et Olivier Duhamel. Quand je suis allé sur La Cinq, les gens disaient, à cause de Berlusconi : " Tu joues un jeu dangereux en flirtant avec les socialistes. " Puis, quand Robert Hersant est arrivé, on m'a dit : " Tu es un homme de droite. " Mais la vérité, c'est que je fais mon travail de journaliste, un travail que j'aime, c'est tout. J'ai vraiment trouvé ce qu'il me fallait, ce qui me convenait. »

« Rédemption », « ce qu'il me fallait » : autant d'expressions exprimant le sentiment que le journalisme offre non seulement une nouvelle chance mais plus encore, la rencontre avec son destin. Comme si cette vocation latente, un temps recouverte par les hasards de la vie, avait miraculeusement surgi au contact d'un métier de prédestination.

Écoutons Christine Ockrent : « J'ai dérapé de la voie universitaire. Je faisais de la science politique à l'IEP de Paris en IIIe cycle. J'ai réussi à obtenir une bourse pour les USA. Je cherchais un stage de quelques mois dans le journalisme. Je l'ai obtenu à NBC et j'y suis restée. Pourquoi rester? C'était une intuition, c'était irrationnel. J'avais fini par vouloir vraiment devenir journaliste. Je me suis rendue compte que c'était véritablement le seul métier qui m'intéressait. Après NBC, de 1967 à 1968, je suis entrée à CBS. En 1975, je suis allée à FR3. De mon expérience passée, j'ai acquis une vision critique des processus corporatistes du microcosme français mais je n'ai jamais regretté mon choix. Même si rien n'est jamais acquis, j'aime ce métier. »

Quand la vocation fait le larron

La révolution est définitivement opérée quand la vocation se vit comme un idéal dès le départ.

C'est bien à sa vocation que Bruno Masure (TF1) attribue son itinéraire : « À sept ans déjà, j'écoutais avec passion ce qui se passait à Diên Biên Phu. Puis j'ai eu une occasion. Tandis que je rédigeais un mémoire sur le traitement de l'information, j'ai été quatre mois assistant au service politique du *Monde.* Jacques Fauvet m'a obtenu le sésame de notre profession : la carte de presse. Ce qui m'a permis de traîner dans les couloirs des radios. J'ai ainsi rencontré des gens qui m'ont aidé à être embauché par RMC. À l'époque, c'était une petite station : on travaillait à 14 dans un grenier. Il y avait un aspect commando. La spécialisation n'était pas encore très poussée. Je suivais la politique tout autant que Roland Garros. Nous étions une bande de copains, peu écoutés sur Paris. Ce qui nous donnait une grande liberté de ton. Malgré tout, la direction était gouvernementale et en 1974, ils se sont aperçus que je n'étais pas giscardien. Mes ennuis ont commencé. »

Laissons là Bruno Masure, qui va poursuivre sa carrière jusqu'à devenir l'un des présentateurs les plus populaires du pays et écoutons à présent Claude Sérillon (A2) : « En 1970, je préparais une licence de lettres à Nantes et je faisais des papiers pour *Presse Océan* qui n'appartenait pas encore à Robert Hersant. Juste avant de quitter l'armée, j'ai su par une relation qu'ils cherchaient des jeunes à l'ORTF Ile-de-France. Je n'avais jamais fait de télévision de ma vie. “ Quand êtes-vous libre ? ” me demande-t-on. Je réponds : “ Dans quinze jours. ” “ On vous prend dans quinze jours. ” Ils m'ont descendu en studio pour me faire lire une dépêche météo. En juillet 1973, j'étais embauché. J'ai ensuite appris sur le tas le commentaire et le reportage. »

On n'est pas moins chiche de vocations dans l'écrit : « En 1963, dit Yann de l'Écotais, j'ai fait mon entrée dans le journalisme car mon grand-père était l'ami du président de *Paris-Presse, L'Intransigeant,* Henri Massot. J'ai eu un rendez-vous. Il m'a reçu. Je lui ai dit, ce qui était l'exacte vérité : " J'ai toujours voulu faire du journalisme. " Il me répond : " Pas de problèmes. " Il prend son téléphone et m'obtient un stage à l'AFP. Je fais le stage, puis le " desk " et enfin, comme j'avais fait l'ESSEC, on m'a mis dans le service économique, puis je suis placé au " desk Afrique ". Il fallait que je travaille de 18 heures à 1 heure, alors que j'avais charge de famille. Ce n'était pas très drôle. D'autant que j'étais payé au lance-pierre et que j'enseignais en même temps dans une boîte de comptabilité. Cela s'est amélioré quand Emmanuel de la Taille est entré à la télévision. Je le remplace à Bruxelles en septembre 1965. Après cinq ans, j'ai demandé un poste ailleurs. J'ai essuyé un refus. Il fallait avoir la vocation pour tenir le coup. Heureusement, *Le Figaro* m'a proposé de devenir son envoyé spécial. En 1975 enfin, Max Clos m'a appelé à Paris pour devenir chef du service économique et social. " Si tu refuses, tu croupiras à Bruxelles pendant des années ", m'a-t-il dit. J'ai accepté. En 1977, les problèmes ont commencé. À ce moment-là, Robert Hersant a réuni les 10 personnes qui dirigeaient *Le Figaro* et il nous a déclaré : " J'ai décidé de me nommer directeur politique à la place de Raymond Aron. Je veux faire du *Figaro* un journal de combat. " J'ai préféré partir. On m'a proposé d'être rédacteur en chef pour RMC des émissions du matin. À partir de juillet 1977, je devais me lever entre 2 h 15 et 2 h 30 pour être à 3 heures à la station. Je n'avais plus de vie familiale. À nouveau, il fallait avoir la vocation pour tenir. Un jour, à 9 h 15, on me prévient : " Je vous passe monsieur Goldsmith. " Il me dit : " Je suis le nouveau propriétaire de *L'Express,* je voudrais que vous veniez avec moi. " Je lui réponds : " Non merci, je viens d'arriver. " Il réplique : " Ce n'est pas une proposition que l'on refuse par téléphone. " J'étais fatigué. Je dis : " Le mois prochain, je viendrai vous voir. " »

Le 1er janvier 1978, Yann de l'Écotais devient rédacteur en chef-adjoint de *L'Express.* En 1981, après une crise, il se retrouve directeur-adjoint puis, quand Jimmy Goldsmith laisse le journal, il est nommé directeur de *L'Express*.

Qu'il paraît loin, le temps où le journalisme était perçu comme une roue de secours! La vocation existe-t-elle? Elle est surtout le symptôme premier que ce monde a changé, qu'il vaut pour lui-même, qu'il vaut même plus dans l'imaginaire social que bien des lieux d'où, naguère, on se gaussait du « journaleux ». Mais pourquoi? Parce que, par ce métier, on espère aller à la recherche de la vérité? Ou parce qu'il permet de côtoyer les grands, qu'il flatte un narcissisme qui espère s'épanouir dans la machine médiatique? À l'horizon : connivence ou autonomie?

Le hasard et la prudence

« Je suis devenu journaliste par le plus grand des hasards dit Jean-Marie Colombani. J'avais fait science politique, droit et j'ai raté l'ENA. J'ai alors résilié mon sursis vis-à-vis de l'armée. Mais nous, les sursitaires de la classe 48, comme soixante-huitards, on nous trouvait dangereux. On nous a demandé : “ Est-ce que vous tenez vraiment à faire votre service actif? Sinon, vous serez exemptés. ” J'ai fait une demande de service technique et je suis parti à Nouméa pour travailler à l'ORTF. Après la démobilisation, j'y suis resté. J'ai décidé de rester journaliste. Mais le critère de l'ORTF était alors la docilité politique. Or, je m'intéressais aux Canaques. Je réalise deux films sur Jean-Marie Djibaou, le leader indépendantiste. Le responsable de la rédaction de FR3 sur place, Jean-Claude T., me dit : “ Le journal télévisé n'est pas *Le Monde.* ” Il m'adresse un blâme pour ce motif. J'ai immédiatement photocopié la lettre et je l'ai envoyée à Bernard Lauzanne, directeur de la rédaction du *Monde* en lui suggérant que je devais être, somme toute, assez qualifié pour travailler au *Monde.* Par retour de courrier, je reçois une réponse positive. Rentré à Paris, je suis prié de partir par la direction de FR3, toujours pour des raisons politiques. Je suis allé voir Jacques Fauvet. Or, il y avait justement, par hasard, une création de poste et le travail fourni comme correspondant lui avait convenu. Je suis ainsi entré au service politique dirigé par Raymond Barrillon. 1977 : c'était le bon moment. »

Le « bon moment » en effet. L'appel au hasard ne serait cependant d'aucun secours s'il n'était pas possible à l'homme d'agir avec efficacité. On constate que toutes ces vocations paraissent... bien accompagnées. Servies sur un plateau de relations, agrémentées d'une bonne dose de hasard, elles n'ont de valeur que pour une volonté de puissance qui permet à ces hommes de jouer. C'est-à-dire de posséder au plus haut degré cette « vertu » politique que l'on appelle depuis Aristote la prudence – vertu principale du médiacrate. Ainsi en septembre 1969, Thierry Pfister, tout juste sorti de l'École de journalisme de Lille, entre au *Monde* comme rédacteur de base. Occasion : « Le gauchisme n'était couvert par personne. » Prudence : « J'ai commencé ma carrière en allant là où personne ne voulait aller. »

L'on retrouve ici l'incontournable problème de cette fin de siècle. Bernard Rapp oppose ainsi « l'ambition personnelle qui pousse souvent les jeunes à se fasciner au “ miroir de l'audiovisuel ”, à “ l'ambition professionnelle ” motivée par la curiosité qui fut la règle avant le vedettariat télévisé. Jusque dans les années 50, le jeune journaliste voulait être rédacteur en chef, grand reporter ou diriger un secrétariat. Maintenant, ils disent : “ Je veux votre place de présentateur au journal télévisé. ” Tel est l'appétit principal. Devenir Bruno Masure ou PPDA, sans perdre trop de temps. »

Bernard Rapp, en soulevant à juste raison ce lièvre, prête beaucoup à la jeunesse. Trop peut-être. Si, avant le grand boom du marché télévisuel, le médiacrate du « visuel » était moins ambitieux, est-ce parce qu'il était pur ou parce que le pouvoir médiacratique se trouvait ailleurs : dans l'écrit? Il suffit de relire les œuvres de Balzac pour s'en assurer. Même dans *Le Monde* des années 60, on bataillait ferme : qui pour que son nom soit placé en tête d'article, qui pour obtenir la première page, qui pour faire l'éditorial... Encore *Le Monde* était-il protégé par Hubert Beuve-

Méry. Quant à la télévision des années 70, comme le dit ce présentateur : « Quelles que soient les motivations affichées, le médiacrate est celui qui, à un moment donné, a eu un but : asseoir son pouvoir. Et le calcul du rapport entre les investissements de départ, notamment les diplômes, et les avantages de la profession, était vite fait. Aujourd'hui comme hier, il a bien fallu que nous soyons ambitieux. Je ne vois d'ailleurs pas pourquoi on devrait nous le reprocher. »

Il n'empêche. Comme le notait B. Rapp, le problème n'est pas tant l'ambition que son objet. Les références à la vocation et à l'ambition paraissent bien être les signes d'un changement dans la vision que la société a de la profession. En troquant ses guêtres misérables pour des habits de gala, le milieu attise les convoitises. Le journalisme acquiert une valeur. Nombreux sont aujourd'hui les jeunes qui rêvent de faire carrière dans le journalisme, en particulier audiovisuel, et les journalistes qui veulent devenir médiacrates. Si, comme le disait Spinoza, la joie est ce sentiment qui naît de la réalisation de son désir, cet appel à la vocation exprime d'abord cette joyeuse certitude qu'en choisissant le journalisme, le médiacrate n'a pas fourvoyé son ambition.

Mais l'affirmation ne dit pas seulement la positivité d'un engagement. Devenue projection d'un désir social, la carrière médiacratique génère en même temps une vive concurrence. Celui qui dit : « J'avais la vocation » indique qu'il l'a emporté. La vocation est souvent le nom dont se pare la prudence pour dissimuler qu'elle est ruse et force dans un monde hasardeux. Elle est le voile que le médiacrate jette sur sa volonté de puissance : « Être journaliste déclare Emmanuel de la Taille, c'est avoir la volonté d'être au centre de tout. À l'université par exemple, on n'est pas au centre des décisions. Le professeur est coupé de la classe dirigeante. Dans la plupart des autres professions, il faut attendre d'avoir fait sa carrière pour participer à cette classe. Le journaliste est lui, très vite, au cœur des centres de décision. »

Jouir de cette « centralité » pour étaler ses plumes aux

yeux des Grands, pour se faire reconnaître et jouir de la proximité? Ou bien pour informer, loin de toute connivence, sans crainte de se faire maudire? Les deux chemins sont ouverts.

2. L'HÉRITAGE CULTUREL

Il est clair que les journalistes bien nés n'attendent pas le nombre des années. La « vocation » du médiacrate se taille dans certains bois privilégiés. Des bois familiaux d'où sortent aussi, bien souvent, les autres élites. Comme si la connivence, bien plus que l'autonomie, était appelée par la nature... À moins que l'héritage religieux ne vienne brouiller toutes les cartes et ne fournisse ce surplus qui donne à cette élite le goût de se dégager des tutelles et de la servitude volontaire...

Naître ou ne pas naître journaliste?

Un mythe parcourt le pays médiacratique : les journalistes se reproduiraient entre eux. Or, en moyenne pondérée, 7,3 % des journalistes, toutes catégories confondues, sont enfants de journalistes. Et dans l'élite? Une proportion... plus faible encore : 5 % environ. Quasiment aucun fils de médiacrate ne reprend le flambeau...

Pourquoi? On peut certes avancer qu'une bonne partie de l'ancienne élite a été décapitée à la Libération pour fait de collaboration. Les enfants ont pu en pâtir.

Un autre facteur expliquerait ce phénomène. Il est difficile de ne pas constater que les enfants de l'élite souffrent directement de l'indisponibilité et de la violence du milieu. Même lorsque les parents ont tenté de préserver une chaleur familiale et que les enfants acceptent de suivre le chemin parental, il n'est pas rare de les voir connaître des crises sévères – comme cet enfant de F. qui dut entrer en hôpital psychiatrique – ou de les voir quitter le navire en pleine mer. Écoutons un de ces enfants de médiacrates qui « baignait » dans le milieu : Vladimir Held, interrogé lors d'un séjour dans l'île Sainte-Lucie. Fils de Jean-Francis Held *(L'Événement du jeudi)*, « Vlad » devenu reporter-photographe, vivait avec une journaliste du *Nouvel Observateur*. Mais... « j'ai fini par quitter ce métier et la France. Je ne supportais plus ce milieu. Je me souviens de ma chasse à Raymond Barre, quand celui-ci était Premier ministre; finalement qu'est-ce qu'on est, nous, là-dedans? Et puis surtout, j'en ai eu assez de cette vie fermée que j'avais connue depuis mon enfance, de ce microcosme qui vit replié sur lui-même. Je ne le supportais vraiment plus. J'en ai vraiment beaucoup souffert. Aujourd'hui, je me consacre à la plongée sous-marine. J'aime New York où je vais souvent entre deux saisons au Club Méditerranée. Je vois des gens vraiment différents. J'ai enfin l'impression de respirer ».

Nul doute pourtant que l'ascendance a favorisé quelques carrières. Il y a de grandes familles de journalistes. Comme celle des Servan-Schreiber. Le plus connu du clan fut longtemps Jean-Jacques, fils du journaliste Émile. À vingt-quatre ans, en 1948, il est éditorialiste du *Monde* puis il fonde *L'Express* en 1953 avec Françoise Giroud. Un pari remarquable... et tenu. Jusqu'en 1970, lorsque le démon de la politique s'empare de lui. Ce qui n'est pas le cas de Jean-Louis, le cadet de treize ans, fondateur en 1973 de *L'Expansion*.

L'ascendance pèse encore lorsque l'on s'appelle Pierre Géraud (rédacteur en chef de TF1). « Je suis né en 1946. Je ne voulais pas demander d'argent à mon père pour poursuivre mes études. Celui-ci avait des responsabilités à l'AFP. Il a contacté un de ses amis pour me faire travailler et je me suis retrouvé à *Télésoir couleur*. Je faisais les dépêches. Je suis devenu chef d'édition du 23 heures puis du 13 heures. Quand de Gaulle est mort, j'étais le seul présent : j'ai gagné mes galons comme chef d'édition du 20 heures. En 1975, j'ai rencontré Mourousi. Une histoire fantastique qui a duré treize ans. »

Jean Schmitt, Claude Roire ou Michel Gaillard sont autant d'exceptions qui confirment la règle. Même lorsqu'ils sont enfants de journalistes, ils ne sont pas souvent issus de l'élite. Les médiacrates, à la différence du financier ou de l'industriel, du notaire ou du grand propriétaire terrien, ne se reproduisent pas. La médiacratie est la seule élite ouverte.

La grâce sociale

Mieux vaut pourtant ne pas se tromper de monde. L'ouverture a ses seuils de tolérance, la circulation ses voies rapides. La famille joue en vérité un rôle considérable... quand elle se meut dans les classes supérieures. Elle favorise alors le déroulement des carrières par les dispositions inculquées, ces passerelles entre élites dont l'aisance, la facilité... et le fameux « culot » sont les marques les plus visibles.

Si, d'après la Commission de la carte, selon la profession du père, 20 % des journalistes, toutes positions hiérarchiques confondues, sont nés de « cadres supérieurs » et 1,6 % de milieux industriels, le recrutement des médiacrates paraît tout à fait différent.

Les chefs d'entreprise, salariés ou non, P-DG ou gérants, et ce que l'on pourrait appeler des cadres administratifs et commerciaux de très haut niveau ont produit 16 % de l'élite journalistique. Quelques noms : Thierry Pfister, fils de directeur, Philippe Alexandre, fils de gérant, Roger Thérond, fils de fondé de pouvoir, Marc Gilbert, fils d'industriel, Yann de l'Écotais, fils d'un directeur régional des Ciments Lafarge, Jérôme Garcin, fils du directeur général des Presses Universitaires de France. On pourrait raccrocher à ce wagon Franz-Olivier Giesbert, dont la mère était patron de presse. Et, pour en rester à ce « pôle économique », comment ne pas penser à Bernard Rapp, fils d'antiquaire? Encore laisse-t-on de côté Jean Daniel, enfant de minotier ou

Guillaume Durand, dont les parents marchands de tableaux ne détenaient certes pas la fortune de la famille Fabius mais n'avaient guère moins de relations. On relèvera chemin faisant que nombreuses sont ici les professions liées au monde de l'art, de l'édition ou de la presse.

La haute administration (on notera l'absence des grands corps de l'État) a été moins généreuse en offrant 10 % de l'élite. Quelques noms : Claude Imbert (fils d'un inspecteur général du service des alcools), Emmanuel de la Taille (fils d'un administrateur civil), Jean-Marcel Bouguereau (fils d'un directeur de prison), Étienne Mougeotte (fils d'un inspecteur d'académie), François-Henri de Virieu (fils d'un colonel)...

À ces parents souvent diplômés, on pourrait ajouter les professeurs de l'université et de l'enseignement secondaire long – en particulier philosophique – comme Pierre-Luc Séguillon (fils de professeur d'université), Pierre Bénichou ou Jean-François Kahn (fils de professeur de philosophie). Ils forment environ 7 % de l'élite.

Fortement « intellectualisées » encore, les familles « libérales ». Enfants de notaires comme Philippe Tesson ou Philippe Gildas, de conseillers juridiques ou d'avocats comme Philippe Labro – voire Michèle Cotta, dont le père avait été conseiller juridique avant d'être maire de Nice. Et surtout fils de médecins comme Alain Duhamel, Jean-Francis Held... Environ 12 % de l'élite pour cette extraction.

À la marge : certaines professions de l'information, les romanciers ou auteurs de films (comme Dominique Bromberger) qui fournissent environ 2 à 3 % de l'élite.

Ainsi, près de la moitié de l'élite journalistique est issue des classes supérieures intellectualisées. Si l'on songe aux 5 % d'enfants de journalistes, on est assez loin de l'illusion répandue dans la profession d'une élite ouverte à tout vent. Posséder un bon capital social, c'est bien avoir au départ « la grâce »... et un tropisme inné vers la connivence.

Reste quand même une moitié de médiacrates à n'avoir pas eu la grâce. Petits commerçants et artisans fournissent ici un fort contingent de troupes. Boulangers (Jean Bothorel), cordonniers (Noël Mamère) ou « cafetiers-plats du jour » (Roger Gicquel) donnent environ 11 % des leurs à l'élite.

Il y a aussi une série de petites îles sociologiques (5 %), dites des « classes moyennes » : enfants de petits fonctionnaires (comme Serge Richard), d'employés (Gérard Carreyrou), de cadres commerciaux intermédiaires (PPDA), voire de soldats et de policiers (Jacques Duquesne, fils de brigadier de police).

Quant au monde ouvrier, il est quasiment absent. Seule exception notable : les cheminots. On oublie souvent en effet que la communication est d'abord une question de transport. Il est difficile en tout cas de croire au hasard. Qu'ils s'appellent Claude Julien, Paul Amar, Jean-Claude Bourret... voire Roland Leroy de *L'Humanité,* la SNCF donne beaucoup. On peut évidemment se demander si les cheminots sont représentatifs des ouvriers. Qu'importe. Une certaine culture est incontestablement présente, qui a au moins pour effet de rendre sensible aux problèmes des classes populaires. C'est ici et chez les enfants d'enseignants que l'on retrouve les traces fréquentes d'engagement social (franc-maçonnerie) ou politique (PS ou PCF).

Disserter sur les autres secteurs des classes populaires, donner des chiffres ne signifie rien. Tous sont des cas a-typiques comme celui d'un Jean Boissonnat, dont le père était ajusteur. Hasard d'une rencontre, persévérance de quelques individus : peu de déterminisme ici. Relevons seulement qu'il n'y a pas dans l'élite d'enfants d'ouvriers agricoles ou du personnel de service et que l'ensemble des classes populaires, SNCF exclue, n'atteint pas 4 %.

Le reste des médiacrates plonge ses racines dans des professions diverses liées au secteur dit « primaire » : l'agriculture ou la viticulture (comme Arthur Conte ou Bernard Pivot) voire l'élevage (comme Max Clos) et la vente de matériel agricole (Jean-Claude Narcy.)

L'environnement familial

Si la famille permet d'acquérir certaines dispositions, elle joue un autre rôle, plus indirect mais non moins efficace : elle aide le hasard en créant un environnement relationnel favorable au succès de l'ambition. Le milieu favorise la probabilité de bonnes rencontres en faisant entrer l'enfant dans les réseaux.

Comme le dit Alain Duhamel : « Un oncle de ma mère, qui était président de la BP, m'a proposé un stage dans le pétrole. Mes parents ont vu que cela ne m'intéressait pas. Ils m'ont dit : " Si tu trouves un autre stage, alors d'accord, tu n'iras pas faire celui-là. " À cette époque, un journaliste qui devait faire un stage au *Monde* s'est cassé la jambe. Fauvet m'a dit : " Vous commencez cet après-midi "... » Jacques Fauvet? Dans cette France où le tennis était encore un sport d'élite, Alain Duhamel avait rencontré la famille Fauvet en jouant avec un des fils du médiacrate du *Monde.* Et hop! Une belle montée au filet... L'histoire de Françoise Giroud, issue d'un milieu plus modeste, n'est pas différente. C'est au cours d'un dîner chez les Prouvost, connus par sa famille pendant la guerre, qu'elle rencontre Mme Lazareff.

Le milieu favorise bien les ambitions les plus nobles. François-Henri de Virieu, fils d'une descendante de marquise, commence dans l'agriculture par l'école supérieure d'Angers. Il fait ensuite sa carrière à l'Institut d'organisation du travail en agriculture. Mais fort de son origine, appuyé par quelques relations et un indéniable travail, il parvient à entrer au service social du *Monde* puis à la direction des relations internationales et du développement d'Antenne 2, produisant et animant « L'Heure de vérité ». Ce fils de colonel, fidèle à l'esprit familial, est d'ailleurs lui-même devenu officier... du mérite agricole.

L'héritage religieux

Il est toujours instructif de se demander si la croyance en Dieu des parents a favorisé des desseins bien humains chez les enfants. D'autant que la chute de la grande presse d'information catholique a correspondu à celle, plus sévère encore, de la presse politique militante.

À cet égard, les médiacrates présentent une curiosité. D'un âge généralement supérieur à quarante ans, s'ils étaient conformes à la pratique religieuse moyenne, leurs parents devraient être catholiques à plus de 85 %. Et pourtant, 55 % seulement des médiacrates ont eu leurs deux parents « catholiques pratiquants » (51 %) ou « catholiques non pratiquants » (4 %). Certes, les Jean-Marie Colombani, Jean-Claude Narcy ou Yann de l'Écotais sont majoritaires, mais ces chiffres signifient que près de la moitié des médiacrates ont vécu soit sur une double culture soit sur une culture non catholique.

Les familles où deux parents sont juifs? Elles forment la deuxième communauté religieuse (16 %), ce qui est beaucoup si l'on se réfère à l'importance de la communauté juive dans le pays mais nettement moins que certains le croient ou le prétendent à des fins douteuses. On pourrait en dire autant des familles protestantes (9 %).

Mais le plus intéressant est ailleurs. 4 % des médiacrates ont des parents athées et sur les 16 % de mariages mixtes restants, 14 % des foyers connus comprenaient un parent catholique, 9 % un parent athée, 2 % un parent juif, 5 % un parent protestant.

Livrons-nous à une lecture des données « à l'envers », en privilégiant le parent non catholique : 15 % des médiacrates au moins auraient alors reçu l'influence de la religion protestante. Fait-on dire aux chiffres plus qu'ils le peuvent? On peut bien entendu, par intuition, noter que la présence d'une religion « différente » crée au moins des perturbations par rapport à la norme dans le bagage culturel. Si l'on se réfère aux enquêtes qualitatives elles-mêmes – sans lesquelles d'ailleurs aucune donnée n'a de signification dans les sciences sociales – on a confirmation de cette idée. Ainsi Thierry Pfister, d'origines catholique et protestante, se déclare « athée d'origine protestante » et non « d'origine catholique ». Et il écrit quelquefois dans *Réforme,* un journal calviniste. De ses propos, il ressort enfin que c'est bien cette religion qui l'a emporté dans son bagage culturel hérité.

Dans le même ordre d'idée, on aurait aussi 13 % de médiacrates environ qui auraient reçu une éducation athée.

L'influence catholique paraît donc très nettement limitée aux 55 % de médiacrates qui ont leurs deux parents catholiques. Encore convient-il de rappeler que sur ces 55 %, tous ne sont pas pratiquants réguliers. Michel Labro, directeur adjoint de *L'Événement du jeudi* a même, comme nombre de médiacrates, hésité : « Il faudrait plutôt dire de mes parents qu'ils sont nés catholiques si tu veux. »

De cette façon, on découvre une rupture par rapport aux autres élites, une manière culturelle essentielle (au moins 45 %) d'être critique et distancié par rapport au code dominant.

Que reste-t-il aujourd'hui de cet héritage? A-t-il produit des effets?

Sans aucun doute. Ils sont seulement 7 % à se dire au moins catholiques pratiquants occasionnels, comme Jean-Marie Colombani ou Jean Boissonnat. 34 % se disent « catholiques non pratiquants » ou, plus souvent : « de naissance ». Un mouvement de fond s'est ainsi réalisé, qui confirme l'interprétation donnée plus haut. Bernard Rapp, Bernard Pivot ou PPDA pourraient en être les types idéaux : ils sont « non pratiquants » alors que leurs deux parents étaient « pratiquants ». Un Claude Sérillon, pourtant formé chez les jésuites, ne pratique plus. La plupart des réponses furent très hésitantes. Symptôme de ce glissement : en une génération, l'univers de la foi catholique s'est rétréci comme peau de chagrin : 59 % se disent expressément « non catholiques » (étrangement, il n'y a pas de refus de répondre).

Non catholiques? En vérité, toutes les religions semblent avoir perdu de leur puissance. Il n'y a plus que 11 % de médiacrates à se déclarer « de religion juive ». Encore faut-il préciser que pour plus de la moitié d'entre eux (70 %), ils tiennent à dire, comme Anne Sinclair, qu'ils ne sont « pas pratiquants ». Les protestants sont réduits à 5 % : les Alain Duhamel sont bien esseulés et – c'est une caractéristique de la communauté protestante – il s'agit souvent pour eux plus d'une référence culturelle, comme dans le cas de Daniel Vernet, que d'une foi.

Le « glissement » cache un véritable bouleversement : 41 % des médiacrates se disent expressément athées. Rares sont pourtant ceux qui sont issus de famille également athée. L'athéisme a gagné la quasi-unanimité de ceux qui étaient nés dans une famille « mixte » : enfants d'athée et de catholique comme Serge July, de catholique et de protestant comme Thierry Pfister, de juif et de catholique comme Denis Jeambar ou Jean-François Kahn... Il a aussi recruté dans les familles à croyance unique, comme Albert du Roy ou Laurent Joffrin même si beaucoup n'osent pas, à la différence de Claude Angéli, le proclamer trop fort... Et il n'y a apparemment pas de mouvement inverse.

Quelques hypothèses, pour conclure sur l'héritage culturel familial. D'abord, cet héritage minoritaire (religieusement) et intellectuel (sociologiquement) a probablement influé sur le choix d'une activité intellectuelle.

Ensuite, détaché des liens religieux, à une époque où la presse religieuse ne laisse guère d'espoir de carrière médiacratique (si ce n'est à la direction de *La Croix*), le journaliste est d'autant plus apte à autonomiser son monde et à y vivre selon une morale propre, des règles spécifiques et des amitiés particulières.

Enfin – nous y reviendrons – en liquidant cette relation avec le Ciel, les médiacrates s'ouvrent les portes d'un nouveau sacré. Le pouvoir symbolique laïc de la médiacratie permet, en contrepartie de l'abandon du religieux, de découvrir une sorte de nouveau dieu, de postuler une nouvelle transcendance, l'« Opinion publique ». Nouveau dieu dont les médiacrates, en se servant, seront les serviteurs... Nouveau dieu qui leur permettra précisément de dire oui au droit d'irrespect, à cette morale spécifique qui se moque de la morale formelle et de dire non aux sympathies vers lesquelles poussait naturellement la position sociale de naissance, à la connivence.

3. LES DIPLÔMES

Les dispositions de naissance ne sont pas le seul bagage du médiacrate. Les chemins qui mènent à Rome sont pavés de bons... diplômes. À nouveau, la tension entre connivence et autonomie pointe le nez. Les journalistes sympathisent d'autant plus facilement avec les autres élites qu'ils ont acquis un même bagage culturel durant leurs études, dans les facultés de droit ou les Instituts d'études politiques. Mais le développement de filières professionnelles spécifiques, en soudant les journalistes contre les agressions extérieures, ne trouble-t-il pas ces jeux?

Droit et science politique contre littérature

Un mythe, venu des milieux intellectuels classiques, court les rues : diplômes et culture seraient inutiles pour réussir dans le journalisme. Chance, piston, bluff : la médiacratie serait le refuge des ratés de l'Éducation nationale. Le milieu journalistique développait une idée similaire... jusqu'au début des années 70. Nombre de journalistes se souviennent ainsi de Françoise Giroud partie sans diplôme ou presque à la conquête de la presse. Et elle a touché le ciel! Avec nostalgie, ils rappellent que Daniel Filipacchi décidait à vingt ans, en 1948, de devenir photographe. Et Alain Ayache proclame haut et fort qu'il était « nul et qu'il est un autodidacte ». Que le passé était simple à les en croire...

On peut être sceptique. La génération épanouie dans l'après-guerre montre autre chose. Quand un Max Clos, né en 1925 en Allemagne, devient (en 1950) correspondant en Indochine de l'Associated Press, il a en poche, exactement comme Jean Izard (né en 1929) ou Jacques Duquesne (né en 1930), une licence en droit et le diplôme de l'École libre des sciences politiques. Quand un Jean Boissonnat, né en 1929 à Paris, est chef du service économique et social de *La Croix* en 1954, il ne possède « que » le diplôme de l'Institut d'études politiques (IEP) de Paris. Pierre Drouin (né en 1921), lui, n'avait « qu »'un doctorat en droit. Laissons les illusions nostalgiques. Des facultés de droit à l'IEP, le même esprit (juridique) règne. Tel est le premier sésame majeur des médiacrates nés avant 1935.

On pouvait aussi n'avoir pas de bagage juridique et préférer le savoir littéraire. Un Jean Daniel devient rédacteur en chef de *L'Express* en 1955, à trente-cinq ans, après avoir été professeur de philosophie, titulaire d'une licence de philosophie et d'un diplôme d'études supérieures. De Raymond Aron hier à Jean-François Revel aujourd'hui, la médiacratie a proliféré sur ce terreau. Il s'est trouvé plus d'un Roger Thérond détenteur d'une licence de lettres.

On peut d'ailleurs lier les deux cultures. Comme Philippe Tesson, diplômé de l'IEP avec un doctorat ès lettres. Quand André Fontaine devient secrétaire de rédaction à *Temps présent*, en 1946, il a (à trente-cinq ans) une licence de lettres et un diplôme d'études supérieures de droit public et d'économie politique.

Et aujourd'hui? Le niveau a sensiblement monté en même temps qu'il s'est réorienté. Conséquence première : la manipulation est devenue plus difficile. Conséquence seconde : la connivence avance en tapinois.

Quelle différence entre la médiacratie et le bas clergé! Près d'un tiers des journalistes de base n'ont pas entamé d'études supérieures et moins de la moitié sont allés jusqu'au deuxième cycle du supérieur.

À l'inverse, 96 % des médiacrates actuels ont fait des

études supérieures, 85 % ont terminé avec succès un premier cycle et 76 % ont une licence. Les médiacrates qui arriveront demain seront plus diplômés encore. Le cas d'un Girard Renaud du *Figaro,* qui a fait l'ENA et a abandonné l'administration pour devenir grand reporter, risque fort de n'être plus une exception.

Le niveau ne monte pas indistinctement. La veine de droit et de science politique devient de plus en plus productive. Environ 72 % de ceux qui ont fait des études supérieures ont un diplôme juridique et ils sont également nombreux – souvent les mêmes – à avoir suivi le chemin d'Étienne Mougeotte à l'Institut d'études politiques. Ils s'appellent Alain Duhamel (IIIe cycle à l'IEP), Denis Jeambar (qui a en plus une licence de droit), Dominique Jamet (qui a en plus une licence de lettres), Noël Mamère (qui a terminé à Bordeaux, en 1976, sa thèse de IIIe cycle en science politique)... Ils ont préparé l'ENA, comme Jean-Marie Colombani.

Les littéraires sont, à l'opposé, dans une fort mauvaise posture. La course aux diplômes est beaucoup plus dure qu'auparavant. « Bac plus 3 » ne suffit plus, même si Claude Sérillon et Pierre Bénichou ont « seulement » une licence de lettres. Il faut en général « Bac plus 4 ». Un Guillaume Durand a une maîtrise d'histoire, un Jérôme Garcin une maîtrise de philosophie. Pierre-Luc Séguillon préparait, lui, une agrégation d'arabe. On a même vu un Thomas Ferenczi, normalien, agrégé de lettres, entrer au *Monde* en 1971.

Au fond tout se passe comme si, par un déplacement du recrutement de la médiacratie, celle-ci faisait son adieu au monde littéraire et annonçait son rapprochement des filières de recrutement des autres élites, politiques, économiques et administratives en particulier. Comme si, en augmentant ses diplômes littéraires et en obtenant des diplômes juridiques ou en entrant dans des IEP, elle cherchait une « équivalence ».

Déjà se lit ici la difficulté nouvelle qu'il y aura à manipuler de tels hommes : on ne manipule pas des égaux. À l'inverse s'annonce aussi la possibilité de ce jeu spécifique aux égaux : la connivence. Un accord des volontés d'autant plus naturel que la culture et l'histoire sont communes, que l'on pense dans les mêmes cadres, que l'on a eu les mêmes maîtres et les mêmes... jeux.

C'est peut-être pour affirmer non plus seulement son égalité mais sa différence irréductible, son autonomie, que le médiacrate a favorisé la construction d'une autre voie, professionnelle : celle des écoles de journalistes. Et le voilà tel PPDA, une licence en droit dans une poche, un diplôme de Langues orientales dans l'autre, le Centre de formation des journalistes en tête.

La voie nouvelle : les écoles

Ils viennent de Paris comme Franz-Olivier Giesbert, Philippe Gildas, Hervé Chabalier, Jean-Claude Bourret, PPDA, Paul Amar, Gérard Carreyrou, Bernard Pivot... De Lille comme Albert du Roy, Thierry Pfister, Jean-Pierre Pernaut... De Strasbourg comme Philippe Boggio... De l'Institut français de presse comme Bernard Rapp, ou Étienne Mougeotte... Une exception, rapporte le microcosme : Philippe Bouvard, renvoyé du CFJ pour avoir fait les papiers des copains...

En vingt ans, tout a changé. Il fut un temps où aboutissaient ici les brebis galeuses de l'enseignement. Aujourd'hui, les étudiants se pressent pour être admis : ils sont tous bardés de diplômes avant de tenter l'entrée. Même dans les Instituts comme l'Institut français de Presse. Bernard Rapp en est l'archétype : il a une licence de droit public. Le journalisme est devenu un monde envié. Et les écoles, le chemin privilégié vers le pouvoir médiatique.

Le choix, d'ailleurs, est bon : combien de médiacrates sont-ils passés par là? 32 %. Chiffre très supérieur à celui que l'on obtient lorsqu'il s'agit de l'ensemble des journalistes, toutes catégories confondues : 10 % environ... L'école est bien un chemin du pouvoir. Du pouvoir autonome.

Deux écoles tiennent le haut du pavé : l'École supérieure de journalisme de Lille, créée en 1925, agréée depuis 1956, qui reçoit chaque année environ 40 étudiants sur deux ans et le Centre de formation des journalistes de

Paris, rue du Louvre, créé en 1946, qui reçoit 52 étudiants. Il en existe d'autres, comme le CUEG de l'Université de Strasbourg III, le CELSA de Paris IV, quelques IUT (Bordeaux, Tours), le Centre transméditerranéen de la communication (Aix-Marseille), agréé depuis 1985, l'Institut français de presse...

Le CFJ est l'école la plus connue. Elle n'est qu'un des éléments de la bâtisse parisienne du CFPJ qui comprend également : le Centre de perfectionnement des journalistes, qui permet le recyclage de 2 000 personnes par an; le CFPJ international, qui reçoit des journalistes étrangers; le Centre d'information sur les médias, qui apprend en particulier le journalisme aux cadres du secteur communication des entreprises privées (ce qui rapporte beaucoup d'argent...). Les journalistes-enseignants sont le plus souvent de passage. Souvent, comme Didier Buffin, au chômage entre deux postes, ils attendent tranquillement un autre point de chute.

Pour entrer? Il faut un bac et deux ans d'études supérieures, mais « bac plus 4 » n'est pas de trop. La concurrence est sévère. Sur 900 candidats environ rue du Louvre, 150 obtiennent l'admissibilité à l'écrit et parmi eux, 50 à 54 personnes seront finalement sélectionnées. Officiellement, l'examen d'entrée de cette école privée contrôlée par le ministère de l'Éducation nationale n'est pas un concours. Il suffit d'avoir 12 pour être reçu. Mais écoutons T. : « Quand tu as 12, tu es reçu, mais en réalité on ne met 12 qu'en fonction du nombre de places dont on dispose, à quatre ou cinq près. » Certaines des règles affichées peuvent être allégrement transgressées : « À 9 tu peux être reçu et à 13 recalé. Il y a des épreuves reines comme l'“ enquête-reportage ”, à coefficient 3. Si quelqu'un a une mauvaise note à cette épreuve, quoi qu'il fasse, il ne sera pas pris. L'épreuve d'entretien permet de corriger et d'orienter les choix. C'est une sorte de “ saccage ”. On s'arrange pour que le candidat qui a échoué à l'épreuve reine ne passe pas ailleurs. Ce n'est pas malhonnête. On privilégie le journalisme d'investigation. C'est pourquoi aussi on aidera ceux qui ont fait un excellent reportage. »

La sélection de l'école concurrente, l'École supérieure de journalisme de Lille, est assez semblable mais plus transparente. Écoutons son directeur, André Mouche : « À Lille, affichons la couleur. C'est un concours et le nombre de places est annoncé. Pour 600 candidats environ, il y a 40 places. La sélection est très difficile. Beaucoup d'étudiants méritants restent en rade. C'est vraiment dommage mais ce sont les règles dans un concours. »

Premier effet de cette sélection : un sentiment d'appartenance. Voilà qui permet de souder efficacement les gens. Quelquefois positivement ils éprouvent les uns pour les autres, tels Franz-Olivier Giesbert et PPDA, de la « sympathie ». Toujours négativement : l'École constitue un élément de distinction par rapport aux autres moyens d'accès.

Second effet : le sentiment d'une juste légitimité sanctionnée non par des copinages mais par un concours. « Je suis arrivé au journalisme d'une façon simple, insiste Jean-Claude Bourret. Je suis issu d'un milieu populaire, sans relations avec la presse. J'avais simplement appris qu'il existait un métier qui s'appelait le journalisme par une amie de ma mère, qui travaillait aux PTT. Elle m'a expliqué ce que c'était. Comme j'étais un gamin curieux, j'ai fait le Centre de formation des journalistes et je suis sorti major de la promotion radio. » Le journalisme devient un métier. À l'opposé, ceux qui sont passés par les IEP ou les facultés sont soupçonnés de devoir leurs responsabilités à des héritages sociaux.

Troisième effet : le groupe est cimenté autour d'une culture commune.

Le nouveau journalisme à la française

Quelle est cette culture? En raison de sa spécificité, elle peut être appelée : le « nouveau journalisme à la française ».

Elle se caractérise par le refus de la voie classique. Pour les médiacrates issus des écoles, comme pour ceux qui adoptent leur « éthique autonomiste », rien de pire que de jouer la carte « sartrienne » ou « technocratique ». Les donneurs de leçons, éditorialistes talentueux mais qui craignent de se salir les mains en allant sur le terrain, sont bannis. Comme l'explique Bernard Poulet : « Le journalisme, c'est trop souvent la poursuite de Science politique par d'autres moyens, ou l'art de parler de tout sans rien connaître. » Symptôme : dès les épreuves de recrutement, malheur au candidat trop « verbeux » ou « attaché-case » qui pourrait faire une brillante carrière à l'ENA : il n'a aucune chance lors de l'épreuve d'entretien.

À l'opposé, les écoles de journalisme habillent en professionnel. C'est-à-dire d'abord sous des auspices techniciens : on apprend à traquer le fait grâce aux techniques et à utiliser le verbe dans une visée « dénotative ». Comme le dit Didier Buffin : « La devise du CFJ reste " Écrire pour être lu " : les techniques de base rédactionnelles, comment on attaque un papier et comment on fait une chute sont notre pain quotidien. Il faut aussi savoir manier une " bétacam " et partir à deux faire du reportage. Il faut connaître les techniques les plus sophistiquées de la communication. » La deuxième année, en particulier, est consacrée à l'approfondissement des techniques et à la spécialisation. Cette compétence explique l'importance de la méthode, une exigence quasi anglo-saxonne dans la récolte des informations.

Techniques, méthodes d'enquête... À l'horizon, une illusion : la croyance positiviste que l'on peut aller directement aux faits. On a par exemple vu naître, contre les hommes de commentaire, le « journaliste reporter d'images », le JRI. Seul, accompagné de sa caméra, celui-ci était censé ramener de l'information, toute l'information. « Une erreur, dit Bernard Poulet. Cela arrangeait bien les patrons car cela réduisait les coûts. Mais le regard à travers la caméra est un regard dévié. Tu as besoin d'un journaliste avec toi. »

Au-delà, le premier risque dans un tel rapport au réel est l'ignorance. Ce sont les journalistes sortis des écoles qui furent parmi les plus virulents envers le traitement de l'information lors de l'affaire roumaine, même si quelques-uns d'entre eux s'étaient laissé porter par l'euphorie du moment... « C'était chouette » dit une journaliste qui avait participé à une procession de 200 journalistes en Roumanie avec Bernard Kouchner. Et de déclamer les villes traversées, les kilomètres parcourus, le nombre de gens rencontrés et de témoignages reçus. « Vraiment? C'était nul plutôt » : Éric Pierrot, issu de l'Institut français de presse, un DEA de sociologie politique et une maîtrise de droit public dans sa hotte, proteste après avoir compris que cette journaliste était partie le nez en l'air, pour goûter le parfum du pays et « sentir » avant de « commenter ». Coller aux faits, en Roumanie, lui paraissait scandaleux. Comment d'ailleurs ne pas lui donner raison? Coller aux faits sans même savoir où était la Moldavie? Sans avoir entendu parler de Mavrokordatos ou du second servage roumain? Cela signifiait tout simplement mettre en images, son et écriture ses sentiments, ses phantasmes, sa propre errance. Cela impliquait inexorablement de tomber dans la connivence avec les élites qui « savent mieux ». C'est bien ce qui se produisit en effet.

Le second danger est de se perdre soi-même sous prétexte d'objectivité, de nourrir la machine médiatique d'images, de sons et de paroles. Tel ce cameraman suédois qui filma en 1973, au Chili, le militaire qui lui tirait dessus : son corps étant devenu, comme il se doit, le prolongement de sa caméra, il fut incapable de réagir alors qu'il voyait qu'on le visait. Il filma sa propre mort en direct.

Enfin, le troisième écueil vient de ce que l'accent mis sur le fait risque de conduire le journaliste à proposer des objets froids « à l'américaine ». Des objets sérieux, mais sans couleur et donc peu adaptés au public français. À l'heure de l'Europe, mieux vaut ne pas rêver l'uniformité illusoire des cultures : la pluralité seule est réelle.

Afin de prévenir ces trois écueils, les écoles ont d'abord joué la culture « scientifique ». Voilà pourquoi une part importante de l'enseignement est consacrée au droit et à la sociologie. Dans le cas de l'École de Lille, afin d'éviter la domination qu'exercent les pouvoirs économiques sur les journalistes, vient même d'être lancée une formation économique. Cette réponse de type « anglo-saxonne » ne règle (en partie) que le premier problème. Pour affronter la donne, les Écoles ont dû retrouver la perspective « littéraire »; du recrutement au classement de sortie, souvent par le biais de la « culture générale », elle prend une grande importance. Ainsi est né le « journalisme à la française ».

Les vertus littéraires ont été réévaluées : imagination, disponibilité et ouverture d'esprit. Éléments qui sont complémentaires de cette recherche d'objectivité que le positivisme savant du journalisme américain croit trouver dans l'évidence du « fait ». Le travail du journaliste français n'est pas conçu comme copie de la réalité, reprise des dépêches ou des communiqués de presse des élites. Héritage d'une tradition qui remonte à la philosophie française du XVIIIe siècle, la recherche du vrai est corrélative d'une recherche du style. Une conception à laquelle se rallièrent nombre de médiacrates, quand bien même ils n'étaient jamais passés par ces écoles.

Le bagage littéraire n'est plus, comme avant, une valeur de remplacement mais une valeur ajoutée à l'élément professionnel composé de techniques, méthodes et savoirs. Il ne s'agit donc pas, comme dans le *new journalism,* de se mettre à écrire de façon volontairement subjective et sulfureuse : la subjectivité est au service de l'objectivité, ce qui, idéalement, évite la connivence avec les élites, et autorise la maîtrise de la machine médiatique.

Cette valeur ajoutée permet en même temps de répondre à un certain principe de plaisir : à nouveau, qui ne voit là le grand héritage des Lumières? En préparant des journaux, en s'exerçant dans des studios radio ou télé, les élèves apprennent à tenir compte de la spécificité du type de média convoité (« news », presse spécialisée, radio périphérique, télévision...) et, plus encore, à jouer des objets et des règles d'écriture. Les « journaux école » du CFJ, par exemple, sont souvent le moment d'une prise de conscience de cette nécessité littéraire. L'étudiant, au-delà de la technique et de ses connaissances, découvre la dimension spectaculaire qui permet de faire passer le message.

Cette alliance de la veine anglo-saxonne et française, ce mixte de rigueur et de brillant, tel est donc le « nouveau journalisme à la française ». Le journaliste devient non seulement capable de découvrir le vraisemblable mais il peut aussi connoter ses découvertes par le commentaire. Il lance alors sur le marché des discours, des sons et des images qui produisent du sens et engrangent des effets sur le public (crainte, dégoût, adhésion, admiration, mépris...); des effets que jamais aucune analyse non pragmatique des discours ne pourra mettre à nu.

L'école nécessaire et insuffisante

Les écoles ne tendent-elles pas à créer une autre complicité, entre les élèves cette fois? Serait-ce la première ébauche de la grande tentation de connivence entre les médiacrates?

Certes, l'avantage des écoles dans la course au pouvoir est net. L'accès à la comète est favorisé. Il est plus facile pour un patron de presse de demander au CFJ de lui envoyer un professionnel plutôt que de devoir lui-même sélectionner et former. « Depuis cinq ans », dit Michel Floquet (qui lui-même vient de l'École de Lille), « TF1 embauche régulièrement des journalistes issus des écoles. »

L'ascension elle-même est facilitée. Les médiacrates en place ont besoin de soutiens dans leur guerre. « Ceux qui arrivent dans les rédactions entretiennent des liens particuliers avec leur école d'origine, dit Floquet. On appelle et on élève plus facilement vers les sommets un gars de son école. »

Il ne s'agit pas tant de profiter d'une « sympathie » bien hypothétique, née d'études communes, que de jouer d'une sorte de solidarité négative : sus à ceux qui ne participent pas de la culture commune enseignée dans les écoles! Tel est le cri de ralliement. C'est pourquoi, à la différence des grands corps, l'union dépasse largement le cadre d'une seule école.

Inutile pourtant de prêter aux écoles plus qu'elles ne peuvent donner. Le succès passé des écoles pour faire carrière a eu des effets pervers : « Il fut une époque, dit Serge Richard, la fin des années 50 et le début des années 60, où le jeune stagiaire allait tout de suite se réfugier sous l'aile protectrice des anciens de l'école. Dès que ceux-ci étaient arrivés à un degré de responsabilité hiérarchique élevé, ils faisaient pression. Europe 1 a fonctionné comme cela pendant 10 ans. Il suffit de prendre l'annuaire des anciens élèves de la rue du Louvre et l'organigramme d'Europe 1 : c'est évident. Mais c'est un peu moins vrai aujourd'hui. La croissance numérique de la profession et des élèves y est pour beaucoup. »

Le nombre charge en effet ce réseau. Il attise la concurrence, qui finit par entrer au cœur des écoles. Officiellement, il n'y a plus de classement de sortie à Paris. Mais en vérité celui-ci existe. « Le classement de sortie est non dit, affirme T. Mais, dès la fin de la première année, il y a un stage payé dans la presse quotidienne régionale (radios, écrite) où les journalistes se font les dents. Et en fin de deuxième année, le CFJ leur fournit un stage de trois mois rémunéré. C'est la jungle. Le classement est alors déterminant. L'AFP fournit cinq ou six stages, *Le Monde* un ou deux. Inutile de dire que celui qui obtient le stage au *Monde* n'est pas le plus mauvais. »

Il est devenu clair que les écoles ne suffisent pas pour parvenir aux sommets. Deux exemples types le montreront. L'un choisi à l'École de Lille, l'autre de Paris.

C'est par Lille que commença la carrière de Jean-Pierre Pernaut : « Dès le lycée (j'étais à Amiens), je n'ai jamais pensé à autre chose qu'au journalisme. Je faisais un journal local puis j'ai préparé l'École de journalisme de Lille. J'ai obtenu un stage à France Inter et pendant le week-end, je travaillais pour l'ORTF à Amiens car ils avaient besoin d'un pigiste. L'école a été la clé de mon entrée. Puis Christian Bernadac m'a fait venir avec Patrick de Carolis et Jean-Paul Flory à Paris. » Bientôt, l'atout de l'école ne suffit plus : « Au bout d'un an poursuit-il, je me suis retrouvé au journal de 23 heures " à titre provisoire " comme on disait. Car Julien Besançon était parti. Le provisoire a duré trois ans. Après, je me suis retrouvé deux ans avec Yves Mourousi au 13 heures. Lui ouvrait le journal, moi je m'occupais de la partie " news ". J'avais succédé à Michel Denisot. L'école n'avait plus d'importance pour le déroulement de la carrière. Un jour, Yves Mourousi a décidé de changer son journal. J'ai dû partir, contraint et forcé. L'école n'a rien empêché. Je suis devenu grand reporter et chef de rubrique au service économique. En 1982, il y a eu des changements. J'ai été mis à l'écart du journal. J'étais mal vu par la nouvelle équipe car j'avais couvert la campagne de Giscard. C'est une époque, où toute la hiérarchie a changé, sauf celui qui était chargé de la religion. J'ai donc fait de l'information générale pendant un an. Je me suis recyclé dans le journalisme de vie quotidienne et de tourisme. En 1986, Alain Denvers m'a demandé de présenter le 23 heures en alternance avec Joseph Poli. Et le 22 février 1988, j'ai remplacé Mourousi quand la direction a voulu changer la formule du 13 heures. Reportages, informations rapides, rigueur... On a abandonné le “ talk show ” qui faisait quinze minutes. Au lieu de huit minutes d'images, on en a fait vingt. Au bout de trois mois, on est passé devant A2. L'écart s'est accentué. Pendant la guerre du Golfe, l'audience de TF1 a été en moyenne de 27 % contre 11 % au journal d'Antenne 2. »

Même constat du côté des anciens élèves du CFJ de Paris. Écoutons Bernard Pivot : « Je suis le fils d'un épicier lyonnais et je ne connaissais vraiment personne. C'est donc le CFJ qui m'a placé. Comme je suis lyonnais, on m'a dit : “ Vous allez aller au *Progrès de Lyon.* ” Après quatre mois, on m'offre une bourse pour devenir journaliste économique. La direction m'annonce : “ Vous partez ou vous restez, comme vous voulez. ” Je n'étais pas très doué pour le journalisme économique... »

Le CFJ lui trouve une place au *Figaro littéraire.* Reçu par un rédacteur en chef opposé à l'idée d'engager des journalistes débutants, il est interrogé sur ses lectures. Il est peu convaincant. Après la discussion, le journaliste lui lance : « Vous lisez bien peu. » Écoutons Bernard Pivot : « Je croyais que c'était perdu. Puis il me demande ce que font mes parents. Je lui réponds : “ Ils sont lyonnais et dans le beaujolais. ” Cela a fait tilt. Il m'a demandé si je pouvais lui obtenir un petit tonneau de beaujolais. “ Bien sûr lui ai-je répondu. ” Un jour il me déclare avec gourmandise : “ Ah, le vin de vos parents ! ” Bref, j'étais définitivement engagé. » Le beaujolais déclasse le CFJ...

Sa carrière va se poursuivre à la radio. Une rencontre avec Lucien Morisse, le premier mari de Dalida, directeur des programmes à Europe 1, va sceller son destin. « Vous pourriez faire quelque chose à Europe 1 », remarque ce dernier. Mais il se suicide quelques jours plus tard. Huit jours après, le directeur d'Europe 1 l'appelle : « Lucien Morisse a formulé le vœu que vous fassiez des essais chez nous. » Et voilà Bernard Pivot chargé de la chronique « Pour sourire » qui durera quatre ou cinq ans.

À la direction de la première chaîne on a des idées. Pourquoi ne pas demander à ce jeune journaliste dynamique de monter une émission sur les livres? Jacqueline Baudrier le convoque. Il a suffi d'une demi-heure de conversation pour qu'il soit embauché. Ainsi a commencé « Ouvrez les guillemets » le 2 avril 1973. Puis, après l'éclatement de l'ORTF, le voilà sur Antenne 2. Le 10 janvier 1975, à 21 h 30, rue Cognacq-Jay, la première émission d'« Apostrophes » est programmée. Bernard Pivot débute la fameuse série de ses 724 émissions.

Symptôme de la baisse d'influence de l'école avec l'accroissement de l'ascension : le dîner annuel de promotion organisé par l'association des anciens élèves de l'École du Louvre. Didier Buffin note : « Les vedettes, en général, n'y vont pas. » Même si elles n'ont pas boudé, Bernard Pivot en tête, les quarante ans du CFJ. Une fois l'aventure professionnelle commencée grâce aux écoles, ce sont bien ensuite d'autres relations, d'autres réseaux qui prennent le pas. L'atout école ressemble un peu au baccalauréat : ne pas l'avoir pénalise, l'obtenir permet seulement de poursuivre sa carrière. D'où l'importance des autres chemins de la gloire.

4. LE BAGAGE POLITIQUE

Jadis, le bagage politique servait surtout à entrer dans la presse militante. Mais où est *L'Humanité* d'antan? Où sont les équivalents du *Populaire* ou de *L'Action française?* Pourtant, nombre de médiacrates possèdent un passé de militant. Miracle des reconversions ou bien effet de l'acquisition d'une culture efficace pour la carrière?

Les trois composantes

Dans la hotte du militantisme politique : trois cadeaux. D'abord une appréhension intellectuelle du monde, favorisée par une pratique politique qui a privilégié l'écriture et la parole. Ensuite, ce que l'on appelle parfois le sens de l'organisation, notamment l'apprentissage des techniques de quadrillage, de coercition et de manipulation, essentielles pour jouer des coudes dans le microcosme. Enfin – et cette troisième caractéristique est peut-être la plus importante de toutes – le goût du pouvoir symbolique. Certes, ces trois déterminations peuvent orienter vers la connivence. Mais réunies, mises au service de l'ambition, ne conduisent-elles pas plutôt, contre la servitude volontaire, à favoriser l'autonomie?

Suivons l'itinéraire caractéristique de Jean-Marcel Bouguereau.

Intellectualisation d'abord. Né en 1946, sa passion pour le militantisme et le journalisme commence au lycée de Nîmes. En 1964, il vient à Paris avec deux objectifs : la politique et la mise en scène de cinéma. Inscrit en sociologie à la Sorbonne, lié à la revue de cinéma *Positif*, il milite à l'UNEF et à l'Union des étudiants communistes. Pendant ces quatre années précédant 68, il se lie aussi bien avec Serge July qu'avec Daniel Cohn-Bendit, mais surtout, chargé des relations internationales de l'UNEF, il voyage dans une Europe étudiante bientôt en insurrection. 1968 a été un « vrai cadeau, dit-il. Depuis quelques années, l'Italie et la RFA bougeaient mais pas la France ». Et Jean-Marcel Bouguereau en concevait quelque amertume, jusqu'à ce qu'éclatent les événements de Mai, où il sera très actif, participant à la création des comités d'action puis à celle d'un journal qui, quelques semaines plus tard, devient quotidien : *Action*. Avec la fin des événements de Mai, il a une activité multiple, participant toujours à *Action* et à la revue de François Maspero, *Partisans*, et collaborant à celle de Jean-Paul Sartre, *Les Temps modernes*. Mais surtout, pendant six ans, il est l'une des chevilles ouvrières des *Cahiers de mai*. « Je me suis engagé à fond là-dedans. Durant six ans, j'ai produit de l'information à destination de militants ouvriers, découvrant une réalité que je ne connaissais pas, aidant des syndicalistes à faire grève, lors du conflit de Penarroya, qui fut la première grande grève d'immigrés après 68, puis travaillant avec les grévistes de Lip à Besançon. Les années 72-73 sont celles du déclin des *Cahiers de mai*. Le groupe prend des tics et n'arrive pas, en dehors des organisations installées et des groupuscules qui pullulent, à donner naissance à cette infrastructure ouvrière indépendante, ouverte, non sectaire à laquelle nous avions rêvé. Nous avons appris beaucoup de choses que nous n'oublierons pas, mais au fond nous avons échoué. C'est alors, en 1974, que Serge July que j'avais connu du temps de l'UNEF, me propose à moi et à deux autres amis – Jean-Louis Peninou, actuel directeur général de *Libération* et Françoise Fillinger qui inventa le fameux " courrier des lecteurs " de *Libé* – de participer à l'aventure naissante et cahotique de *Libération* qui venait tout juste de naître.

Nous y allons, sans illusion mais dans l'espoir de réussir à sortir de notre ghetto et de réaliser, à terme, un vrai quotidien, comme nous le rêvions depuis longtemps. »

C'est alors que le « sens de l'organisation » œuvre. « Je trouvais *Libération* mauvais. Ni fait ni à faire. Il était mal informé, moche, bricolé, de mauvais goût... Nous avions encore tout à apprendre. Et puis surtout il nous fallait sortir du tunnel gauchiste qui nous avait tant appris et qui, en même temps, nous paralysait. Deux ou trois mois après être entré à *Libé,* je me souviens être allé chez mon beau-père. J'avais tellement honte du journal que, devant lui montrer un exemplaire de la publication pour laquelle je travaillais, j'avais enlevé la première page du numéro du jour tellement la une, ce jour-là, m'avait paru consternante... Entre 1974 et 1981, le journal ne cessa d'évoluer. Et nous avec. En 1981, *Libé* vendait 36 000 exemplaires, ce qui était quand même quatre fois plus que sept ans auparavant. Il fallait avoir l'énergie que nous avaient donnée dix ans de militantisme désintéressé pour construire ça, dans un contexte aussi difficile, sans moyens ni expérience. Nous étions tous très mal payés mais nous étions heureux de réussir ce que personne n'avait pu prévoir : un quotidien indépendant, novateur, sans lien ni avec un parti ni avec une banque, sans trop d'œillères idéologiques ou plutôt avec le moins d'œillères possible. Mais, en même temps, ce journal était encore loin de ressembler à ce que, dans nos rêves, nous imaginions. Nous avions l'impression de traîner un boulet, de ne pas progresser assez vite, d'être victimes de notre ancienne image gauchiste caricaturale.

Paradoxe : on continuait à ne pas se reconnaître vraiment dans le journal que nous faisions quinze heures par jour. On en a eu assez. Avec Serge et quelques autres qui étaient les architectes du journal, on s'est dit : “ Une seule solution, il faut arrêter, tout recommencer à zéro. ” On a fait un véritable chantage vis-à-vis de la rédaction : ou on change, ou on part. On a finalement eu une majorité, de justesse, sur une base plus affective que journalistique. En vérité, les journalistes n'étaient pas très convaincus. Ils ont accepté la transformation de mauvaise grâce. Nous avons donc lancé la plus belle opération marketing de la décennie : arrêter le journal, alors qu'on commençait à l'extérieur à lui trouver des qualités, une certaine originalité. À partir du moment où on l'a arrêté, on a parlé de *Libération* comme jamais auparavant. Des gens qui arrêtent un journal qui marche, ça ne s'était jamais vu... »

Du jamais vu qui n'est pas sans relation avec la recherche d'une assise plus large de son pouvoir symbolique.

« Quand le journal est reparu, en mai 1981, nous étions presque sortis du ghetto. Pour la première fois, le tabou du licenciement avait été brisé puisque 35 personnes avaient été licenciées : les critères professionnels remplaçaient les critères communautaires. Le journal était beaucoup moins bricolé. Je pris le titre de rédacteur en chef, ce qui correspondait au travail que je faisais déjà, mais jusque-là le nom était aussi un tabou. On était un tout petit groupe à essayer de croire à ce pari un peu fou. La veille de la parution encore, je me souviens avoir dîné au Terminus Nord en me disant : “ Nous n'y arriverons pas. ” Et nous sommes sortis. Et ça a marché. »

Cela a « marché » par la mise en œuvre de la totalité du bagage politique, même si Jean-Marcel Bouguereau a choisi, au bout de 13 ans, de quitter le journal. Comme le déclare Serge July, le 13 mai 1981 : « La vraie subversion aujourd'hui, c'est l'information. » Il est difficile de le suivre si on prend ces propos dans leur contexte d'alors : la subversion est encore conçue dans les termes classiques de la gauche. Et pourtant, la formule est juste : le jeu de l'information indépendante reste subversif... face aux tentations de connivence, à la « société de contrôle » qui, à travers elles, s'avance.

La centrifugeuse trotskiste

Corollaire de ce qui précède : toutes les filières militantes ne sont pas adaptées à la montée médiacratique et à l'autonomie car toutes ne possèdent pas en propre les caractéristiques décrites plus haut. La filière trotskiste montre en particulier l'importance discriminante du rapport intellectuel au monde.

Le seul groupement trotskiste qui ait produit des journalistes en nombre et quelques médiacrates est l'ex-Ligue communiste révolutionnaire d'Alain Krivine, la tendance trotskiste la plus intellectuelle et la plus portée au texte. C'est en effet par le journal, le tract, l'exégèse ou l'enquête que passait essentiellement son militantisme, le recrutement de départ, étudiant et intellectuel, nourrissant la pratique ou la produisant (qu'importe). De quoi prédisposer à entrer dans le journalisme en tout cas.

Allons dans l'ancien immeuble du *Monde :* celui de la rue des Italiens. Montons au deuxième étage pour rencontrer Edwy Plenel. En face de lui, au-dessus de la table de Georges Marion, trônent plein de petites boîtes au titre évocateur : un classeur gris-blanc porte le titre « Fausses factures », un autre « Carrefour », un classeur vert est étiqueté « Pechiney », un autre « Chaumet ». Écoutons Edwy Plenel : « Je ne suis pas quelqu'un qui disait au lycée, “ je veux être journaliste ”. Mon rapport au journalisme s'est fait par la politique. Et mon rapport à la politique par l'écriture. J'ai fait un journal lycéen qui s'appelait “ Le Tigre en papier ” en 1968-1969. Je voulais rendre mes idées publiques. L'école du journalisme, ce fut *Rouge.* J'y ai appris mon métier, les techniques. Quand j'ai cessé d'être militant, je me suis spécialisé. Fin 1979, de retour du service militaire, j'ai fait des piges au *Matin* et Nicolas Domenach m'a fait embaucher le 1er janvier 1980. Quatre mois après, j'étais débauché par *Le Monde.* J'avais vu le chef de service et Jacques Fauvet. Je m'occupais de la rubrique “ éducation ”. Puis, en été 1982, de la rubrique “ police ”. C'était un domaine en jachère. Il y avait beaucoup de travail en raison des attentats. » Ainsi, Edwy Plenel est devenu l'un des reporters les plus connus du pays. *Le Monde* est d'ailleurs un réceptacle convivial pour les ex-LCR : ils s'appellent Dominique Pouchin, Edwy Plenel, Bernard Guetta, Georges Marion, Patrick Jarreau.

À l'inverse, les trotskistes du PCI n'ont pas eu le même succès. Pourquoi? N'y a-t-il pas eu pourtant nombre d'intellectuels dans cette organisation? La pratique militante donne la clé. Les membres de cette importante organisation trotskiste ont longtemps manipulé plus facilement les règles administratives que le verbe, la coercition que le débat. Aux rapports intellectuels, ils ont préféré la culture d'organisation. Leur seule percée réussie fut réalisée, comme on pouvait s'y attendre, par Force Ouvrière interposée, dans la presse qui pouvait donner à leur sens de l'organisation tout loisir de s'exprimer : l'AFP.

L'échec ou le succès de ce militantisme peut être interprété comme un symptôme d'inadaptation de ces visions « bureaucratiques » du monde étudiées par le sociologue Michel Crozier. La formalisation extrême des rapports au PCI ou à l'ex-AJS, la prédilection pour les pratiques répétitives, le goût de la hiérarchie... rendent inaptes à la souplesse qu'appellent la rapidité des informations, la complexité des rapports humains, la nécessité pour les médiacrates (à la française) d'affirmer leur propre singularité par le style.

L'échec de Lutte Ouvrière, l'organisation d'Arlette Laguiller, montre de façon plus claire encore l'importance du vecteur intellectuel. Car, à la différence de l'organisation précédente, la bureaucratisation ne bloque rien ici. Et pourtant, elle n'a, semble-t-il, rien donné à la médiacratie. Pourquoi? Le recrutement de départ (ouvriers, employés au capital intellectuel faible) et, plus encore, le mode de militantisme volontairement populaire y sont pour beaucoup : porte-à-porte, travail dans les entreprises et les bureaux, distribution de tracts, célébration du travail manuel... Une seule exception qui confirme la règle : Alain Pacadis, coqueluche des milieux branchés... Sa rupture avec Lutte Ouvrière fut très douloureuse. Il est mort dans des conditions dramatiques.

On est loin dans les deux cas du jeu des tendances, de la personnalisation, de la souplesse des rapports qui existent à l'ex-LCR. Loin aussi du militantisme déjà essentiellement journalistique que l'on pouvait trouver aux *Cahiers de mai*.

Cette règle paraît pouvoir être appliquée pour tous les militantismes. Comme le montre un PPDA, lui aussi issu d'une organisation politique « souple » prenant en compte la pluralité (vice-président des jeunes giscardiens), bien « installé » par son itinéraire comme producteur d'intellectualités.

L'ambition

La finalité de ces investissements : jouer un rôle sur la scène politique et sociale, exercer un pouvoir symbolique. C'est bien pourquoi, paradoxalement, plus l'ambition politique a été grande, moins le médiacrate est prédisposé à la connivence.

Yves Roucaute : – Pourquoi n'avoir pas fait une carrière politique plutôt qu'une carrière de journaliste?

Serge July : – Je n'avais pas envie de faire de la politique. La France est un pays où la politique est un métier. Il faut des plans de carrière, de vie, un investissement existentiel et, sous la Ve République, cet investissement a une efficacité marginale.

Y.R. – Vous pensiez avoir une plus grande efficacité politique par le journalisme?

S.J. – Ce qui est intéressant dans la politique, c'est de pouvoir faire des choses. Or dans ce système présidentiel, ce pouvoir de faire est faible. Le système politique est féodalisé. Il faut adhérer à des familles. Moi, je suis plutôt un amateur. Le rapport entre le pouvoir et l'investissement me semble dans le journalisme plus intéressant, moins gigantesque.

Y.R. – Cette conjonction de la presse et du pouvoir politique a-t-elle été claire dans votre esprit dès le lycée?

S.J. – Oui. Je faisais déjà des journaux au lycée Turgot. À l'UNEF, j'étais vice-président chargé de l'information et je me suis occupé de *Clarté* à l'Union des étudiants communistes. J'étais étudiant jusqu'en 1965. Durant deux ans, j'ai enseigné à Sainte-Barbe. Je faisais peu de politique en réalité. C'est en 68 que je bascule. Pendant quatre ans, j'en ai fait de façon professionnelle. Et mon activité politique a croisé la question de la presse. Je me suis trouvé à ce carrefour, à ce moment-là, par hasard. La presse n'avait pas en effet été transformée par 68. Le premier type d'expression nouveau était *Charlie-hebdo* mais je pensais qu'il fallait en plus de l'actualité. Ce fut une forme d'engagement. Et nous avons lancé *Libération.*

La puissance d'intervention sur la scène politique est alors démultipliée grâce à l'expérience passée. Le militantisme permet l'acquisition d'une connaissance à nulle autre pareille. « J'avais le choix : faire de la politique et agir, ou faire de l'information et voir de l'intérieur tout ce qui se faisait », dit (à *Télé 7 jours*) Étienne Mougeotte, un ancien de l'UNEF.

De ce point de vue, il importe peu que le bagage politique soit de droite ou de gauche. En même temps, il ne faut pas confondre cette ambition avec un engagement. Ces médiacrates ne forment pas des clans politiques. PPDA, ancien secrétaire général des jeunes giscardiens, n'est pas la courroie du giscardisme. Le réseau trotskiste n'a pas grand-chose à voir avec les organisations du même nom. Que Jacques Fauvet fût proche du MRP à la Libération, que Raymond Barrillon ait été au cabinet de Félix Gaillard, que les ex-giscardiens Patrice Duhamel, directeur de l'information, et Jacques Hébert, rédacteur en chef de l'actualité, soient présents sur La Cinq... ne changent plus grand-chose depuis la révolution de l'affranchissement médiacratique. Le degré d'autonomie considérable atteint par la scène médiatique vis-à-vis des structures partisanes se reflète dans l'indépendance de ces hommes envers les structures politiques.

L'itinéraire type est sans aucun doute celui de Serge Richard *(Canard enchaîné) :* « J'étais à la Sorbonne en 1957-1958. Étudiant en lettres, j'avais décidé, plutôt que de faire un bulletin syndical, de créer un vrai journal, “ Paris Lettres ”. Il s'agissait de décloisonner l'Université. Il y avait là Michel de la Fournière, la rubrique cinéma était tenue par Henry Chapier et même un certain “ Philippe le prêtre ”, c'est-à-dire Philippe Gildas, y écrivait. C'est là que j'ai acquis le goût du journalisme. »

Son capital syndical et politique, Serge Richard le met alors en valeur en choisissant de... se professionnaliser : « En 1959, alors que je suis vice-président de l'UNEF, je sors de l'École de la rue du Louvre. Je fais *Combat* – le *Combat* d'avant Tesson – pendant deux ans. J'y suis resté jusqu'en

1964. Nous étions mal payés mais nous nous amusions bien. En raison de mon passé, j'ai traité les questions universitaires. J'y serais resté plus longtemps si *L'Express* n'avait décidé de se lancer dans la fabrication d'un hebdo inconnu jusque-là, le " news magazine ". Jacques Derogy est intervenu pour moi. Je suis entré en même temps que Jean-François Kahn. Et, en 1968, on s'est à nouveau souvenu que j'étais un ancien dirigeant de l'UNEF : hop, on me donne la responsabilité du service " jeunesse-université ". J'ai démissionné en 1971, à la suite du conflit entre la rédaction et Jean-Jacques Servan-Schreiber qui venait de faire son OPA sur le Parti radical et qui désirait effectuer un retour en force dans la rédaction. Et me voilà chômeur. »

Héritage social et religieux, passé politique, professionnalisation par une école : tout se conjugue pour que Serge Richard trouve rapidement une solution provisoire : « Le PS naissait à Épinay. Il voulait un journal et c'est Claude Estier qui s'en occupait. Je suis devenu rédacteur en chef de *L'Unité*. C'était très amusant à faire. On avait une grande marge de manœuvre. Claude Estier jouait le rôle de filtre vis-à-vis de l'appareil. J'ai obtenu qu'il ne soit pas obligatoire d'être membre du PS. Et, très majoritairement, les journalistes n'avaient pas leur carte. Mais plus le PS allait vers le pouvoir, moins j'avais envie d'y rester. En 1977, Claude Angéli m'a proposé de venir au *Canard enchaîné*. Après le congrès de Nantes du PS, comme ce parti rentrait en phase pré-gouvernementale, j'ai accepté et je suis arrivé ici. »

Et voilà Serge Richard qui refuse toute connivence, suit les affaires, distribue ses coups à gauche et à droite. Bref : lui, l'homme de gauche, l'ancien « militant », le voilà qui joue contre ses amis d'un pouvoir que certains jugent exorbitant : le pouvoir symbolique.

Faut-il s'effrayer de la culture de ces hommes munis d'un tel bagage politique, de leur connaissance des organisations, de leur ambition? Elles sont au contraire les gages de la liberté : plus le médiacrate a acquis le goût et les moyens d'assouvir son ambition, moins il acceptera de déléguer son pouvoir à une autre élite. Moins il trouvera de plaisir à être serf, plus il nous servira.

III

LES LOUPS ENTRE EUX

1. LES CLANS

Dans les relations entre journalistes, le bagage est un atout insuffisant. Pour atteindre les cimes enneigées et se maintenir sur les crêtes, il faut des cordées. C'est pourquoi, à quelques rares exceptions près, les médiacrates voyagent en bandes. De l'audiovisuel à l'écrit, la presse est ainsi quadrillée par les clans qui organisent une connivence limitée mais certaine. Un médiacrate peut-il passer outre? Difficile. L'itinéraire de Gérard Carreyrou montre la loi d'airain des clans.

Apparemment, rien ne lui manquait pourtant : « J'étais professeur de lettres dans le secondaire. Avec ma licence et mon DESS, je m'étais retrouvé aux Lilas ct à Bondy. Je venais d'adhérer au PSU à cause de la guerre d'Algérie. Et, de temps en temps, je rencontrais dans les réunions de militants des gens comme Jacques Derogy qui était à *L'Express*. C'était pour moi des sommités que j'admirais plus que les professeurs de faculté. Un jour, je demande à un de mes copains : “ Que deviens-tu? ” Il me répond qu'il est journaliste à *Combat* et il ajoute : “ J'ai fait l'École de journalisme. ” Cela a fait tilt dans ma tête. J'ai passé le concours de la rue du Louvre. Je l'ai eu. J'avais vingt-trois ans. À 16 h 30, avec ma 4-CV, je quittais l'établissement où j'enseignais aux Lilas et, à 17 heures, je suivais les cours. Je suis sorti avec la promotion de 1966. Il n'y avait pas de classement, mais par les notes j'étais premier. Là-dessus, la directrice de l'École arrive et me dit : " C'est bien, mais comme vous n'avez pas fait votre service militaire, on ne vous donne pas de poste sur Paris. " Et me voilà bombardé au *Dauphiné libéré,* à Grenoble, comme secrétaire de rédaction! Arrivé au *Dauphiné,* on me dit : " Il faut qu'il y ait un maximum de binettes sur le journal. " Je suis descendu le soir au marbre pour ce travail. Je gagnais 100 F de moins que lorsque j'étais enseignant. J'ai fait mes trois mois obligatoires. À la fin, Louis Richerot, le patron du *Dauphiné libéré* vient me voir. Il était content. Il me propose de rester. Mais après deux ans de CFJ, je trouvais difficile de rester dans une rédaction qui pensait surtout à boire un coup. Je retourne donc à Paris. »

Adieu la province, à nous deux Paris. Mais ni le classement de sortie de l'École, ni les diplômes ne lui permettent de se lancer dans la grande presse : « Je tombe en pleine affaire Ben Barka. Je m'occupe du journal du PSU *Tribune socialiste.* Je suis chargé du procès Ben Barka. Il y avait là tous les grands noms du journalisme : Besançon, Pottecher, Bruckberger. J'avais l'impression d'être sur une chaise parmi les dieux. Il y avait aussi un petit gars qui s'appelait Érik Gilbert, maintenant rédacteur en chef de Canal Plus et qui travaillait à Monte-Carlo. On sympathise. Il me dit : " Il va y avoir un appel à Monte-Carlo ", et il me propose de venir avec lui. J'accepte. Cela faisait maintenant six mois que j'étais sorti du CFJ. Bromberger est arrivé en même temps. Il sortait de science politique et moi du monde politique. Mais je ne faisais pas encore de carrière. »

Découverte de Gérard Carreyrou : pour faire carrière, il faut construire un clan. « Une occasion s'est présentée : à Europe 1, ils ont eu besoin de remplacer Michèle Cotta. Je suis entré en 1971. » Étienne Mougeotte a construit un clan dans lequel Gérard Carreyrou entre. Voilà qui le propulse : « Échelon par échelon, je suis devenu directeur de la rédaction. » Voilà qui le sauve aussi. Car le clan ne sert pas seulement à parvenir au sommet mais aussi à s'y maintenir. Le meilleur journaliste sait bien qu'il arrive un moment où sa position s'affaiblit. Malheur alors au cow-boy trop solitaire! Gérard Carreyrou connut ce coup du destin.

Un jour, Jean-Luc Lagardère décide de prendre en main la station. Il nomme Jacques Lehn directeur général. Problème de « communication » entre le nouveau venu et Gérard Carreyrou. Et surtout guerre ouverte avec la nomination de Jean-Pierre Elkabbach au poste de directeur d'antenne. La crise éclate en 1987. Jean-Pierre Joulin, directeur de l'information, propose à Gérard Carreyrou un poste aux États-Unis : son épouse n'est-elle pas Américaine? Le journaliste a compris : il a perdu cette bataille. Il rencontre Jean-Luc Lagardère : « On supprime ma fonction, or je n'ai pas démérité. Donc je m'en vais. » C'était le dimanche 3 mars. Le lundi, le voilà en face du directeur financier : « Tu me dis combien tu me dois. Je n'ai pas envie d'aller aux prud'hommes, mais il y a préjudice. » D'après quelques indiscrétions, Gérard Carreyrou obtient 1 400 000 F (il gagnait auparavant 54 000 F par mois sur treize mois).

Voilà notre médiacrate sans toit : « Je fais la tournée des popotes. J'avais des rendez-vous chaque matin, chaque déjeuner. Je voyais les directeurs de l'information, les directions générales, mes amis. Je disais : “ Je suis sur le marché. J'aimerais un travail de commentateur politique. ” C'était en tout cas un moment professionnel très difficile à vivre. C'était la première fois depuis 1966 que je me trouvais dans l'impossibilité de suivre une élection. »

Mais le clan veille. Le miracle se produit le lendemain du premier tour, le lundi 25 avril 1988. « J'étais chez moi, raconte Gérard Carreyrou. Étienne Mougeotte me téléphone : “ Tu as vu, notre chaîne a été battue par la 2, cela va me permettre de te faire entrer. On va faire cela doucement ”. » Un médiacrate du clan, Robert Nahmias, le prend en charge dans l'émission d'information du matin qu'il anime sur TF1.

Sauvé? Pas encore. Il s'agit de le propulser à nouveau aux premières loges. Le jeu clanique montre alors sa redoutable efficacité. Gérard Carreyrou arrive-t-il dans le bosquet? Attention aux brebis égarées. On n'introduit pas un tel homme sans qu'il soit destiné aux plus hautes fonctions. Notre héros est salarié en avril, il devient opérationnel en mai et il prend en main le secteur politique en septembre. Un schéma Mougeotte respecté à la lettre. Un journaliste trônait-il déjà au service politique? Oui, Arlette Chabot. À l'automne, la voilà donc à égalité avec Gérard Carreyrou. Pas longtemps : Arlette Chabot n'a pas les moyens de se défendre. Elle a compris : elle laisse la place. Gérard Carreyrou devient le seul chef du service France. Jean-Claude Paris (et ses amis), à la direction de l'information, entre maintenant dans l'œil du cyclone.

La lutte ne s'engagera pas vraiment. Jean-Claude Paris est appelé par Canal Plus. Gérard Carreyrou le remplace, devenu presque l'égal de Michèle Cotta; les jeux se font et se défont, les clans agissent. Et malheur à celui qui dirait : « Je ne suis d'aucun clan, je les combattrai tous. » Il ferait sourire.

Savoir choisir son clan

Choisis ton clan, choisis ta place : tout médiacrate est avisé de la justesse de cette maxime. Même le peu clanique Guillaume Durand, pour des raisons affectives, préfère travailler avec des amis : « Un jour, quelqu'un me téléphone pour m'inviter chez Silvio Berlusconi, dit Guillaume Durand. À l'époque, le Tout-Paris audiovisuel allait chez lui. J'obtiens de la direction d'Europe 1 l'autorisation de principe de cumuler la station et La Cinq. Pour cela, Pierre Barret fut un patron exemplaire. Je vois Silvio Berlusconi et je lui dis : " Mais que puis-je faire sur votre chaîne? il n'y a pas d'information. " Il répond : " Il faut que vous choisissiez entre le sport et la science. " Je vais à Milan voir les studios. Durant le trajet, je me dis : " Ce n'est pas possible. Si je choisis une émission scientifique, je vais avoir le sentiment d'être un escroc. Je dois suivre le sport. Et pourquoi pas le tennis? " Arrivé à Milan, cela sentait les affaires partout. J'ai compris que ces gens étaient en France pour faire non du journalisme mais du business, ce qui était très nouveau il y a cinq ans à la télévision. J'ai accepté le sport.

À ce moment-là, j'ai vu l'importance des relations et des clans. Je déclenchais par ce cumul des jalousies terribles. Je n'étais plus le “ copain ” de grand monde. Ce que je disais sur La Cinq était l'objet de notes, de commentaires acidulés dans tous les bureaux d'Europe 1. Et puis, cette double casquette était difficile à vivre. Pendant un an, je me levais le matin à 4 heures pour le 8 heures d'Europe 1 et je faisais le week-end télévisé. C'est durant cet été-là que Marie-France Brière me téléphone à Grasse où j'étais en train de me reposer. Elle me propose de faire l'émission de PPDA sur TF1. Je n'ai pas hésité : j'ai répondu négativement. »

Pourquoi dire non à une proposition qui permettait d'entrer au cœur de la médiacratie? « C'était une question de “ feeling ”. Sur La Cinq, je m'amusais, je n'avais pas le sentiment d'avoir volé le fauteuil d'un autre, ce que l'on propose tout le temps. Et ce qui est inévitable à la télévision s'est produit : une grande partie de mes amis m'ont rejoint. À savoir : Jean-Marie Lefebvre, Jean-Louis Calderon, Gilles Schneider, Gérard Joigny et Béatrice Schoenberg, tous anciens d'Europe, tous engagés par Patrice Duhamel. »

Sans copains, on est fragile. Socialement et psychologiquement. La chute guette. À la différence du monde administratif protégé par son statut, du monde intellectuel classique, protégé par ses diplômes et ses œuvres, du monde économique protégé par ses techniques ou son capital, le monde journalistique est impitoyable : sans l'appartenance à un clan, il est presque impossible de survivre. PPDA, un solitaire à la sensibilité à fleur de peau, en sait quelque chose. Sévèrement attaqué lors de la guerre du Golfe, il ne trouve pas de clan pour le protéger. Du passé on fait table rase, du présent on se moque, quant à l'avenir, il appartient aux audacieux... des clans.

Voilà pourquoi Guillaume Durand refuse encore de remplacer Yves Mourousi sur TF1. Pourtant, Étienne Mougeotte et Patrick Le Lay se sont déplacés chez lui pour le convaincre. Ne lui ont-ils pas proposé un contrat en or pour assurer journal et émission? « À ce niveau d'argent, répond Guillaume Durand, les sommes n'ont plus de sens. Au bout de trois mois, tout pouvait s'arrêter. Cela me paraissait très risqué. Sur La Cinq, c'était un peu le désordre, mais au moins j'ai la conviction d'être défendu. Si j'avais dit

“ oui ”, peut-être y serais-je encore aujourd’hui, mais peut-être pas. »

Un clan sûr, fût-ce une « bande de copains », vaut mieux que deux (salaires) tu auras. La guerre est certaine, la confraternité improbable.

Devenir chef de bande

Pour survivre : les copains d’accord, les copains d’abord. Pour devenir médiacrate, une voie royale : devenir chef de clan.

Claude Imbert est l’archétype du médiacrate qui a choisi cette voie. Comment aurait-il pu agir autrement? Écoutons-le : « J’étais en khâgne à Henri IV, je travaillais pour l’AFP. Je faisais des petits sujets... J’avais dix-neuf ans. Un an après, en 1950, l’AFP envoyait une masse considérable de jeunes reporters dans les guerres d’Indochine. Ils ont eu un creux à Paris. Mais je n’avais pas de piston. Et je savais que sans piston, quand quelqu’un ne pousse pas plus haut les candidatures, on n’a aucune chance d’entrer dans la presse. Ma carrière aurait donc dû s’arrêter là. Et, de la Faculté de lettres, je m’apprêtais à aller vers l’agrégation. »

Rencontre inattendue : « Le gars de l’AFP, responsable du service qui avait apprécié mes papiers, m’appelle et me dit : “ Pourquoi n’essayeriez-vous pas de devenir rédacteur? Je vous soutiendrai. ” Fort de cet appui, je rentre à l’AFP comme rédacteur. Par la concurrence et sur le terrain, pour l’essentiel en Afrique, j’ai appris à construire les papiers “ à l’américaine ”. En 1959, on m’a envoyé à Paris couvrir la guerre d’Algérie. Puis j’ai été bombardé à la rédaction en chef politique. » Les amis permettent les mises en relation : « Un jour de 1966, j’étais à la direction politique de l’AFP, je rencontre Jean-Jacques Servan-Schreiber chez un ami. Nous avons bavardé. Il allait y avoir des élections à Brive, une sorte de test pour la gauche. JJSS me dit : “ Le gaullisme est foutu, car il est porté par un homme seul, il n’y a pas de relais. ” Je lui réponds : “ Je ne crois pas. Il y a beaucoup de jeunes autour de Georges Pompidou.

Charbonnel, Mazeaud, Chirac... des énarques qui en veulent. " JJSS répond : " En êtes-vous certain. " 15 jours plus tard, Jean Ferniot quitte la rédaction en chef politique de *L'Express.* Je suis appelé pour prendre sa succession. »

Claude Imbert va soudain découvrir la nécessité d'être chef de clan. « En 1969, je prends la rédaction en chef de l'ensemble du journal. J'avais alors de très bonnes relations avec Françoise Giroud, mais le prurit de la politique active saisit Jean-Jacques Servan-Schreiber. Pourtant le journal allait de mieux en mieux, nous étions passés de 260 000 exemplaires à 750 000. Je suis allé voir JJSS et je lui ai dit : " Vous m'avez embauché sur des orientations très précises. Le ' news magazine ' m'a tenté et amusé. Si vous voulez lier le journal à un homme de parti, je n'y vois pas d'inconvénient, mais je ne vous suis pas. Je ne m'y sens pas à l'aise. Et si vous voulez mon avis, c'est une grossière erreur que de se présenter à Bordeaux. " JJSS m'appelait déjà depuis quelque temps : " Monsieur Niet. " Je suis parti. Neuf personnes m'ont suivi. Je ne le leur avais pas demandé, mais sans le vouloir je me trouvais quand même avec une responsabilité morale. »

La bande était née : « Cela m'a amené chez Jean Prouvost qui me dit : " On m'avait dit que vous étiez un canard sauvage, est-ce pour cela que vous volez en bande? " Je lui dis qu'en effet nous étions neuf dont trois non-journalistes : Olivier Chevrillon, Georges Suffert, Jacques Duquesne, Henri Trinchet, Robert Frank, Philippe Ramond, Michel Bracciali, Pierre Billard. Jean Prouvost nous disperse dans ses différentes filiales, qui à RTL, qui à *Match* comme moi. Alors que nous n'en avions pas encore l'idée, les bruits courent selon lesquels nous voulions faire un " news magazine ". Un jour, la direction d'Hachette, notamment Pierre Lazareff et Simon Nora, nous interroge : " Avez-vous un projet? " J'ai planché devant le conseil d'administration d'Hachette pour présenter *Le Point.* Hachette accepterait un " trou " de 30 millions de francs pour assurer le succès du journal. Nous n'étions pas certains de réussir. »

Durant dix-huit ans, la réussite a été au rendez-vous. Mais en 1990, *Le Point* se trouve avec un déficit en raison de ses filiales (*Gault et Millau* et *Télé Consulte*). Bernard

Wouts est appelé par Nicolas Seydoux pour devenir P-DG. Un objectif : faire le ménage dans l'administration. Et les têtes doivent tomber. Va-t-on aussi toucher au clan? Les rumeurs courent dans cette profession qui aime les rumeurs. Tout le monde le sait pourtant, Nicolas Seydoux le premier : Claude Imbert et sa bande font corps. Tous pour un, un pour tous! À la demande du chef de clan, Denis Jeambar s'attelle à créer une nouvelle formule du journal, dans l'espoir de retrouver une originalité un peu perdue. Toucher au clan? Le risque était trop grand.

Les clans professionnels

On peut tenter de faire un petit tour des clans, sans prétendre à l'exhaustivité, pour saisir un peu les jeux de concurrence sur la comète.

Lorsque la bande se constitue autour d'une expérience commune, elle prend des noms spécifiques rapportés à un homme, le chef de file, ou à la communauté professionnelle d'origine. On dira le clan Mougeotte, le clan Berlusconi, le « club des amis » de Kahn, l'ancienne équipe des *Nouvelles,* les « Bourges's Boys »...

Le plus célèbre à cet égard est le clan Mougeotte, dit encore « d'Europe 1 » à TF1. Professionnalisme, habileté : son existence donne des maux de tête à certains. Emmenés par Étienne Mougeotte, le directeur général de l'antenne, ils s'appellent Gérard Carreyrou, directeur de la rédaction, Robert Nahmias, Jean-Claude Dassier, Charles Villeneuve...

Un autre clan, dit lui aussi « Europe 1 », sévit à France Inter. Ceux qui n'en participent pas rapportent même que France Inter est la « maison de retraite d'Europe 1 ». Le clan s'est largement ouvert à l'extérieur du réseau initial. Ainsi s'est constitué un groupe autour d'Ivan Levaï. Ils viennent d'Europe 1, comme Claude Guillaumin, Gérard Courchelle, Denis Astagneau. Ils s'y sont agrégés comme Philippe Meyer. Tant pis pour ceux qui, tels Roger Gicquel ou Henri Charpentier, ne sont pas du sérail.

La bande des « Bourges's Boys » s'est retrouvée à RMC, avec leur patron vice-président, jusqu'au moment où celui-ci a été nommé à la tête de A2-FR3. Ils viennent de TF1 pour la plupart. Ils s'appellent Yves Mourousi, André Larrieu, directeur de cabinet, Martin Éven, directeur du développement auxquels il faut ajouter ceux du comité de programme comme Marie-France Brière (Pascal Josèphe étant parti sur La Cinq), sans oublier des journalistes venus de RFI comme Alain de Chalvron, directeur de la rédaction.

Plus dispersé aujourd'hui et nombreux : le clan de France Inter. Sa grande époque était 1973. C'était celle des Yves Mourousi et Henri Charpentier. Michel Denisot, Paul Amar et Dominique Bromberger prirent quelques appuis sur Yves Mourousi, qui avait acquis une stature de chef de file. Comme le dit un membre du groupe : « Yves Mourousi, lui au moins, comme Philippe Gildas, Jean-Claude Bourret ou Roger Gicquel, il sait renvoyer l'ascenseur. Enfin, il savait, jusqu'au moment où il a esquinté sa vie et où la jalousie des autres journalistes a fait le reste. » Christian Bernadac, rédacteur en chef de FR3, condamné, faute de moyens, au bricolage, était lui-même très sensible au groupe dans la mesure où il puisait ses hommes dans ce vivier.

« Hommes » de Pascal Josèphe à La Cinq, « fidèles » de Noël Copin à *La Croix,* « alliés » de F.-O. Giesbert au *Figaro... :* le monde médiatique est traversé par les flux claniques. Les plus stables des clans étant probablement ceux de *Paris Match* et, surtout, de RTL. Bons salaires, excellents professionnels, un patronat protecteur, ils sont aujourd'hui soudés autour de Philippe Labro.

Peu de médias qui ne connaissent pas au moins deux bandes. Ainsi deux clans se sont longtemps affrontés sur La Cinq : le clan Berlusconi et l'équipe de Patrice Duhamel. Il arrive qu'il y en ait à foison, comme au *Monde.*

Ne confondons pas clan avec communauté de travail. Par exemple, l'équipe de Canal Plus avec Jérôme Bonaldi, Michel Denisot, Jean-Pierre Coffe, Frédérik Boulay, Philippe Gildas, Erik Gilbert, Albert Matthieu formera probablement plus tard une ou plusieurs « bandes », mais il ne s'agit encore, en 1991, que d'une communauté de travail. À l'inverse, les « ex » du *Matin* ont, pour un grand nombre, formé une bande. « Copinant » avec Kahn, on la trouve en partie à *L'Événement du jeudi,* avec Nicolas Domenach, Bernard Poulet, Pascal Krop, Bernard Veillée-Lavallée (décédé en juin 1990), Alexis Liebaert, Marie-Ange d'Adler, Andrée Mazzolini... Elle a des ramifications un peu partout, du *Nouvel Observateur* à FR3.

Enfin, le médiacrate n'est condamné ni à fermer sa bande ni à participer exclusivement à une seule d'entre elles. Qu'une ancienne bande puisse se souder à une nouvelle, voilà même le projet de tout médiacrate ambitieux. Sinon comment élargir ses alliances, maintenir la cohésion dans son fief, remplacer les départs, augmenter sa force de frappe contre les bandes rivales? Ce qui ne signifie pas l'abandon de la rivalité interne : celle-ci, jusqu'à un certain niveau d'affrontement, n'est-elle pas une source d'émulation? Régner, tel est le premier objectif. Et, comme nous le verrons, celui-ci n'appelle guère d'états d'âme.

Les clans syndicaux

Autres bandes d'importance : les clans syndicaux. Le phénomène clientéliste explique en partie la désaffection que l'on rencontre dans les rédactions pour l'engagement syndical. Il arrive bien entendu que les syndicats jouent leur rôle de défense des intérêts catégoriels. Mais la stratégie de promotion interne a autant sinon plus d'adeptes. L'échec de la tentative (menée notamment par Serge Richard) de créer une Union nationale de syndicats de journalistes en 1966, avec son exécutif commun, sa plateforme, son organisation, en fut peut-être le signe le plus tangible. Face aux groupements de patrons, les syndicats finirent par se séparer en 1970 avec la constitution, à droite, d'une association de la CFTC et de certains autonomes. Après le départ de FO, il ne restait plus ensemble que la CGT, la CFDT, le SNJ et les autonomes. L'affaiblissement du syndicalisme permit le renforcement du clanisme.

Ainsi, France Inter ressemble à un mille-feuille. Une superposition de couches qui lui donne cet aspect à nul autre pareil. Dès les années 50 et jusqu'aux années 60,

Force Ouvrière en avait fait son bastion avec le soutien du pouvoir d'État. Se faire engager sans adhérer? Espérer une promotion sans cette caution? Mieux valait ne pas rêver. Une bastille n'est pas un lieu de villégiature. Aujourd'hui encore, le visiteur peut remarquer les stigmates de cette époque. Il constatera aussi l'existence de murailles construites en d'autres temps. En particulier celles, encore fort solides, élevées par la CFTC en 1986. Le dirigeant était alors un militant RPR aguerri. Certains militants de FO furent débauchés pour l'occasion; on ne fait pas du neuf sans s'appuyer sur du vieux, disent les sages. Plus prosaïquement : « Ils ont pris une carte alimentaire », juge Serge Richard. Il est vrai que tous les espoirs étaient alors permis avec le retour de la droite au gouvernement. La gauche revenue, d'autres réseaux syndicaux, qui se découvrirent soudain farouchement socialistes ou de gauche, tinrent à ajouter leur couleur à l'ouvrage.

À la télévision, les syndicats sont tout autant des centres de promotion et de placement. L'exemple de FR3 est instructif. Le Syndicat national des journalistes (SNJ), plutôt de gauche, l'emporte en 1981. Il constitue son fief. Une manière comme une autre de verrouiller la concurrence. Une manière aussi de rattraper le temps perdu car la chasse aux syndicalistes de gauche avait été une réalité au temps de la droite. Tout va donc pour le mieux dans le meilleur des mondes : le syndicat joue enfin, avec le soutien gouvernemental, son rôle de placement des amis. Mais quelques années plus tard, « il y a eu le syndrome Chérèque, dit Christian Dauriac. La gauche a cherché des cadres de substitution et elle les a trouvés dans les syndicats de gauche. Il y a alors eu un " deal " : la paix sociale contre la promotion des responsables syndicaux, en particulier du SNJ mais aussi, dans une moindre mesure, de la CFDT. Les syndicalistes disaient en substance : nos aînés ont eu des responsabilités, nous voulons des promotions ».

C'est ce système qui a fonctionné jusqu'à l'arrivée de Christian Bernadac mis en place par Jacques Chirac en 1986. La nouvelle hiérarchie comprenait Gérard Saint-Paul et Jean-Claude Perpère, tous deux à droite sans équivoque. Avec eux, c'est la CFTC qui vient aux commandes. À la fin de la cohabitation, quand René Han, P-DG de FR3, prend peur, il donne des gages à la gauche, en particulier au SNJ et à la CFDT. Gérard Decq, un quatrième couteau du SNJ, non repéré en 1981 et en 1983, prend alors la direction de la rédaction. Son adjoint à la rédaction en chef, Joël Dupont, venait de la CFDT. Yves Dubois, caution régionale « de gauche », était monté aussi. « Le problème était que le personnel syndical qui n'avait pas été vampirisé dans la haute hiérarchie était souvent de qualité médiocre », dit D.

Système efficace : quand, à l'automne 1988, une grève est déclenchée pour exiger des augmentations de salaires à FR3 et A2, le SNJ suit, étonné par ce manque de retenue. Après 15 jours de grève, les journalistes n'ont toujours rien obtenu. Que faire? En pleine assemblée générale, tombe sur les dépêches AFP une déclaration des syndicats CFDT et SNJ annonçant... la reprise du travail. « Moyennant quoi, la reprise du travail a lieu sans augmentation », dit Éric Pierrot.

Une stratégie aux effets pervers : l'audience du SNJ a nettement baissé et les généreux syndicalistes sont « débarqués » fin 1989. Au moins ne perdent-ils pas tout : Gérard Decq devient directeur d'Info Vidéo 3 (il n'était que rédacteur en chef avant l'opération 1988). Joël Dupont reste rédacteur en chef en titre... Il prépare les plannings. Seul Yves Dubois, ancien rédacteur en chef du 19-20 heures, doit retourner en région, direction Strasbourg. Conséquence : la montée en puissance de la CFTC dans la rédaction nationale. Majoritaire sur le terrain des votants, emmenée par Jean-Claude Perpère ou Gérard Saint-Paul, elle se préoccupe d'assurer... la promotion de ses animateurs. Ainsi la voit-on négocier début 1990 avec Philippe Guilhaume pour la mise en place d'une nouvelle hiérarchie. « Les autres syndicats font pareil », dit P. pour se justifier. Certes.

Il y a bien alors dans l'organigramme une petite pincée pour chacun même si la tête de la rédaction penche à droite. Chaque clan impose les siens. Philippe Guilhaume nomme Paul Amar, directeur délégué chargé du 19-20 heures et du magazine « Audit » (qui sera supprimé). Et Norbert Balit, de droite, avec la bénédiction de la CFTC, est choisi à la direction de la rédaction. En dessous, le rédacteur en chef du journal de 19-20 heures, Jacques Bayle, est membre du clan Amar. Celui du 12 h 45-13 heures, Gilles Vaubourg, sera proche de la gauche. « Soir 3 » est conduit par un rédacteur en chef, Patrick Visonneau, qui vient de Nantes, proche du lobby régional...

Comment, dans une rédaction comme FR3, SNJ, CFDT et CGT pourraient-ils regrouper beaucoup de syndicalistes? « Un danger : la désyndicalisation rend les étincelles destructrices », dit Christian Dauriac. Le « besoin » d'organisation est pourtant si grand que les journalistes ont créé en décembre 1988 une structure indépendante, une « société de journalistes » dont Dominique Champeau est président, Hélène Risacher trésorière, et Éric Pierrot vice-président. 90 des 110 journalistes qui travaillent au niveau national en sont membres; les régions à l'inverse se méfient.

Cette société se bat naturellement sur une ligne professionnelle. « Nous voulons faire un journal haut de gamme », dit Hélène Risacher. Comment s'étonner de retrouver l'esprit des écoles et des instituts, qui privilégie la concurrence professionnelle, contre celui des syndicats de placement?

Y a-t-il de « vrais » syndicalistes dans la jungle syndicale? Bien entendu, surtout dans l'écrit. Ainsi, quand Jacques Fauvet veut éliminer Jacques Amalric, le SNJ le défend et obtient son maintien. Dans l'audiovisuel, même à FR3, il arrive de rencontrer au détour d'un couloir (près d'un placard) un individu égaré qui croit encore au syndicalisme indépendant... Face aux tracasseries administratives de Gérard Decq et de son rédacteur en chef, c'est un militant CGT qui a empêché la mise à pied d'un reporter. Mais le syndicalisme véritable est rare. Et s'il est rare c'est qu'il est cher... en carrière. Ces derniers des Mohicans ressemblent à Sampiero Sanguinetti. Ancien rédacteur en chef de FR3 Corse, militant SNJ intransigeant, il est promu responsable des magazines à FR3 Marseille, où l'on ne fait pas de « magazines »... L'exception dit d'ailleurs la règle : le même journaliste est « remonté » à la direction de l'antenne régionale quelques mois après la victoire de François Mitterrand aux présidentielles. Il était de gauche...

Les clans religieux

Les clans confessionnels ne conduisent nulle part. Raison majeure : la pratique religieuse est en chute libre et les sommets de la presse confessionnelle ressemblent à ces vieux massifs rongés par les vents et les pluies, fièrement dressés malgré leur âge. En un mot : l'élite de cette presse ne fait plus autorité, sinon parmi une petite partie du bas clergé journalistique. Une exception peut-être : Noël Copin.

Encore faudrait-il dire que l'exception confirme la règle. Noël Copin n'a de reconnaissance dans la profession que pour être passé naguère « chez Polac ». Depuis, sa cote baisse. À l'opposé, Pierre-Luc Séguillon a vu sa notoriété croître dès qu'il a abandonné *Témoignage chrétien* pour la télévision.

Avec *La Croix, Le Pèlerin Magazine* ou *Notre Temps,* le groupe Bayard (7e groupe de presse français) offre certes des débouchés et il ne manque pas de dynamisme. Le groupe Vie catholique (9e groupe français) également. Avec *Télérama, La Vie...* les réseaux religieux peuvent donc assurer une carrière. Et une popularité. À s'en tenir aux chiffres de 1988, ne constate-t-on pas que *La Croix* est diffusé à plus de 100 000 exemplaires, soit plus que *Les Échos* ou que *Le Quotidien de Paris? Notre Temps,* un mensuel, à plus de 1 million d'exemplaires? *Télérama* à 487 000 exemplaires? Et puis, entrer dans le réseau paraît si facile : « On ne nous demande pas d'être des catholiques, et je ne le suis pas. On doit seulement respecter certaines valeurs », dit R., journaliste à *La Croix.*

Les journaux confessionnels tentent des stratégies de reconversion, des rapprochements avec les « news » qui tiennent le haut du pavé. Quant aux journalistes qui veulent monter vers les sommets séculiers, il leur faut quitter les plaines divines...

Le lobby catholique a également perdu de sa puissance dans les médias non confessionnels. Au *Monde,* naguère, les « catho de gauche » dominaient nettement la rédaction. Claude Julien, Gilbert Mathieu, Jean Schwoebel, Bruno Frappat, Yves Agnès passaient pour être sensibles au credo « papiste ». Qu'importe. Les rapports de forces internes ne sont plus aussi favorables à cette culture, dont il faut reconnaître qu'elle s'exprimait avec beaucoup de divergences... Les athées-républicains comme André Laurens, les indépendants comme Jacques Amalric et les non-catholiques comme Daniel Vernet (protestant), alliés aux autres clans, ont mis un frein définitif à une mainmise quasi historique lors de la création. Jean-Marie Colombani lui-même, pourtant catholique pratiquant, n'attache guère d'importance à l'appartenance religieuse.

Le recul est général. Même au *Figaro,* traditionnellement plus chrétien de droite. Le dernier « news » à posséder un lobby catholique puissant, *L'Express,* l'a éliminé lorsque Jean-Paul Pigasse dut partir. Le lobby catholique n'a certes pas perdu de sa pugnacité mais il agit plutôt de l'extérieur sur une médiacratie devenue majoritairement athée. Les valeurs chrétiennes ou les manières d'être chrétiennes ne sont pas nécessairement toutes en déroute, lorsqu'elles sont conformes au credo républicain laïc. Ajoutons que la foi n'est pas un obstacle à la carrière. Tout au plus apparaît-elle inutile dans un monde professionnalisé qui donne ses offrandes plutôt à son nouveau Dieu appelé « Opinion publique » qu'à la Sainte Vierge et qui vénère plutôt la figure de Machiavel que celle du Christ.

Promotion canapé?

S'il fallait choisir son sexe, disons-le sans ambages, l'ambitieux ne serait certes pas une femme. Et pourtant, curieusement... il y a des femmes médiacrates. Situation d'autant plus étrange que de clan féminin, il n'y a point. Comment sont-elles arrivées au sommet? Ont-elles dû jouer la connivence avec les chefs de clan ou ont-elles pu entrer à part entière, comme les hommes, dans les groupements?

En allant à TF1, le curieux peut passer à côté d'un petit hôtel du VIIe arrondissement, que certains journalistes appellent aussi : « hôtel de la promotion interne ». Il y rencontrera peut-être quelques journalistes qui font l'après-midi preuve d'un généreux sens du don d'elles-mêmes, pressées par leurs carrières mais aussi par la hiérarchie.

Cette pratique, comme celle dite du « trans-couchettes » – dont un directeur de l'information s'était fait le spécialiste – produit aussi des effets pervers : « Toute bonne chose a son mauvais côté », dit ce médiacrate. Quand H., qui a commencé sa carrière comme hôtesse d'accueil, est propulsée un beau matin pour des sujets destinés au petit écran, tout le monde la suspecte d'être une assidue des cours de maintien donnés par nos fanfans la tulipe. Tant et si bien que lorsque la personne chargée de l'intégrer a trouvé son dossier, elle l'a convoquée et lui a dit : « Je ne veux pas d'une journaliste promue ainsi... » Par chance, sa défense fut organisée par un réalisateur, « témoin » – Dieu seul sait comment – que la pauvre enfant n'avait jamais « donné ». Bref : l'intégration eut lieu. Sa carrière fut néanmoins freinée et H. ne devint jamais médiacrate.

Que de telles histoires (vraies) aient été rapportées de nombreuses fois, sans que la sexualité des hommes (sinon lorsqu'ils sont homosexuels) ait jamais été sérieusement abordée, révèle surtout la dureté des combats que les femmes doivent mener pour parvenir à s'imposer. Ne doivent-elles pas supporter tout à la fois les douces pressions destinées à leur réussite et le machisme méfiant en cas de succès?

Un machisme d'autant plus puissant que si la profession se féminise à tous les niveaux, les sentiers conduisant aux sommets restent souvent fermés et toujours difficiles d'accès.

Il y avait 14,3 % de femmes journalistes en 1960, 25,1 % en 1983 et 31,8 % en 1989. Un mouvement qui devrait continuer : sur 2 657 stagiaires en 1989, on comptait 1 294 femmes (48,7 %). Mais comment accéder à l'élite? A TF1, un chef de service aime raconter cette anecdote : « Yves Mourousi, qui faisait équipe avec Laurence Graffin, devenait de plus en plus difficile avec le temps. Quand il lui donnait la parole, il disait, le sourire aux lèvres :

“ Laurence Graffin va tenter de vous expliquer pourquoi ”... » « Tenter », tout est là. Sur les 505 directeurs, 11,2 % seulement sont des femmes. Un chiffre qui doit d'ailleurs beaucoup à la presse féminine. La médiacratie féminine, quant à elle, est réduite à la portion congrue. Les femmes (Christine Ockrent, Michèle Cotta, Catherine Nay, Anne Sinclair, Josette Alia, Christiane Duparc, Ève Ruggieri, Marie-Françoise Leclère, Marie-France Cubadda, Hermine Herscher...) forment seulement 10 % environ de la médiacratie.

Inutile de songer au soutien d'un patron-femme. De ce point de vue, la province est au diapason de Paris. Même Évelyne Baylet, P-DG de *La Dépêche du Midi*, n'a pas fait de « petites ». Il n'y a pas de femme en 1990 à la direction de ce journal régional, à la rédaction en chef et même parmi les chefs de service, excepté dans le secteur de la mode. Il en va de même aux *Échos*. Bien que la dynamique ex-propriétaire, Jacqueline Beytout, ait réussi à faire de son journal une référence de qualité dans le microcosme, la première femme dans la hiérarchie, Françoise Crouigneau, était rédactrice en chef adjoint (macro-économie).

Ce qui surprend, finalement, c'est qu'il y ait quand même des femmes. La solution choisie par les ambitieuses? Entrer dans les clans et, en raison du « déficit » lié à la condition de femme, jouer le jeu de la séduction allié à celui de l'ultracompétence.

Séduction? « Sortie de l'école de journalisme, rapporte Françoise Gaujour, j'ai profité du refus d'une copine de faire son stage d'été à *L'Aurore* pour prendre sa place. Mais rapidement, de stagiaire en politique étrangère, j'étais devenue stagiaire à tout faire. J'ai même nettoyé les placards. C'est J.-L. qui m'avait imposé cette tâche. J'avais alors vingt ans et on était en 1970. Je passe sur les mains aux fesses. J'ai fini par décider d'utiliser ce phallocratisme. Les gars te donnent une rubrique en espérant qu'il y aura une contrepartie. Tu les laisses espérer et tu en profites. Je suis passée à la page d'information de *L'Aurore*, puis à la rubrique écolo. En octobre 1978, quand je dois rentrer à France Inter, il m'arrive un coup dur. Mais le fait d'être une femme m'a encore aidée. Je venais juste de publier un livre, politico-écologiste. L'avant-veille, Pierre Bouteiller avait fait une émission dans laquelle il parlait de mon bouquin. J.B., mon P-DG, pour me sanctionner, m'impose un stage de trois mois à l'essai alors que j'arrivais avec une expérience. C'était normalement fini pour moi. Heureusement, j'avais choisi de suivre le combat entre d'Ornano et Chirac pour la mairie de Paris. Or Chirac reconnaît parfaitement bien les journalistes qui le suivent, en particulier les femmes. Un jour donc, voilà Chirac qui me salue avec effusion. B. nous voit : elle s'est demandé ce qui se passait et, du coup, l'atmosphère s'est réchauffée pour moi. Et j'ai pu ainsi commencer vraiment une carrière dans la radio avant de m'embarquer pour La Cinq. »

Michèle Cotta est célèbre dans le microcosme pour l'utilisation de cette conjonction compétence-séduction. « Elle écrivait quelques piges pour l'*Observateur* grâce à Claude Estier quand je l'ai connue à l'Institut de science politique, dit Jacques Derogy. Elle me disait tout le temps : " Je rêve de connaître Françoise Giroud. " J'ai facilité son entrée comme assistante de Françoise Giroud. » Notre héroïne réussit à se faufiler à la critique littéraire. Un jour, durant la campagne électorale de 1965, elle dit à Jacques Derogy : « J'aimerais tant que tu m'emmènes voir Mitterrand avec toi. » Le reporter accepte. Au congrès du PCF qui suit, la direction politique se plaint du journaliste accusé d'être un « renégat » (Jacques Derogy avait été longtemps au PCF). Claude Imbert, séduit par Michèle Cotta, la charge alors de couvrir ce parti avec Jean-François Kahn. Il l'a fait ainsi vraiment débuter dans le secteur politique, comme il lança Catherine Nay, Christine Clerc, Irène Allier. Elle ajoute bientôt la gauche socialiste à son blason. Voilà donc notre héroïne chargée de suivre François Mitterrand. La journaliste est ainsi introduite dans le sein du saint. De fil en aiguille, de professionnalisme en séduction, Michèle Cotta put ainsi moudre son grain et poursuivre son chemin de médiacrate...

Refuser la séduction? Rien d'impossible. Archétype : Christine Ockrent. « Quand je suis arrivée en France, je n'ai pas connu ces " problèmes " qu'ont rencontrés de nombreuse femmes ici. J'avais fait le plongeon dans une culture américaine où les femmes étaient en train de conquérir la place des hommes. J'ai donc traversé les années 70 en parfaite impunité. Sans aucun schéma directif. Sans jouer avec la séduction. »

Il lui a fallu, pour compenser, user de son professionnalisme et de ses réseaux. Qu'elle soit ou non une grande séductrice, la femme affronte bien en effet un problème spécifique : « Comme femme, j'ai surtout rencontré en France des problèmes de justification. On nous demande toujours de faire nos preuves. »

Les femmes qui revendiquent leur autonomie, de Michèle Cotta à Josette Alia, savent qu'elles sont attendues à chaque tournant, que leur « compétence » est toujours suspecte. Malheur à celle qui simule le professionnalisme : cela ne lui sera pas pardonné. Telle Marie-France Cubadda ou Jacqueline Alexandre, elle disparaîtra, détruite par l'intervention d'un clan concurrent, faute de pouvoir être protégée selon la légitimité du milieu. Une légitimité à laquelle seules les carrières de femmes sont aussi sensibles.

Les obligations quasi féodales

Comment fonctionne un clan? L'organisation ressemble apparemment à celle qui existait au Xe siècle en France, fondée sur une combinaison de fidélité (dévouement) et de bénéfice. L'acte d'hommage est assez simple. Il peut prendre différentes formes. Il est tacite. Le journaliste prête son serment de foi au médiacrate de façon tout à fait laïque, autour d'une table, le plus souvent au cours d'un repas arrosé. En contrepartie, le vassal reçoit une investiture, un fief : un espace sur lequel il peut intervenir. Ce peut être la chronique, la présentation, un service... Le fief personnel révocable est un usufruit conditionnel. Bref : le médiacrate donne, le journaliste-vassal accepte de recevoir. Il doit en conséquence un contre-don, une série d'obligations.

Le suzerain autorise l'entrée du journaliste dans son équipe, à charge pour lui de le défendre contre ses ennemis et de n'engager aucune action à son encontre. Tel est le principe de la solidarité négative. Nombre d'obligations particulières entrent dans ce cadre, de l'obligation de couvrir le discours du médiacrate à celle de propager sa bonne parole. L'ensemble peut constituer une connivence d'autant plus perfectionnée qu'en contrepartie, pour maintenir le système de donations, le seigneur-médiacrate a des obligations correspondantes.

La solidarité positive est l'autre volet de l'esprit clanique. Le vassal doit accepter de donner son conseil à la demande : assister aux « cours » que sont les conférences de rédaction ou de direction ou aux réunions plus intimes, lorsque la stratégie est discutée. Surtout, il apporte son aide en cas de danger ou d'attaque décidée en haut lieu : une sorte de service militaire, « ost » et « chevauchée ». « Ost »? Participer à l'armée médiacratique quand il y a une guerre générale. Ainsi fut constituée l'équipe du *Point* autour de Claude Imbert lorsque la guerre fut menée contre les autres « news », ou celle de La Cinq quand la guerre fut déclarée par Silvio Berlusconi aux autres chaînes généralistes. « Chevauchée »? Rendre un service militaire quand il y a une guerre privée, locale : c'est ainsi que le clan Europe 1 à TF1 arracha la direction pour Carreyrou en mobilisant toutes ses ressources.

Le suzerain attend enfin le maintien en l'état, sinon l'enrichissement, des propriétés déléguées. Quant au service d'« estage », il lui permet de partir tranquille loin de son fief tandis que le vassal le garde. À charge de le lui rendre quand il revient. Ainsi les directeurs de journaux partent-ils en vacances, conservant un œil sur leur domaine, confiant les clés d'une puissance momentanée à un directeur de rédaction ou à un directeur-adjoint.

Voilà pourquoi les clans syndicaux et religieux souffrent d'imperfection. Ils renvoient l'acte d'hommage à des personnages extérieurs à la comète médiatique : hommes politiques, chefs syndicaux ou d'église... À l'inverse, les clans professionnels possèdent une certaine « pureté » : la souveraineté du médiacrate n'est-elle pas leur seul horizon?

Les infidèles

Malgré les similitudes, le clan moderne possède une caractéristique qui rend illusoire toute conception féodale des rapports entre journalistes : il est fondé sur l'accord des intérêts. Or, en pays libéral, ce que l'intérêt soude, il peut le dissoudre. Contre la connivence, la concurrence veille.

Le médiacrate se croit-il protégé après avoir attaqué sur l'espace public un homme ou un groupement? Les vassaux feront leurs calculs : s'il vaut mieux pour eux quitter le navire, ils partiront. Sans état d'âme. Gilles Anquetil refuse ainsi de cautionner les attaques de sa direction des *Nouvelles littéraires* contre Raymond Aron; attaques qui conduisent même à « caviarder » le contenu d'un de ses articles. Il quitte le journal et rejoint *Le Nouvel Observateur*. Le suzerain décide-t-il de passer à l'attaque contre un pouvoir? Il prend le risque de voir les consciences s'émouvoir, comme on le vit à *L'Express* : les Jean-François Revel préfèrent démissionner plutôt que de se laisser manipuler. Le suzerain décide-t-il de freiner l'ascension d'un vassal? Se jouant des ordres et des privilèges, la concurrence fait son travail. Elle rappelle que les « obligations » sont éphémères.

Être infidèle ou trahir? À l'extérieur du média, la loi du marché conduit à répondre aux appels d'offre les plus séduisants. À l'intérieur du clan, l'équilibre est toujours précaire, les rapports ne sont pas toujours transparents. Le directeur accepte-t-il aujourd'hui que vous soyez son adjoint? Sa promesse pourrait n'être plus d'actualité demain. Tient-il parole? Il se pourrait que le Grand finisse par prendre ombrage de votre puissance. La situation est instable. Que le médiacrate viole un serment d'allégeance ou qu'il trahisse un idéal, voilà qui est dans l'ordre libéral du monde.

Les médiacrates disent peut-être d'ailleurs de façon hyperbolique la pratique commune du milieu journalistique. D'après la Commission de la carte, 3,9 % seulement des journalistes, toutes catégories confondues, restent plus de huit ans dans la même entreprise et 56,8 % ne restent pas plus de trois ans! Un mouvement de circulation autrement plus rapide que dans la plupart des autres branches économiques.

L'appel du marché? Écoutons Pierre-Luc Séguillon : « Je suis entré dans le journalisme par hasard. Je faisais des études de lettres et d'arabe, je voulais préparer l'agrégation d'arabe. J'avais une bourse des Langues orientales pour travailler à Damas. Au début, lorsque j'ai commencé à travailler à *Témoignage chrétien*, je ne voulais rester que trois mois pour gagner de l'argent. Finalement, je suis resté treize ans. Une fidélité parfaite. Mais Hervé Bourges avait été nommé en juillet 1987 par le gouvernement comme patron de TF1. Il m'a choisi à la direction du département France. J'ai quitté *Témoignage chrétien*. Arrivé à la télévision, c'était de la folie. Car j'étais bardé de casquettes, considéré à cause de ma nomination comme un “ bolchevik ”... Bourret, le premier jour, me dit : “ Ah, c'est vous le socialiste venu prendre en main le personnel? ” Cette réputation m'a servi. Les gens s'imaginaient que j'allais devenir commissaire politique. Ils ont été heureusement surpris. La seule règle avec Hervé Bourges était d'évacuer tout ce qui était partisan. »

Appuyé par un clan, il restait à Pierre-Luc Séguillon à faire la preuve de sa compétence. Ce qu'il fit. Sa carrière allait-elle se terminer là? « Lorsque est arrivée l'annonce de la privatisation, j'ai reçu un coup de téléphone de Robert Hersant me demandant de venir le voir. Je l'ai rencontré quatre heures. Il me proposait de venir sur La Cinq, d'y assurer les commentaires politiques et deux émissions, hebdomadaire et mensuelle. J'ai accepté. » Et voilà notre médiacrate, changeant une fois encore d'entreprise pour assurer sa carrière.

Rester fidèle conduit d'ailleurs à bien des malheurs. « Ce dont j'ai le plus souffert, avoue Guillaume Durand, c'est de mon sentiment de fidélité. Car je suis fidèle vis-à-vis de mes patrons. Je l'ai toujours été. C'est cela que nombre de mes relations n'ont pas semblé comprendre. Ils n'arrêtent pas de me dire, aujourd'hui encore : “ Pourquoi restes-tu sur La Cinq, pourquoi ne vas-tu pas sur Antenne 2 ou TF1 ? ” Mais c'est en raison de cette fidélité justement.

Le problème vient de ce qu'elle est rarement payée de retour. Par exemple, ce que je n'ai pas aimé à Europe 1, c'est que j'ai beaucoup fait pour eux, beaucoup de sacrifices et puis, un jour, on m'a dit : “ Il faut l'éditorial de Michèle Cotta dans votre journal. ” Bref : je n'étais pas intéressant. Alors qu'à l'époque on était les premiers, en ce qui concerne le journal, devant RTL. Ce jour, j'ai compris qu'il y a toujours un moment où il faut partir. Si l'on reste dans une entreprise de presse, on est vampirisé. Il y a toujours des gens qui mangent le sang frais à l'étage du dessus. Oui, vampirisé! Car j'étais trop jeune par rapport aux Levaï, Carreyrou, Kahn, Elkabbach. En vérité, je m'étais oublié à cause de ma fidélité. Je travaillais trop pour la reconnaissance que j'en avais. C'est pour cela que je suis devenu infidèle, que je suis parti. » Infidélité momentanée : Guillaume Durand reconstituera sa famille d'origine sur La Cinq.

Partir pour monter les échelons, parce que la société est bloquée. Partir aussi pour retrouver son équilibre psychologique. Tel est le destin de la plupart des médiacrates. Tel fut également celui de Roger Gicquel : « En travaillant au *Parisien,* j'ai appris ce que sont des “ sources d'information ”, comment il faut jouer du commissariat contre la gendarmerie, de la mairie contre l'opposition. Bref : j'ai appris comment on allait à la pêche. Mais, après cinq ans... je rencontre un maire-adjoint en Seine-et-Marne qui me dit : “ Vous devriez faire de la radio, les flashes de nuit. ” C'est ce que je fais en août 1968. »

Il est alors un peu tard pour profiter des événements de Mai 68 mais pas trop pour l'intervention des troupes du Pacte de Varsovie à Prague en l'absence de certains « grands du journalisme », en vacances. Roger Gicquel cumule. En 1971 : soulagement. Il peut enfin abandonner *Le Parisien.* « Jusqu'à ce que j'aie un contrat sur France Inter, je ne pouvais lâcher *Le Parisien.* Et puis nous étions très fiers des pages locales, on accomplissait vraiment un travail satisfaisant. Mais on vomissait le journal, c'était l'époque Amaury et le journal était un peu raciste, plus que sur les bords. Il finissait par être proche de l'extrême droite. Je n'étais pas très bien dans ma peau. » Roger Gicquel quitte

Le Parisien comme il quittera plus tard la télévision pour France Inter. Être infidèle aux autres permet bien souvent d'être fidèle à soi...

Dira-t-on qu'il existe des rédactions plus « pacifiées »? *Le Point* est par exemple un archétype de civilité classique. Et pourtant, la guerre apparaît lorsque l'on s'y attend le moins. Mikhail Roland écrit-il un papier en copiant bout à bout deux articles de deux confrères du *Figaro?* Il fut dénoncé au *Canard enchaîné.* Par qui? Par deux confrères de son journal. Pas moins. Il en va partout de même. Catherine Nay copie-t-elle à son tour? La sanction tombe. Ce sont ses proches qui la dénoncent. Comment pourrait-il en aller autrement? Les relations interindividuelles suivent un rythme de croisière naturel, c'est-à-dire agité : celui de l'ambition. Les uns veulent monter, les autres survivre. Il n'y a pas d'espace protégé, pas de reconnaissance mutuelle.

Pierre Géraud fait-il longtemps équipe avec PPDA? C'est qu'ils ne sont pas concurrents, ni ne peuvent l'être. Comme le dit Pierre Géraud : « Oui, nous formons une équipe. J'avais pensé : il faut que tu trouves quelqu'un qui ne soit pas en compétition avec toi, quelqu'un avec lequel tu dois être en accord sur l'essentiel. »

Ainsi font les grands journalistes : ils veillent sur leur morceau de ciel. Vigilance. On joue tous les soirs, avec plus ou moins de bonheur, la soirée du 15 août : « J'ai connu des journalistes qui ne prennent pas de vacances le 15 août car les présentateurs, chefs de service, rédacteurs en chef, sont pour beaucoup partis en vacances, dit R. de TF1. Il y a donc des places à prendre. On se dit : " On ne sait jamais : et si je faisais aussi bien, voire mieux qu'eux? " » Un journaliste connu boite-t-il? Une place est à prendre. Les prétendants sont toujours nombreux. Ils ne laissent pas passer l'occasion. Si ce n'est pas lui, ce sera un(e) autre. Sanction : le nouveau promu devient à son tour une cible. Et aucune n'est jamais longtemps hors d'atteinte. « Je découvre tous les jours des parachutages, des porte-flingues, note Paul Amar avant de s'embarquer pour FR3. Surtout sur A2. »

Et comme depuis Pascal l'on sait que si le nez de Cléopâtre « eût été plus court, toute la face de la terre aurait changé », les petits détails permettent de fécondes joutes. Écoutons Didier Buffin : « Dans la plupart des rédactions, on ne donne pas tous les cartons d'invitation, quand bien même on ne pourrait s'y rendre. Quand tu fonctionnes dans un club, il arrive bien souvent que tu reçoives des informations qui concernent un autre service. Mais tu les gardes trop souvent. Ou bien tu les téléphones au *Canard*. Tu dois surveiller quelquefois ton courrier : il arrive souvent qu'il disparaisse, surtout s'il est à en-tête d'un parti ou s'il s'agit d'un livre... Même au *Matin de Paris* quand Jacques Roure, passé depuis à *L'Express,* appelait Michel Rocard au téléphone, il avait droit à un sermon parce que sa place dans la hiérarchie et sa non-participation au clan n'autorisaient pas cette initiative. »

La concurrence interne conduit ainsi souvent à diviser les clans. Lorsque Philippe Tesson embauche Bernard Morrot (qui venait de *L'Aurore*) en novembre 1979, il croit que tout sera réglé à son profit : ne va-t-il pas faire son travail de vassal? De même, comment aurait-il pu imaginer la « trahison » du jeune Jean-François Dupaquier? Comment donc cet élève de science politique, devenu son rédacteur en chef, pourrait-il un jour entrer en opposition ouverte? En un sens, Philippe Tesson a raison : tous ces journalistes consentent au départ de bon cœur à communier dans le clan, tous sont fascinés par son talent et son charisme. « On pouvait discuter avec Philippe Tesson du contenu des articles, lui reprocher ouvertement de rendre sa copie en retard, se souvient Jean-François Dupaquier. Mais il a violemment changé en 1981 avec l'arrivée de la gauche au pouvoir. Il est devenu comme fou, lorsqu'il s'est rendu compte que la rédaction ne le suivait pas. Quand on a fait un vote blanc, 67 % des journalistes votaient Mitterrand. Philippe Tesson en a été choqué. Lui qui avait écrit un éditorial pour appeler à voter Giscard, il s'est rendu compte du divorce. C'était terrible. »

La guerre commençait. Le clan se scindait en deux. D'un côté, le clan Bernard Morrot (aujourd'hui au *Figaro*). De l'autre, le clan Philippe Marcovici. Une guerre au couteau. « Je dirigeais le service investigation, poursuit Jean-François Dupaquier. Avec Philippe Marcovici, l'opposition atteignait des sommets. Par exemple, en décembre 1981, Jean-François Mongibeaux était le seul journaliste de Paris à avoir un visa pour la Pologne. Ce qui pour nous était un avantage vis-à-vis des concurrents, vu les événements très graves qui se déroulaient là-bas. Mais Philippe Marcovici avait interdit qu'il parte. Il ne voulait pas de lui. Dans cette affaire, on a perdu des milliers de lecteurs. Au moment de la guerre des Malouines, on a eu un problème identique. Il a interdit au spécialiste de partir parce qu'il n'était pas dans le bon clan. C'était de plus en plus tendu. Finalement, le 1er avril 1985, tout le clan Morrot est parti, en particulier Jean-Michel Saint-Ouen qui était directeur adjoint, Jean Cavé et moi-même qui étions rédacteurs en chef. La direction a été décapitée. »

La grande figure de l'Infidèle est sans aucun doute celle de Franz-Olivier Giesbert. Non qu'il ait plus changé de « boutiques » que d'autres. Il est même sans doute l'un des médiacrates les plus fidèles en amitié. Ses déjeuners avec Gilles Martinet, ses rencontres avec d'anciens du *Nouvel Observateur* l'attestent. Mais son goût prononcé de la provocation et surtout son itinéraire, de type balzacien, ont permis à ses ennemis de le dénoncer comme Traître. N'oublions pas, en effet, qu'« Infidèle » n'est jamais que la façon qu'ont les Khomeiny en herbe de désigner ceux qui paraissent violer les dogmes les plus sacrés. Franz-Olivier Giesbert n'était-il pas chargé de superviser la diffusion de la parole officielle de l'intelligentsia de gauche? Et voilà que, soudain, il parvient au sommet du média accusé de diffuser la parole officielle de droite. Pis encore, il « passe chez Hersant ». Jeune, brillant, élégant, le sourire un brin ironique planté au bord des lèvres, il nous raconte l'histoire de ses provocations : « Je suis le fils d'un Américain qui a fait le débarquement. Mon père était artiste-peintre, ma mère professeur de philosophie et actionnaire du journal *Paris-Normandie.* Elle me poussait à faire l'ENA pour être chef d'entreprise. Moi je voulais être artiste-peintre. Bref : je n'étais pas programmé pour être journaliste. J'ai réalisé un journal d'école, pour rencontrer les gens que j'admirais. Je suis ainsi allé voir plusieurs fois Alberto Giacometti. Je prenais le train pour Paris. Il buvait toujours des doubles expressos dans lesquels il laissait tomber sa cendre de cigarette. Il disait du mal de Picasso et cela me plaisait bien. J'ai rencontré plein de monde, Serge Poliakoff, Le Corbusier... Puis je suis allé en faculté de droit. Je pensais devenir avocat. Ma mère trouvait cela bien parce qu'elle se disait : après, il va faire l'ENA. J'ai continué à écrire quelques articles, notamment des articles prétentieux sur les USA et un article sur Giacometti. On m'a dit que c'était nul. J'ai commencé à travailler à *Paris-Normandie.* J'y ai fait des tas d'entretiens : Louis Aragon, Henry de Montherlant, Jules Romains, Maurice Genevoix. J'ai fini par trouver que le journalisme, c'était très drôle.

J'ai donc fait le CFJ. J'avais Jacques Julliard et François Furet comme professeurs. En 1971, me voilà presque naturellement à l'*Observateur.* Petit journaliste pigiste. J'ai fait des pieds et des mains durant l'été. À l'automne, je vais voir la direction et je dis : “ Si vous ne m'embauchez pas, je m'en vais. ” Ils m'ont embauché. J'ai eu ainsi un bizutage très court. Je me suis très bien entendu avec Jean Daniel qui m'a présenté à beaucoup de gens. J'ai “ couvert ” la droite, puis la gauche socialiste. Je deviens alors grand reporter puis correspondant aux USA.

En 1981, la gauche l'emporte. Jean Daniel m'appelle pour devenir chef du service politique en remplacement de Thierry Pfister qui partait pour Matignon. J'étais un peu l'enfant gâté. J'aurais nagé dans le bonheur s'il n'y avait eu quelques éléments d'insatisfaction. »

Mais laissons à présent le témoignage de Franz-Olivier Giesbert, soudain moins loquace lorsqu'il s'agit de la période où il devient directeur de la rédaction et... concurrent de Jean Daniel. Avec d'autres témoignages, reconstituons les cheminements de son transfert. Soutenu au début par Claude Perdriel, le patron, et par Jean Daniel, le directeur de la rédaction, Franz-Olivier Giesbert connaît rapidement des problèmes. Il mène campagne à l'intérieur du journal contre les nationalisations voulues par le gouvernement de Pierre Mauroy. La bataille s'engage contre la gauche du journal, notamment Georges Mamy, Irène Allier et Kathleen Evin. Il impose ainsi un entretien avec Pierre Moussa qui dit en substance : si Paribas est nationalisé, ce sera une catastrophe. Si Jacques Delors, Michel Rocard et même Pierre Mauroy ne se plaignent pas, Pierre Bérégovoy, Laurent Fabius et François Mitterrand – qui le dit « fielleux » – soupçonnent chez le médiacrate une propension au « rocardisme ». Petit à petit, les relations avec Jean Daniel se dégradent.

La crise s'accentue en 1988. Franz-Olivier Giesbert sort en couverture du *Nouvel Observateur :* « Tonton, pourquoi tu tousses? », ce qui met l'Élysée en émoi. Cela ne pouvait plus durer : Jean Daniel ne contrôle plus les articles. Moins encore que du temps de Hector de Galard. Claude Perdriel lui-même, revenu aux affaires du *Nouvel Observateur* depuis la vente du *Matin,* soutient Franz-Olivier Giesbert. Commence alors la guerre... des notes.

Jean Daniel envoie des « notes » aux services, notamment en été 1988, expliquant pourquoi Franz-Olivier Giesbert allait faire chuter le journal face à l'offensive de *L'Événement du jeudi.* Il dénonce l'Infidèle. Par malheur, cet été-là, le succès du *Nouvel Observateur* est indéniable : il diffuse 36 % de plus que son concurrent. Qu'importe : lors d'un comité de direction, début août, Jean Daniel reprend vigoureusement l'offensive contre F-OG (soutenu par Claude Perdriel). En septembre 1988, la tension monte. Franz-Olivier Giesbert doit contourner les obstacles mis sous ses pas. Ses initiatives sont freinées. Son talent bridé. Il doit mener des combats d'arrière-garde. Il n'est pas le numéro 1 mais le numéro 1 bis. La différence est de taille. Il se lasse. Il étouffe. Il avoue seulement : « Ce n'est un secret pour personne que nous n'étions pas toujours sur la même longueur d'onde. » Avec une partie de la rédaction (Serge Roffy, Jean-Paul Mari...), il n'acceptait pas que le journal soit au service de la gauche lors de l'élection présidentielle de mai 1988.

L'occasion du départ arrive : « En septembre, Philippe Villin du *Figaro* m'appelle. Je suis alors en vacances. Il veut me voir rapidement. Je croyais qu'il voulait me proposer *France-Soir* car je savais qu'il y allait. Je le rencontre. Je l'avais déjà vu deux fois. J'accroche un peu. Je le revois : j'accroche tout à fait. Je discute ensuite avec Robert

Hersant. Tout cela se passe en six jours. Quand ils me proposent *Le Figaro,* je suis vraiment surpris. Mais cela m'amuse. Et je suis parti de l'*Obs. Le Figaro* cela ne se refuse pas. »

De quoi confirmer – enfin! – les ayatollahs dans leurs plus sombres prédictions. Voilà comment celui qui avait fait la guerre à partir du *Nouvel Observateur* contre Robert Hersant devint l'homme de Robert Hersant. Conservant, lui l'Infidèle, une fidélité sans faille à ses amis... de gauche.

Nombre de médiacrates durent ainsi un jour violer leurs serments d'allégeance. Faut-il s'en plaindre? Autant vouloir empêcher la circulation de l'élite. « Il a trahi », dites-vous? Vouliez-vous donc qu'ils s'entendent comme larrons en foire? Il a trahi, tant mieux. Il a fait passer son ambition et ses idées avant la connivence clanique, voilà qui rassure plutôt. Marque de l'autonomie, la trahison est souvent l'oxygène des hauteurs.

2. LES ILLUSIONS PERDUES

Dès la fin des années 70 a surgi une accusation : l'élite journalistique, appuyée sur ses clans, formerait une classe ou une caste. Rythmes, lieux, comportements, itinéraires... révéleraient la connivence interjournalistique. Dominique Wolton affirme même dans son « Rapport pour le 68e congrès de la Ligue des Droits de l'Homme » de 1988, que les journalistes passent leur temps à s'épier. Rien de tout cela n'est tout à fait faux. Mais est-ce vrai pour autant?

Comme il y a des courants d'air qui traversent notre ciel physique, il existe bien un courant d'influence qui soude la médiacratie et l'engage dans des jeux de miroirs.

Qui le compose? Le contrôle de l'information (généraliste) se fait entre 150 personnes environ et seulement entre elles. Ainsi, dans son éditorial de *Libération* qui suit le « fameux face-à-face Jacques Chirac-Laurent Fabius » du 27 octobre 1985, Serge July écrit en substance : Laurent Fabius l'a emporté. Les autres médiacrates en jugent autrement : « C'est un succès pour Jacques Chirac » écrivent-ils. Serge July, le lendemain, change d'avis : oui, finalement, c'est un succès pour Jacques Chirac. Il arrive aussi que l'on se trompe en chœur : « Robert Vigouroux n'a aucune chance contre Michel Pezet à la mairie de Marseille... » Unanimité des médias parisiens. Robert Vigouroux fut-il élu? Qu'importe. Le microcosme ne semble pas devoir souffrir de ses erreurs. Il reste solidaire.

Plus encore : comme dans les grands cirques, la troupe

aimerait afficher complet. L'élite semble d'autant plus hors d'atteinte qu'elle pose les objectifs et les règles : elle décide ce qui vaut la peine de devenir « information », qui est habilité à rechercher, comment, où, quand et sous quelle forme aura lieu la diffusion. Dans un tel univers, le médiacrate paraît ne craindre que le... médiacrate. Jean-François Kahn sera désarçonné du « face-à-face » d'Europe 1 par Serge July seulement. Réduction des risques. Je ne peux plus conserver cet éditorial faute de temps? J'enrage, mais je le passe à un ami qui, en retour, me soutiendra dans mes entreprises. Voilà toute l'alchimie des passages d'éditoriaux. Plus j'ai de place, moins il doit en avoir, et s'il en a quand même, il faut que ce soit à mon avantage : qu'il me soutienne en contrepartie. Le système favorise indéniablement les ententes entre cartels.

Des cartels? Devenu médiacrate, le cumul fait la puissance. Il empêche d'être délogé : plus le grand journaliste entasse, moins il donne de chances à d'autres de montrer qu'ils savent, eux aussi, faire des numéros de voltige. C'est ainsi que se constitue, petit à petit, une sorte de monopolisation des postes de pouvoir.

Quelle est l'orientation de ce « courant d'influence »? *Le Monde* est la référence unanimement donnée par les médiacrates, même s'il arrive que le journal soit décrié. Juste derrière : *Le Figaro* et *Le Canard enchaîné,* associés dans un même élan de générosité. Plus loin, *L'Expansion* – surtout cité par les journalistes de la télévision – et *Libération.* Puis les éditorialistes des « news », la médiacratie d'Europe 1 et Philippe Alexandre de RTL. Troisième groupe : les autres, les responsables des magazines télévisés d'abord, les grands journalistes des radios ensuite, ceux de la télévision enfin, PPDA occupant une place privilégiée, proche des éditorialistes des « news ». Jean-Pierre Elkabbach et Pierre-Luc Séguillon influençant le milieu plus par leurs relations privées que par leurs interventions publiques. Étienne Mougeotte, par sa place centrale dans cet univers, comme directeur général de l'antenne à TF1 et directeur de la rédaction de *Télé 7 Jours,* joue un rôle clé.

On le voit, il importe peu aux médiacrates de savoir qui parle lorsque c'est écrit en bonne place dans *Le Monde,* dans *Le Canard* ou dans *Le Figaro.* Comme le note Serge July : « Je lis bien entendu beaucoup de choses. En particulier l'éditorial du *Figaro.* Mais il m'importe peu de savoir qui l'a écrit. Les éditoriaux sont des rendez-vous. »

Selon ce « courant », les médiacrates traiteront certains problèmes à la hausse, d'autres à la baisse et en oublieront quelques-uns pour surestimer ceux qui sont investis par les « leaders » d'opinion journalistique. Ainsi, jamais la télévision n'aurait accordé une telle importance à la troisième équipe du *Rainbow-Warrior* si la hiérarchie du *Monde* n'avait pas accepté que l'article d'Edwy Plenel fût mis en première page. De même, jamais les télévisions et les radios n'auraient, en mars 1990, répercuté l'idée que Michel Rocard pouvait succéder à François Mitterrand avec l'accord de ce dernier si Serge July ne l'avait écrit dans *Libération.* Les déchirements internes au RPR n'auraient pas rebondi dans toute la presse si *Le Figaro* n'avait pas donné sa caution...

Il arrive bien entendu que la télévision stimule l'écrit. « La Marche du siècle » de Jean-Marie Cavada, par ses qualités, est incontestablement devenue pour les médiacrates, en hiver 1990, un point de référence. Le journal de Jean-Pierre Pernaut fut le premier à engager une étude comparée des différents systèmes de santé en Europe. Le « courant d'influence » rencontre aussi le « courant de popularité », qui se mesure à l'audience, signe d'une probable sensibilisation à un problème qui ne se serait pas forcément manifesté autrement : des questions comme la santé par les plantes, l'eugénisme, les bébés phoques sont le produit de cette rencontre. Néanmoins, c'est en général selon le courant d'influence que sont définies les informations légitimes.

Quelquefois, les jeux de miroirs mettent en place une sorte de jeu de l'oie consensuel. Le microcosme promeut ses favoris : Alain Minc, Philippe Séguin, Michèle Barzach... Il partage ses dégoûts : Robert Vigouroux, Raymond Barre... Il « mime » ses émissions : contenu, invités... Comme le dit François de Closets : « Il y a entre A2 et TF1 une série d'émissions copiées comme " Médiations ", " Stars à la barre ", " Édition spéciale ", " La Marche du siècle "... »

La preuve de la justesse de ses choix, le médiacrate

la trouve chez le concurrent. Et le concurrent la trouve chez lui. « On » lance l'information : il y a 4 500 morts à Timisoara. L'information est prise dans le miroir des interprétations « légitimes » si « on » fait partie du noyau du courant d'influence. Un par un, les membres du courant reprennent : il y a 4 500 morts. Celui qui a lancé l'information se trouve conforté dans son opinion : puisque « même » les confrères et néanmoins concurrents le disent!

Le processus est d'autant plus incontrôlé que l'information va à la vitesse de la lumière. Le sourire satisfait de la première déclaration de Bush confirme le bluff général : la guerre pour la libération du Koweït va être gagnée en quelques heures. Les télévisions sont les premières sur ce terrain... avec la caution des télévisions américaines, la « sérieuse » CNN en tête. Toute la presse reprend sans nuance. Et déchante.

Malheur, dans cette connivence entre médiacrates, à celui qui prétend attaquer les Grands. L'attaque contre le journalisme en général ne pose, elle, aucun problème. Le masochisme de la profession est une donnée sur laquelle surfent même quelques intellectuels qui vont de média en média pleurer sur le monde tel qu'il va. Mais une attaque nominale ne peut être que le produit d'une folie ou d'une délibération bien pesée : ou le Grand visé est faible ou le clan de l'attaquant a quelque espoir de l'éliminer. S'il est journaliste, le présomptueux verra le plus souvent sa carrière freinée et nombre de portes se fermer. S'il n'est pas du sérail, vive la clandestinité!

La sanction du marché : question de styles

Mais ce que le désir de sympathie construit, la concurrence le détruit. À peine sacré, le nouveau venu doit constater que le « noyau » de cette comète vit dans une guerre perpétuelle. Un objectif : la conquête d'un marché, celui des consommateurs de journalisme. Le cigare, la moquette, le bureau, la secrétaire... ne peuvent dissimuler qu'il faut se battre bec et ongles contre les autres médiacrates.

Dès le couronnement, le journaliste devenu médiacrate ne peut guère se faire d'illusion. Certes, le microcosme seul proclame le sacre. Mais la réalité est peu féerique : au départ, non pas une sympathie mais un rapport des forces. Celui-ci a changé, voilà tout : « À partir du moment où j'ai été nommé responsable du service politique de TF1 raconte Pierre-Luc Séguillon, il n'a pas fallu 24 heures pour que je me rende compte que j'avais changé de statut social. Les relations avec les confrères ont été transformées. Avant, quand je participais aux débats, c'était en tant que journaliste de *Témoignage chrétien.* Bien qu'ayant des responsabilités importantes, j'étais considéré comme le petit de la bande. Souvent, mes confrères étaient condescendants. Par exemple pour Jacques Duquesne et Christine Ockrent, je n'existais pas, je n'avais même pas droit à un sourire, à peine un salut. Le jour de ma nomination, j'ai reçu plein de félicitations. Et puis, j'étais de TF1 je ne me trouvais plus en bout de table quand il y avait des hôtes importants. J'étais à droite ou à gauche, en fonction de l'audience. L'audience, c'est vraiment important. Quand je suis passé sur La Cinq, en raison de l'audience, les hommes politiques au début m'avaient placé à gauche : ils croyaient que La Cinq allait vite devenir le numéro 1. Puis ils m'ont installé très loin. Et en ce moment, je remonte... C'est assez drôle. Mais je ne suis pas dupe. »

Pourquoi la guerre? Parce que les médiacrates ont affaire non à une population informe mais à une société historique et segmentée. L'idée qu'il y aurait une masse de consommateurs que l'on pourrait attraper dans ses filets de son et de lumière est fausse. Quand il faut agir, le médiacrate s'empresse d'écarter une telle illusion. Même les plus chauds partisans de la théorie des « médias de masse » savent bien que lorsque les résultats d'audience arrivent, ces médias « ramasse-tout » peuvent, du jour au lendemain, face à la concurrence, devenir des médias « ramasse-miettes ».

Le jeu des styles s'impose tout simplement parce qu'il existe un jeu des sensibilités. P. tient à l'expliquer à propos du *Figaro-magazine :* « L'accent aujourd'hui chrétien, qui était auparavant païen du *Fig-mag* n'est qu'un élément de la vente, et sans doute pas le plus important. Ce magazine, c'est d'abord un style. De belles photos font plus qu'une affirmation idéologique. Aux comités de rédaction de Louis Pauwels, on ne regarde pas les textes mais les diapositives. C'est la priorité. C'est une idée de Robert Hersant que de donner de beaux supports dont l'annonceur peut être fier. L'annonceur aime la belle publicité. Et quand le lecteur se trouve chez le dentiste, il feuillette un beau journal, il enregistre inconsciemment les publicités. Les annonceurs, cela leur plaît. Il suffit de feuilleter le *Figaro-magazine.* Tout le gratin BC-BG, en lisant, se dit : " Nous sommes bourgeois et contents de l'être. " Louis Pauwels a parfaitement mis tout cela en pratique. Cela l'amuse de donner quatre pages à Bernard-Henri Lévy qui explique pourquoi il faut voter François Mitterrand. De toute façon, l'éditorial dira de ne pas le faire. De la même façon, tous ceux qui sont dans les affaires lisent les pages saumon du *Figaro,* peut-être aussi parce qu'elles sont couleur saumon! »

Le style renvoie à une réalité : la concurrence pour l'obtention des marchés représentés par ces segments. Les intellectuels sont ainsi l'objet d'une lutte au couteau entre les quatre « news » depuis que *Le Nouvel Observateur* a perdu son hégémonie. RMC tente de maintenir sa présence chez les petits patrons et les ouvriers du sud de la France (respectivement 16,1 % et 19 % en pénétration selon l'audience cumulée) ainsi que chez les ménagères (16,8 %) et Europe 1 tente de rester accroché aux wagons des décideurs... Mais RTL et Europe 1 se disputent le marché dans le Sud et RMC a attaqué le marché de RTL dans le Nord. TF1, par le journal télévisé du soir, s'acharne pour maintenir son hégémonie sur les consommateurs populaires et les classes moyennes mais, en faisant appel à Bruno Masure, A2 tente de lui damer le pion tandis que l'équipe d'Hachette planche sur La Cinq pour essayer d'occuper au moins la seconde place par une télévision qui serait à la fois populaire (en « prime time ») et de qualité.

Le style reproduit notamment dans la logique journalistique des rapports de domination vécus. Le succès de *L'Événement du jeudi?* Il vient de ce qu'il « dénonce », au-delà de tout positionnement ponctuel. L'aspect populiste, critiqué par certains médiacrates, correspond, au niveau esthétique, aux sentiments, aux goûts de gens qui, pour de multiples raisons, ressentent du plaisir à voir reprise par un média l'agressivité qu'ils ne peuvent eux-mêmes énoncer. Autrement dit : c'est là où le journal est perçu comme illégitime par une partie de la haute intelligentsia – dont il faut cesser de dire qu'elle est critique par essence alors qu'elle est au cœur du processus moraliste et conformiste – qu'une grande quantité de lecteurs, pour des raisons différentes, trouvent leur bonheur.

Nul médiacrate réaliste n'oublie sa différence. Dans l'écrit, les choses sont parfaitement claires. Comment le médiacrate pourrait-il ne pas vendre d'abord la différence stylistique sur le marché? En 1981, Serge July avec *Libération* visait la fabrication d'un journal populaire du matin. Il examina attentivement les stratégies du *Monde,* du *Parisien libéré* et de *France-Soir* pour ouvrir à son produit un nouveau marché et occuper une part de celui des concurrents. Du logo aux titres, des rubriques aux journalistes, tout faisait sens. De même, quand Jean-François Kahn créa son journal, il pensa aux journaux populaires, comme *Le Canard enchaîné* et *VSD* mais aussi au *Nouvel Observateur;* d'où le style des unes, le format, les gros caractères, l'écriture, et, en même temps, les dossiers : un ensemble « populaire et intellectuel, centriste et non conformiste ». Claude Imbert, en quittant *L'Express* pour créer *Le Point,* eut lui aussi à penser en priorité la différence avec son ancienne entreprise : il fallait un style plus « américain » correspondant à l'attente de certains cadres modernistes.

Le sens de la différence n'est pas moindre à la télévision, contrairement à ce qu'en pense une sociologie hâtive. Voilà pourquoi tout est travaillé : des couleurs de fond au timbre de voix, de la durée des plateaux à celle des reportages. Croit-on que ce soit un hasard si l'information de La Cinq paraît déshumanisée, si noir et bleu sont des couleurs privilégiées, si les enquêtes sont menées tambour battant, comme si on faisait signe ainsi à un public populaire, celui des grandes cités?

Différence verticale? Beaucoup de faits divers sur TF1

à midi, moins à 20 heures où le journal joue la fin de l'actualité et les affaires politiques nationales, encore moins la nuit où les affaires internationales et culturelles prennent le dessus...

Différence horizontale? Le journal télévisé de Guillaume Durand, le soir, fait concurrence au journal télévisé d'Antenne 2 et de TF1. De la même façon, c'est à RTL que France Inter, RMC et Europe 1 tentent de faire concurrence, notamment le matin entre 7 h 15 et 8 h 15. Sur La Cinq on vise délibérément un créneau encore plus « faits divers » à midi, plus « affrontement politique » à 20 heures, et un journal froid à minuit. Sur M6, on joue l'information froide, sans présentateur. Sur FR3, on... fait ce que l'on peut. A2 a longtemps tenté un style « à l'anglaise », TF1 « à la française », La Cinq plutôt le spectacle; FR3 montre qu'elle ne sait pas encore jouer, malgré les efforts de Paul Amar qui menaça constamment de démissionner en été 1990... parce qu'on ne lui permettait pas d'imposer son propre style.

Dira-t-on que ces différences n'apparaissent pas toujours dans les contenus? On oublie que le fond passe par le style. Le style inscrit toujours, dans l'univers médiatique, un conflit des sensibilités qui relaye, par sa présence continuelle, la différence de contenus que l'on voit apparaître de façon flagrante lorsque les affaires deviennent très « sensibles ».

Amusons-nous à prendre le cas le plus consensuel dans la fin des années 80 (avant les événements dans les pays Baltes) : l'attitude par rapport à Mikhaïl Gorbatchev. Flonflons et valse musette : tous les médiacrates chantaient la « gorbymania ». Et pourtant... Lorsque Franz-Olivier Giesbert soutient Gorbatchev le 13 mars 1990, il insiste sur la tentation qui pourrait guetter le dirigeant soviétique : l'appel à la dictature. Lorsque Jean-François Kahn appuie le même chef d'État, il souligne que si le danger de dictature est présent, il s'opérera contre la volonté de Gorbatchev, premier éliminé. Même constat, même soutien... et pourtant, quelle différence!

Lorsque les questions deviennent plus sensibles, la

différence le devient elle aussi. À chaque fois qu'une affaire importante surgit, idéologique – par exemple l'affaire du « foulard islamique » – économique – les ventes d'armes à l'Irak – politique – les rénovateurs ou Le Pen –, le médiacrate affiche sa sensibilité particulière. *Libération* et *Le Figaro, Le Nouvel Observateur* et *L'Express* se déchirent autour de leur particularité. La particularité (plus que l'expression « ligne politique » ou « ligne idéologique »), tel est bien le terme approprié.

La même logique de différenciation apparaît dans l'audiovisuel. D'un côté, une différence stylistique continuelle qui permet aux auditeurs et spectateurs de se repérer, fût-ce inconsciemment, même lorsqu'il n'y a pas d'objet de dissensus visible. D'un autre côté, une différence de contenu conjoncturelle quand éclate une affaire importante.

Ces différences sont ressenties par les consommateurs avant même que les positions divergentes qu'elles cachent n'apparaissent clairement. Qu'une tension extrême – voire une crise – survienne dans la société et le dissensus se révèle au grand jour.

Le médiacrate de l'audiovisuel, maître en son royaume, ne se contente pas de répéter. Il tranche dans le vif d'une façon que le style indiquait déjà en creux. Il y a ainsi ceux, à la télévision, qui acceptent d'inviter Jean-Marie Le Pen, ceux qui refusent, ceux qui ridiculisent Georges Marchais, ceux qui le prennent au sérieux, ceux qui interrogent Antoine Waechter avec courtoisie, avec ironie (sa perruque...), avec mépris. Ceux qui parlent de la feuille de paie du président de PSA, ceux qui n'en parlent pas, ceux qui « minimisent » l'affaire, ceux qui en font une affaire d'État, ceux qui accusent le fils du président, ceux qui le défendent... Un positionnement qui s'opère corrélativement à ceux des médias écrits.

La médiacratie régnante

Le style est finalement la rencontre entre une intention (celle du marquage spécifique) et une singularité (celle du médiacrate).

Encore faut-il distinguer, au sein même de la médiacratie, une hiérarchie. Jean Bothorel devra accepter au *Figaro* le cadre fixé par le style de Franz-Olivier Giesbert... Au sommet, vit une minorité qui couvre de son regard ses domaines : la « médiacratie régnante ».

Elle se caractérise par la possibilité qu'elle a d'imposer un « esprit » spécifique au médium. Laurent Joffrin vient-il de parvenir à la direction d'un média? Une objectif, une nécessité : poser sa marque. « P-DG et propriétaire du groupe, Claude Perdriel s'implique peu dans la rédaction. D'autre part, Jean Daniel donne surtout des orientations générales et il nous laisse, Serge Lafaurie et moi, une liberté de mouvement. J'étais obligé, en arrivant, d'observer les hommes. Très vite, on est venu me voir. Le pouvoir, c'est cela : être l'interlocuteur auquel on demande la décision. Il faut fixer des objectifs, un esprit. Cela revient à être chef d'entreprise. Et il faut symboliser ce pouvoir par des gestes. »

Une prise de pouvoir qui se caractérise par un nouveau style donné à la marque, quand bien même l'on dit vouloir retrouver le passé : « Il faut que l'*Observateur* retrouve sur le plan des idées, sa prédominance des années 70 répond Laurent Joffrin. Il partage aujourd'hui cette influence avec d'autres. Il doit accentuer son originalité, sa spécificité en tenant le plus grand compte des contraintes commerciales. Il doit s'engager sur des idées et non pas derrière des partis ou des hommes. Franz-Olivier Giesbert a naguère rajeuni l'image du journal. Il a donné une touche plus économique, plus " magazine ". J'essaie quant à moi de traduire dans les termes d'aujourd'hui un héritage traditionnel. »

Dans les « termes d'aujourd'hui » : toute la « traduction » est là. Jamais on ne refait la même marque. Et Laurent Joffrin n'hésite pas à rompre avec la connivence qui pointait son nez : « Nous n'avons pas hésité à dénoncer les anomalies du financement de la campagne électorale présidentielle socialiste. Claude Perdriel a reçu des menaces. Le pouvoir a tenté d'organiser des pressions par des voies économiques. Mais Claude Perdriel ne nous a pas demandé de céder, au contraire. Il a dit : " Continuez, j'ai l'habitude. " Quand Jacques Julliard a dénoncé l'" affairisme rose ", Pierre Bérégovoy en colère a appelé Jean Daniel : " C'est une déclaration de guerre. " Jean Daniel a refusé de désavouer la rédaction. Nous n'hésitons plus. Sur les fausses factures, nous avons été au premier rang des attaques. Il est stratégique pour nous que nous soyons indépendants. »

La direction du journal n'hésita pas plus à rompre avec une certaine connivence intellectuelle. Ceux que, dans les couloirs de l'*Obs,* on appelle les « Furet's Boys » doivent accepter maintenant une pluralité plus large. D. raconte : « Sur la question de nos rapports avec le pouvoir intellectuel, même si François Furet reste un ami, nous avons pris nos distances, le pluralisme s'est imposé. Lorsque celui-ci a été mécontent de la présence d'un article sur Pierre Bourdieu, nous n'avons pas cédé. L'image vieil intello mondain de l'*Obs,* le pré carré, nous en sortons. » Le livre de Jean-François Kahn sur le mensonge? « C'est vrai que le descendre comme nous l'avons fait, *a priori,* c'était une erreur répond D. En plus, cela lui a fait de la publicité. »

Les témoignages sont clairs. D'abord le style Jean Daniel est remplacé. Ensuite, Laurent Joffrin et Serge Lafaurie posent leurs marques... et leurs hommes. En octobre 1990, Christiane Duparc est remerciée. Alain Schifres s'en va avec elle. Les places libérées sont occupées par des hommes de confiance. En même temps, les autres « news », directement concurrents, sont « attaqués », afin que la spécificité du *Nouvel Observateur* apparaisse aux yeux des consommateurs.

Ainsi Jean Clémentin, avec plus de succès encore, a-t-il mis sa marque sur *Le Canard enchaîné.* Au moment de la guerre d'Algérie, en sortant les « affaires » liées au gaullisme immobilier, il transforma un hebdomadaire essentiellement satirique en journal d'informations, moraliste et de gauche, déontologique et professionnel. On ne confondra plus *Le Canard enchaîné* avec les journaux humoristiques et il ne se fondra pas non plus dans une sorte de masse médiatique homogène.

La solidarité négative

Dans ces conditions, la seule solidarité réaliste entre médiacrates ne peut être que négative. Une sorte de réaction de défense de l'honneur de la corporation que connaissent tous les milieux. Mais aussi, ce qui est plus intéressant, réaction corrélative d'une découverte : l'information est un marché, et un marché attaqué. La plupart des professionnels éprouvent le sentiment qu'il faut le protéger.

L'information en effet n'est pas un marché à somme nulle. Lorsqu'un journal apparaît, il ne « prend » pas purement et simplement les lecteurs d'un concurrent : il élargit le marché. À l'inverse, quand un journal disparaît, les autres journaux ne retrouvent pas tous ses lecteurs : beaucoup vagabondent. Comme le dit Jean-Marie Colombani : « Franz-Olivier Giesbert doit faire, avec *Le Figaro,* d'un tract un journal. C'est une bonne chose quand le marché s'élargit. » Et l'on a vu *L'Événement du jeudi* fournir une partie de son capital à *Politis.*

La radio n'échappe pas à la règle. Les auditeurs quittant Stéphane Paoli (rédacteur en chef à Europe 1) ne trouvent pas forcément le chemin de Philippe Caloni ou de Jean-Pierre Defrain sur RTL. Il y a des fuites vers les radios d'animation. Il faut ainsi constater que les radios généralistes, celles où se retrouvent la plupart des médiacrates, perdent de l'influence : 37,1 % fin 1989 contre 38 % au début de l'année au profit des radios FM « musicales » (31,3 % contre 29,9 %). Quand RTL, le leader, passe de 20,7 % à 19,6 %, NRJ progresse de 10,7 % à 11,2 %. C'est autant de perdu pour l'élite. À l'inverse, quand une station comme France Info, moins de deux ans après son lancement, parvient à 2,5 % d'auditeurs, elle peut entraîner ses auditeurs à passer ensuite sur une station généraliste, à approfondir l'information sur un support écrit ou à regarder les images du journal télévisé.

La solidarité du microcosme peut être assise sur d'aussi bonnes raisons au niveau des télévisions. D'abord, 6 % de foyers ne sont pas encore équipés de postes de télévision. Ensuite, à 20 h 15, heure de grande écoute journalistique en raison des journaux télévisés, moins de 75 % des foyers équipés branchent leur poste. Encore faut-il préciser qu'un tiers de ceux-ci environ ne regardent pas le journal télévisé. Ce qui signifie qu'un peu plus de 50 % seulement des téléspectateurs – moins de 50 % des Français en âge de regarder les actualités – le font... Et même si nous ajoutons à ceux-ci les téléspectateurs de FR3 ayant regardé le journal télévisé à 19 heures et les téléspectateurs de M6 regardant les informations de nuit, on obtient environ 63 % d'écoute en période moyenne (mars 1990). C'est là le chiffre maximum que l'on puisse obtenir. Car il est évident que pour une part, le public qui regarde les informations régionales de FR3 suit ensuite les informations générales : on ne peut donc cumuler les audiences. Autant dire que jamais, sauf événement spectaculaire, plus de 60 % des Français adultes ne consomment les produits journalistiques télévisuels. Encore ne mesure-t-on pas l'attention.

Le mercenariat

À l'opposé de cette solidarité négative, malgré les tentations de connivence au sommet, la réalité de la concurrence dans le microcosme est telle qu'est né le mercenariat.

Le médiacrate devient parfois un technicien qui ne fait que passer, se donnant au plus offrant, prêt à défendre les idées que le sommet de la hiérarchie lui demande et à attaquer celles qu'il défendait hier. Le directeur soutient-il Raymond Barre? Voilà notre éditorialiste barriste. François Mitterrand a-t-il le vent en poupe à la direction? Le commentateur donne son obole à la « Tontonmania ».

Celui-là proclamait pourtant une conviction, direz-vous peut-être, étonné de voir ce qu'il est devenu et ulcéré de constater le peu de cas qu'il fait de ses idées d'hier. Vous attendez-vous sérieusement à ce qu'un employé de Peugeot dénigre le véhicule qu'il tente de vous vendre? « Il était au *Matin,* donc il était homme de gauche » : voilà un raisonnement un peu court. On oublie que le journaliste est d'abord le salarié d'une entreprise. Qu'il en vit. Combien de journalistes de *L'Humanité* se sont trouvés contraints de défendre des thèses qu'ils dénigraient par ailleurs? Protester, c'est s'en aller. Ces hommes sont réalistes : pour être ouvert, le marché ne l'est pas tant que cela. Pour eux, le pouvoir médiacratique... vaut bien une messe.

Il est d'ailleurs possible qu'il ne nous faille pas nécessairement laisser à la porte nos habits de moine. Car il y a au fond de tout cela une sorte d'harmonie préétablie. Ceux qui agissent ainsi, sans force d'âme, sans fin préconçue, disparaissent bien vite de la scène. Grisés par leur trahison « technique », tel Lucien de Rubempré, ils se font avaler par le système. Et, tels ces journalistes qui vilipendaient naguère les socialistes dans les journaux communistes, ils deviennent bientôt, à peine promus dans des médias ordinaires, les plus fermes soutiens du pouvoir d'État. Ils sont alors la risée de la comète médiatique en raison de leurs flagorneries à l'égard des Grands.

N'est pas en effet grand mercenaire qui veut. Ils doivent se préserver de tant de coups, de leurs ex-amis comme de leurs nouveaux alliés, que seules les âmes bien trempées parviennent à atteindre le nombre des années. S'ils se vendent au plus offrant, ils ne le font pas sans ruse, sans ces arrière-pensées qui leur permettent précisément de sauvegarder la leur et même de la... faire passer.

Le type idéal du grand « technicien » est Jean Bothorel. Voici son histoire : « Je voulais faire de la politique. J'ai fait un bac math en 1958. Puis j'ai étudié les sciences politiques à Grenoble. J'étais gaulliste et je suis entré en politique avec des militants bretons. Mon père était maire en Bretagne. En 1965, j'ai créé *Bretagne magazine,* un mensuel luxueux qui avait pour vocation de soutenir de Gaulle. J'étais entré au cabinet d'Yvon Bourges et celui-ci m'avait demandé de m'en occuper. Pierre Viansson-Ponté signait dedans. Tout alla bien jusqu'en avril 1968. On devint de plus en plus autonomistes dans le journal. Alors Yvon Bourges me fait licencier. Pour protester, j'ai écrit une " tribune libre " dans *Le Monde* titrée : " Pour qui sonne le glas. " Jean Boissonnat l'a remarquée. Et le 1er mai 1968, il m'a embauché à *L'Expansion.* J'ai continué à militer dans les mouvements bretons, au Front de Libération de la Bretagne. Le 3 janvier 1969, j'étais arrêté et emprisonné six mois à la Santé. Par chance, Georges Pompidou ayant été élu président de la République, j'ai bénéficié d'une amnistie en juillet. Je ne suis pas retourné à *L'Expansion* mais à *La Vie catholique*. Je ne pouvais plus entrer dans la grande presse. »

Jusqu'en 1977, Jean Bothorel est ainsi resté en dehors du microcosme, défendant ses idées « bretonnantes ». Devenu porte-plume de Pierre Mendès France, il lui fallait attendre que s'ouvre une porte pour arriver dans le microcosme. Quand *Le Matin* s'est constitué, allait-il rater pareille occasion? « Mendès a parlé de moi à Claude Perdriel. Dans la préface de *Choisir*, Mendès avait pris soin d'indiquer que je n'étais pas de gauche, je suis quand même devenu éditorialiste du *Matin de Paris*. »

Comment concilier cet esprit gaullisto-breton avec l'écriture d'éditoriaux dans ce journal? « Je faisais ces éditoriaux en technicien de l'éditorial. Car je ne devenais pas de gauche pour autant. D'ailleurs, au début, ces éditoriaux étaient anonymes, puis je les signais. Ils étaient toujours fabriqués comme il faut. Je n'étais d'ailleurs pas giscardien non plus. Je n'ai pas vraiment tourné ma veste. Je peux même dire que j'avais pour moi ma conscience. Par exemple, alors que *Le Matin* était plutôt rocardien, j'étais le seul à écrire que François Mitterrand serait élu en 1981. Et je n'avais pas de liens d'amitié avec des hommes de pouvoir. Je n'ai jamais tutoyé Pierre, Paul ou Jacques. Je considère que l'on n'est pas de la même famille. »

Il n'a pas de conscience, dites-vous? À moins qu'au contraire, il ne soit la forme exacerbée de la professionnalisation journalistique et de la nécessaire circulation de l'élite. Voilà qui expliquerait la défense par Jean Bothorel de l'indépendance du journalisme. Indépendance dont la contrepartie est bien la soumission volontaire à l'esprit qui organise le média, c'est-à-dire à l'esprit de la médiacratie régnante. Le mercenaire ne trouble pas la règle de la concurrence : il la dit.

Le client paraît disposer mais seul le roi séducteur propose. Y compris par l'intermédiaire de ses mercenaires.

La responsabilité du médiacrate dans cette rencontre imprévue est totale. Si cela marche, c'est alors le sacre. Le sacre d'un style qui peut durer longtemps, comme celui de Roger Gicquel par exemple. Le temps d'un sentiment, d'une confiance qui ressemble étrangement – nous y reviendrons – à celle d'une doña Elvire pour Dom Juan.

Ainsi, les médias positionnent leur style en fonction prioritairement de la concurrence entre cités médiatiques. Le marché sanctionne : il répond positivement lorsque le style du média est en corrélation avec ce que les individus ressentent.

Si le jeu séducteur du médiacrate doit un peu à l'esprit de géométrie – à ces analyses des sondages sur les consommateurs en particulier – il doit surtout à l'esprit de finesse. Quant à la connivence, lorsqu'elle se cantonne dans une solidarité négative, le médiacrate n'a guère à craindre. À l'inverse, lorsqu'elle pousse à l'abandon des différences, à la fermeture du sommet sur lui-même, la chute n'est pas loin : le dieu Opinion publique sanctionne.

3. BRÈVE TYPOLOGIE DES CITÉS

On peut tenter de construire une typologie des cités en fonction de la posture adoptée par les médiacrates face au jeu concurrentiel. Tentent-ils de fermer leur média, de réaliser la connivence sur leur domaine? Ils devront gouverner selon le principe de peur comme on le voit dans les cités despotiques. Rêvent-ils d'un monde vertueux? La République risque de voir emporter sa vertu vers le magnétisme despotique. Acceptent-ils le monde moderne? La monarchie s'impose, même si elle n'est pas toujours aussi éclairée qu'on le croit...

La cité despotique

Ici, la médiacratie régnante laisse se développer une stratégie d'affrontement fort, peu adaptée à la recherche de la performance mais apte à répondre aux ambitions de ceux qui ont une personnalité autoritaire, qui veulent que les vassaux restent fidèles, que la connivence, contre vents et marées, demeure.

FR3 a réalisé au mieux cet idéal. Écoutons G. : « Depuis des années, c'est la stratégie de la terreur. Quand François Mitterrand a été réélu président de la République en 1988, on s'est dit que cela allait s'arrêter. Pas du tout. René Han, P-DG nommé par Jacques Chirac, a décidé, pour préserver son poste, de faire le grand ménage. Il a jugé qu'il serait prudent de déclasser Gérard Saint-Paul, alors directeur adjoint, pour avoir les faveurs du nouveau pouvoir. Appuyé par des journalistes SNJ et CFDT, il a fait valser les étiquettes et les gens. Ce fut la guerre. Jacqueline Alexandre a été remplacée par Philippe Dessaint, les services ont été supprimés... »

Sanction après cette suppression des « corps intermédiaires » : une bureaucratisation ascendante et une déresponsabilisation totale. Quand Yasser Arafat arrive dans la cour de l'Élysée pour une rencontre officielle – donc historique – avec François Mitterrand, pas une caméra de FR3 dans la cour. Quand Mikhaïl Gorbatchev renvoie 110 dirigeants communistes : rien. L'affaire Rushdie? une « brève », un « bonbon » comme dit le microcosme, de 15 secondes. Le dimanche 26 février 1989, un attentat contre le British Council remue-t-il toute la presse? L'information n'est pas même donnée. Roger Fauroux annonce-t-il qu'à côté de l'affaire de la Société Générale, celle de Pechiney ce n'est rien du tout? Pas d'échos du côté de FR3.

C'est dans le despotisme que la médiacratie devient cette « médiocratie » que stigmatise Régis Debray dans *Le Pouvoir intellectuel en France.* Que dire des prestations d'un responsable qui a demandé : « Qui est Hu Yao Bang? »... alors que depuis une semaine (avril 1989), la presse était remplie d'images des dizaines de milliers de Chinois qui manifestaient autour de la dépouille de ce dirigeant communiste « libéral » écarté de la direction en 1987! « Un jour, poursuit G., un technocrate est désigné P-DG de la chaîne. Il visite nos locaux. On lui présente le matériel, notamment les véhicules HF, c'est-à-dire haute fréquence. “ Voilà devant vous les voitures HF. – Ah bon, répond-il, les chefs ont des voitures? ” L'incompétence est inimaginable. Ainsi en 1989, un reporter vient proposer à Joël Dupont rédacteur en chef une enquête originale et difficilement obtenue : “ J'ai enfin eu l'autorisation de filmer des enfants atteints du sida, me permettez-vous d'y aller? – Oh, vous rigolez. Des enfants atteints du sida, cela n'existe pas! ”, réplique Joël Dupont. Lorsque la pilule abortive est sortie sur le marché, le même reporter propose de réaliser un film. Le rédacteur en chef dit : “ Non, laissez, j'en ai déjà un. ” A 16 heures, toujours pas de film. 17 heures enfin : le rédacteur en chef rayonnant propose sa trouvaille venue directement de Nancy : “ Tenez, vous n'aurez plus qu'à mettre les paroles. ” Le reporter visionne le film. Stupeur : c'est un film sur la fécondation in vitro. Il va voir le rédacteur et lui explique : “ C'est le contraire, voyez-vous. Là il s'agit de procréation artificielle; avec la pilule abortive, il s'agit d'avortement. – Comment? mais cela ne fait rien! Vous n'avez qu'à mettre des paroles. Vous commenterez en parlant de cette pilule, voyons. ” Refus. Le rédacteur en chef le fait convoquer chez Gérard Decq pour que son refus soit sanctionné. La hiérarchie recule, craignant une révolte des troupes. Le lendemain, pour une petite histoire d'incrustation, les responsables se vengent de la rébellion de la veille : “ Vous avez une semaine de mise à pied. ” Pression. Un syndicat fait son travail, et voilà la mise à pied levée. Néanmoins, le journaliste sera interdit de tournage durant quelques jours... »

Dans ces cités, la tentation bureaucratique est poussée à son paroxysme. La forte division du travail ne permet-elle pas les placements de « copains »? Le médiacrate ne peut-il distribuer autour de lui dividendes, honneur, espace, temps et argent afin d'assurer la fidélité de ses troupes? Après tout, la division du travail laisse un large champ d'intervention possible. Effets pervers : comme le rapporta Bernard Veillée-Lavallée à propos de *France-Soir :* « On raconte toujours cette histoire qui aurait pu être vraie. Un jour, un lion qui s'était échappé d'un zoo, recherché par toute la police, débarque dans le secret à *France-Soir.* En toute liberté, il déambule dans les couloirs. Chaque jour, il mange un rédacteur en chef. On a mis un an avant de s'apercevoir de la présence de l'animal. » La machine devient inefficace et... incontrôlable. Le corollaire de ces placements, ce sont bien entendu les... déplacements. A cet égard, la stratégie bureaucratique atteint son point paroxystique avec « la tactique du placard » qui consiste à payer quelqu'un en le plaçant dans une position où il ne puisse agir.

Derrière cette violence diffuse et cette bureaucratie, le médiacrate cache, de l'audiovisuel à l'écrit (*L'Express* de Pigasse, *Le Figaro* de Max Clos...) sa terrible faiblesse. Dans ce cadre despotique, et seulement dans ce cadre, le philosophe Éric Fromm n'avait pas tort de penser : « L'aspiration au pouvoir n'est pas le fils de la force mais l'enfant abâtardi de la faiblesse. » Au fond, sa violence le montre, il ne veut qu'une chose : être obéi. Il rêve d'un discours « perlocutoire » qui n'ait plus besoin de l'adhésion d'autrui. En refusant ainsi l'argumentation et la séduction, il nie l'existence même de l'altérité. Une existence que pourtant il est contradictoirement contraint de reconnaître : d'où la violence dans un monde supposé afficher le primat de la communication.

La monarchie autoritaire

Ici, la stratégie d'affrontement est « soft ». Cette situation naît presque toujours d'un dérèglement des monarchies éclairées, qui survient en général quand le charisme d'un médiacrate est affaibli par la concurrence d'un autre journaliste. Un seul exemple suffira.

Durant quinze mois, Albert du Roy va désespérément tenter l'opération rénovation du *Nouvel Observateur :* « Je ne me suis jamais totalement senti à l'aise au milieu des rapports amour-haine entre Hector de Galard et Jean Daniel. J'ai rapidement eu le sentiment que le second se servait de moi contre le premier. Jean Daniel m'avait séduit en me disant : “ Il y a tout à faire. Vous avez carte blanche. ” Mais lorsque je me suis retrouvé sur place, il m'a empêché d'agir. Il était le vrai patron. Les luttes de clans étaient d'une redoutable vivacité. Partout, des féodalités. Les soirs de bouclage étaient vraiment terribles. La partie “ actualité ” débutait dans le journal par un éditorial de Jean Daniel. Mais quelques heures avant le bouclage, on ne savait pas sur quel thème allait porter le papier et quelle place il prendrait. Cela paralysait la rédaction. Y avait-il une page, y en avait-il deux? Traitait-il de mon thème ou de celui du voisin? Jean Daniel était une sorte de dieu. Souvent, on a découvert qu'il savait depuis quelques jours déjà ce qu'il allait écrire. Mais, sans doute pour assurer son pouvoir, il voulait nous faire attendre. Hector de Galard faisait de même : il ne montrait pas à Jean Daniel les papiers qu'il avait sur son bureau. Il les empilait et attendait que dieu donne son ouvrage. Il ne lâchait les papiers que lorsque Jean Daniel était parti chez lui. Finalement, j'en ai eu assez. Je suis parti. »

La violence, plus feutrée qu'à FR3, oppose avant tout les médiacrates entre eux : Jean Daniel contre Hector de Galard, puis contre Franz-Olivier Giesbert, enfin contre Laurent Joffrin. L'enjeu? Devenir calife à la place du calife. Ainsi, lorsqu'une partie de la rédaction « doute » en été 1990, on dit Jean Daniel plutôt satisfait. Depuis la une du *Nouvel Obs* sur Bernard Tapie (présenté comme prétendant au trône de France), imposée par Laurent Joffrin, les jeux ont repris. Laurent Joffrin ne maîtrise plus tout à fait les « covers », il doit transiger. « Jean Daniel impose des titres à rallonge et il l'a attaqué par une intervention dans la presse extérieure », affirme un journaliste de l'*Obs*. Le numéro 1 verse de l'huile « de gauche » sur le feu. Il ne règne plus tout à fait mais, de Sainte-Hélène, il continue à incarner une certaine légitimité.

Dira-t-on qu'une telle stratégie désigne l'impuissance, qu'elle masque la peur? On aura raison. Rien à voir pourtant avec les manœuvres utilisées dans les cités despotiques où l'affrontement est le style sans style des lâches, l'arme de ceux qui ne peuvent recourir au professionnalisme pour s'imposer. La stratégie de monarchie absolue est plutôt la réaction de défense des Grands qui voient, inexorablement, leur pouvoir menacé alors qu'ils ont encore, indéniablement, leur mot à dire sur le monde comme il va...

La monarchie éclairée

L'esprit moderne de la presse est tout différent. Des planètes esseulées aux empires (Hersant, Bouygues, Hachette, Bayard...), les cités sont de plus en plus souvent organisées selon des régimes de type « monarchie éclairée ».

Au sommet de chaque armée : un homme, un seul. Le principe : pour tout orchestre, un seul chef d'orchestre; pour imposer une marque, un seul style.

Pas d'affrontement ouvert ici. Pas de serfs. Parlant de PPDA sur TF1, G., un chef de service, dit : « Il ne commande pas, il tourne la chose de telle sorte que l'on se dit, si on ne la lui donne pas, on ne sera pas son copain, alors on lui cède. » C'est ce qui explique la puissance des services dans les machines télévisées comme TF1 : « On ne fait pas ce que l'on veut avec les services », dit Philippe Madelin (TF1). Comme le rapporte Sylvain Gouz : « Je suis souvent au départ des sujets. À l'arrivée, je les visionne mais comment agir si cela ne me plaît pas? Je pense quelquefois que le gars aurait dû parler d'autre chose, mais c'est réalisé et, le plus souvent, il est difficile de recommencer. Comme rédacteur en chef, mon pouvoir est beaucoup plus limité qu'on ne peut le croire. D'ailleurs, les générations actuelles ne supporteraient pas un pouvoir qu'ils apparenteraient à celui des “ petits chefs ”. Ceux qui croient différemment se trompent complètement. »

De la même façon, Olivier Mazerolle sur RTL décide en raison de l'autonomie relative des services et des tensions internes. Les programmes sur RTL doivent-ils se transformer pour répondre à la concurrence d'Europe 1 (du côté de l'information) et de NRJ (du côté de la musique)? « Les changements se font à dose homéopathique, grâce à Philippe Labro, notre directeur des programmes qui œuvre pour un changement dans la continuité » dit Renaud de Clermont-Tonnerre.

Tout s'y joue en vérité selon un principe : l'honneur. Jamais PPDA, Bruno Masure, Jean-Pierre Pernaut, Jean-Claude Narcy n'ont, d'après les témoignages, manqué à leur parole. Sur RTL, la confiance en Olivier Mazerolle, Philippe Labro et Jacques Rigaud (P-DG) est tout aussi grande. Sur La Cinq, six journalistes de base interrogés sur Jean-Claude Bourret le qualifient prioritairement par des références à l'honneur : « C'est un gars qui tient parole », « On peut lui faire confiance, c'est un homme d'honneur », « Quand il promet il promet », « Il renvoie toujours les ascenseurs », « Il n'est pas homme à te tirer dans le dos, il fait tout à la loyale », « Je l'aime bien parce que dans notre profession, ce n'est pas si courant un mec droit comme lui »...

Naturellement règne aussi et surtout l'ambition, compagnon de l'honneur depuis des temps immémoriaux. Inquiétante pour les républiques, pourchassée dans le despotisme, elle est appelée dans ce monde de concurrence. Avec elle, s'impose l'autonomie laissée à chaque fief dans les royaumes (comme celle du 13 heures, du 20 heures, d'« Ex-libris »... sur TF1), à chaque royaume dans les empires (comme celle du *Figaro,* de *France-Soir*... « chez » Hersant). Sans cette autonomie, quel intérêt pourraient bien avoir les places au sommet? La grande ambition a besoin de proies qui soient à sa taille. « Jean-Pierre Pernaut est plutôt porté sur les sujets de " vie quotidienne ", d'écologie, mais pas sur certains faits divers à grand spectacle comme l'histoire du petit Raphaël » dit Patrick Richard. « Depuis trois ans, il y a eu des affaires d'enlèvement d'enfant, je refuse d'en parler » confirme Jean-Pierre Pernaut. « Il se contente de dégager en touche quand un sujet ne lui plaît pas, sans méchanceté mais avec fermeté », renchérit Alain Darchy. PPDA-Géraud donnent quant à eux une plus grande importance au présentateur et à ses commentaires. De la même façon, à RTL, les quatre éditorialistes sont libres de leur style. Marc Ulmann, Philippe Alexandre, Jean-Yves Hollinger et Philippe Caloni jouent leur propre partition sur leurs fiefs.

Comment s'exerce la domination dans les fiefs? Plus qu'à la répression, ces entreprises modernes fonctionnent au consentement. Voilà pourquoi les médiacrates doivent d'abord être de grands séducteurs. Le donjuanisme couve en ces lieux. La raison majeure? La recherche de l'efficacité. Comme le dit Jean-Claude Narcy, « la difficulté est de faire travailler des gens qui sont là depuis 9 heures du matin quand on fait le journal télévisé de la nuit. Il y a des spécialistes qui travaillent du matin au soir. S'il y a une information de première grandeur, je dis à Bromberger par exemple : " Il faut que tu continues. " Il arrive à Gérard Carreyrou de travailler au 13 heures, au 20 heures, au 23 heures. Il faut stimuler la rédaction, faire sentir la nécessité pour le journaliste d'être là ». Disons-le d'un mot, surtout lorsqu'il s'agit des « grandes plumes » : il faut charmer.

En général, les journalistes acquiescent. D'autant qu'ils croient en la légalité des demandes et en la légitimité des titres de ceux qui parlent. Paul-Jacques Truffaut, chef du service de politique intérieure de RTL, tout comme les présentateurs – Jacques Esnous, Jean-Jacques Bourdin, Henri Marque, Jacques Chapus, Jean-Pierre Defrain, Jean-Pierre Tison – acceptent les exigences d'indépendance et de niveau intellectuel élevé demandées par Philippe Labro, même si la ménagère de trente-cinq à quarante-neuf ans est la cible privilégiée de leurs interventions. La ruse l'emporte sur la force. Ou plutôt, elle est la forme que prend la force.

Les rapports de forces existent, bien entendu. La hiérarchie peut sanctionner. Guillaume Durand l'apprit à ses dépens : « Un jour, je me trouvais en Irak, en reportage pour Europe. Ce que j'avais envoyé avait bien plu à la direction, conduite alors par Étienne Mougeotte. Mais j'en avais assez d'être en Irak. Ce n'était pas très gai. Je suis rentré à Paris sans demander l'autorisation. J'arrive. Étienne Mougeotte venait de faire mon éloge quelques heures auparavant. Tu imagines sa tête quand il m'a vu débarquer! Cela a bardé. » Pourtant, Guillaume Durand ne fut pas éliminé, ce qui aurait été la sanction dans un monde despotique. Il ne retourna pas à la base sous prétexte d'avoir manqué à la vertu, ce qui aurait été la sanction en République. On lui fit jurer de ne plus recommencer. Ce qu'il fit : « Je me suis vite rendu compte qu'il y a des règles professionnelles et qu'on ne peut tous faire n'importe quoi sous prétexte que cela nous plaît. » La sanction n'est pas impossible mais elle est rare et mesurée. Le journaliste intègre en lui la loi commune. La stratégie est d'abord dissuasive.

Même un Michel Polac aurait pu rester sur TF1 s'il avait accepté l'esprit de la cité monarchique... mais Michel Polac tira. Il refusa la stratégie de séduction et de dissuasion, le jeu concurrentiel « moderne ».

Les cités républicaines

Les « républiques aristocratiques » sont gouvernées par « les meilleurs ». Elles fonctionnent selon un principe : la vertu. Celle-ci s'exprime dans la presse sous les auspices du respect de la hiérarchie, de l'amour de la cité et du dévouement à l'information. Il y a du sacerdoce ici. Ou un simulacre de sacerdoce.

La domination trouve sa légitimité dans la tradition. Ainsi, *Le Monde* célèbre ses ancêtres, quoique l'attachement sentimental des jeunes journalistes soit devenu bien réduit, surtout depuis ce mois de décembre 1990 qui vit les actionnaires, emmenés par Alain Minc, refuser la candidature de la rédaction (Daniel Vernet) au poste de directeur-gérant. Comment pourrait-il en aller d'une autre façon alors que les grands du *Monde* ne sont plus les fondateurs? Néanmoins, la tradition a longtemps été respectée et il en reste quelques traces.

La concurrence aristocratique est organisée et contrôlée par les chefs de guerre selon des règles connues de tous. Comme le dit Daniel Vernet : « Dans une rédaction où il y a environ 200 journalistes, le problème, c'est l'équilibre des pouvoirs. Il faut faire en sorte que la compétition soit canalisée par des règles qui s'appliquent à tout le monde. Il ne faut arbitrer que lorsque cela s'impose. On a un peu simplifié l'organigramme. Oui, c'est vrai, la hiérarchie est très forte. Il faut trouver l'équilibre entre le pouvoir de la haute hiérarchie et celui des chefs de service, traditionnellement forts ici car *Le Monde* est un journal de spécialistes. » N'en doutons pas : la lutte au sommet est féroce, à la mesure de l'enjeu de pouvoir. Mais la vertu pose une borne. La finalité affichée doit être le bien de la cité, elle-même tout entière destinée, officiellement, à l'information.

Un tel esprit peut-il survivre dans une entreprise de presse moderne? *Le Monde* se transforme trop profondément pour croire qu'il tardera à rejoindre les monarchies éclairées. La bataille autour du choix du directeur-gérant l'a montré : pour la première fois, ce poste a été confié à un homme étranger au sérail, Jacques Lesourne. Un seul journal paraît résister au mouvement général : *Le Canard enchaîné*. Son caractère artisanal y est pour beaucoup. Pour les autres médias, la modernisation et la nécessité d'affronter la concurrence appellent l'ambition plus que la vertu, le recentrage vers un pôle unique de pouvoir plus qu'une aristocratie, un jeu de dissuasion pour régler la concurrence interne plus qu'un réseau d'amitiés.

Il existe également des « républiques démocratiques ». La vertu est encore le principe de gouvernement, poussée jusqu'au bout. Et comme au bout de tout engagement, il y a toujours beaucoup d'hypocrisie, le jeu consiste à dissimuler son statut d'élite, à simuler le désintérêt, à défendre bec et ongles ses privilèges. Autant de conditions pour prendre et conserver les positions de pouvoir les plus hautes sous le patronage d'un médiacrate régnant qui, fort de son sabre, brandit le goupillon. À l'horizon : la tentation despotique.

Suivons l'itinéraire de Laurent Joffrin. Secrétaire de la Jeunesse socialiste au moment de la crise de l'union de la gauche, membre du courant Chevènement au PS, il arrêta tout militantisme en entrant au CFJ. Sorti de l'école, il se retrouve à l'AFP, puis à *Forum international*, enfin à *Libération*.

« On a créé le service économique avec Pierre Briançon. Serge July avait un projet de transformation symbolique du journal, concrétisé par la nouvelle maquette et un point de vue critique de la gauche. Il voulait doubler la gauche sur sa droite. Le service économique était stratégique car on injectait du libéralisme. Je prenais des positions virulentes. Par exemple je disais : “ Il faut accepter la hiérarchie des salaires. ” Nous étions l'aile moderniste, “ tapiste ” disaient les méchants... On trouvait que Serge July n'allait pas assez vite, mais c'était utile pour lui d'avoir une droite. C'était une sorte de “ deal ”. Au bout de deux ans, j'ai mis en place un plan d'informatisation. Je suis devenu grand reporter, puis j'ai pris la direction du service “ société ” avant de devenir éditorialiste. Finalement, j'étais bien à *Libération*. Et puis on avait une belle vue du dernier étage (rires). Mais je n'ai pas hésité à partir quand on m'a proposé d'être directeur à l'*Observateur.* »

Tentation despotique? « *Libération* vit sous la loi du bonapartisme révolutionnaire, précise P. L'empereur Serge July, un empereur radical-socialiste, règne. L'esprit de famille était très fort. On répétait souvent la même scène, un théâtre de la cruauté. C'était le théâtre maoïste, avec son masochisme interne. Laurent Joffrin s'en tirait bien. Les assemblées générales étaient quelquefois très violentes. Il fallait avoir les nerfs solides. »

Nous ne sommes pas ici dans la simulation. La guerre pour le pouvoir n'est pas une guerre pour rire. Carrière, travail, équilibre psychique même sont en cause. Si Laurent Joffrin en réchappe, il n'en va d'ailleurs pas de même pour tous. « Lorsque M. est nommé chef du service économique de *Libération* vers 1988, il croit tenir son bâton de maréchal poursuit P. Mais dans un système bonapartiste, personne n'hésite à tirer sur les états-majors, Serge July sachant que lui en réchappera toujours. On ne faisait pas dans la dentelle... Trois mois après sa nomination, M. a eu une dépression nerveuse. D., qui a réinventé le traitement des sports, a vécu une expérience similaire. Fin 1987, on a reçu par courrier un article qui reprenait à son compte les thèmes " révisionnistes " de l'historien Faurisson, qui niait l'existence des chambres à gaz. Le service, qui n'a pas fait trop attention, a publié le texte. Dans sa " bulle ", Serge July a alors décidé de faire une sorte de " cour de justice insurrectionnelle " dans le but également de faire des réformes. Une habitude du journal. La cour comprenait Dominique Pouchin, Marc Kravetz, Jean-Michel Helvig, Serge July et le gars du service des sports. C'était une manifestation typique de bureau politique gauchiste. Jusqu'à décembre 1987, l'hystérie a monté. D'autant qu'il y avait des problèmes financiers en même temps. Les débats se sont amplifiés. Un peu sur tout. Tout le monde se demandait s'il allait être accusé et être victime d'une charrette. Quelques-uns des meilleurs journalistes ont préféré partir. Alors que la campagne présidentielle battait son plein, *Libé* a continué à vivre en demi-crise. Aucun des problèmes réels du journal n'a finalement été réglé. »

Demande-t-on à Laurent Joffrin ce qu'il pense de l'atmosphère du *Nouvel Observateur* par rapport à celle de *Libération?* « Il suffit que quelqu'un ici élève la voix pour que l'on dise " c'est la crise ". Lorsque je revois des anciens de *Libération* qui sont allés dans d'autres journaux, ils me disent toujours : " C'est étonnant comme les gens sont très gentils ailleurs. " »

Pourtant, si tout cela s'apparente par bien des aspects au « despotisme oriental », les qualités propres aux médiacrates qui réussissent sont spécifiques. Être lâche est impossible : « Si tu ne fais rien, tu te fais abattre », dit Alexandre Adler. Sous couvert de vertu, il faut créer des réseaux, faire des alliances, contrôler son discours, donner quelques références obligées... Bref : être un démagogue. Et ne l'est pas qui veut.

Plus encore, sous peine d'être renversé rapidement, il faut montrer une réelle compétence. Alors qu'il était seulement simulé dans l'orientalisme, il faut enfin un charisme véritable : celui du grand manipulateur du jeu.

Le médiacrate qui voudrait appliquer dans une cité les recettes qui lui ont réussi ailleurs est au bord du gouffre. Il ne faut surtout pas oublier que l'ordre imposé dans chacune des cités est instable, jeu et enjeu des luttes. Les intrigues des princes mettent par bonheur du désordre dans les univers les plus connivents.

IV

LA BOURSE OU LA VIE : LE PIÈGE ÉCONOMIQUE

1. LE MÉDIACRATE ET SON PROPRIÉTAIRE

7 h 55, un jour de juin 1988 : le comité exécutif de TF1 se réunit comme tous les mardis matin. Il doit commencer à 8 heures. Yeux et voix de Francis Bouygues, le propriétaire des sols, Patrick Le Lay arrive. Événement curieux, il n'entre pas. Il se renseigne. Christine Ockrent est-elle là? Arrivée un peu en avance, « la reine » est déjà installée dans la salle. Il l'appelle. Elle sort et le rejoint dans le couloir. Discussion brève. 8 heures : Christine Ockrent entre à nouveau. Sans un mot, sans un sourire, sans un regard, debout, elle range ses affaires. Du coin de l'œil, les présents l'observent, interloqués. Il y a là Jean-Claude Paris, Renaud Girard – qui ne savent pas encore la trappe ouverte sous leurs pieds – Étienne Mougeotte, Anne Sinclair, Michèle Cotta, le responsable de la publicité et le directeur de la communication. La directrice générale-adjointe de TF1 sort. 8 h 05 : Patrick Le Lay annonce aux participants : « J'ai demandé à madame Christine Ockrent de ne pas assister à ce comité. Dorénavant, elle n'en fait plus partie. » Il se tourne vers Renaud Girard : « Quel est l'ordre du jour, Renaud? » La réunion se poursuit normalement. Le « capital » venait de frapper...

Les rois peuvent tout autant être victimes de ce glaive. En 1987, ils furent neuf députés qui s'en allèrent, vaillants, se plaindre à la direction de l'empire TF1. Ces nobles parmi les nobles, légitimement investis dans leurs fiefs, cautionnés par leurs électeurs, avaient été victimes d'un roi aux origines roturières. Michel Polac avait osé leur manquer de respect. Retirez-lui son royaume, ce « Droit de réponse » qui nous vaut l'irrespect, proclamèrent-ils. Devant les hésitations des patrons de l'empire, ils saisirent la CNCL, une institution sensible aux difficultés des hobereaux. Notre roi provocateur en avait vu d'autres. Le 12 septembre, pour s'en gausser, Michel Polac reprend les accusations de Bouygues contre la CNCL : il l'accuse de distribuer des cadeaux à La Cinq. Et puis, il en profite : il se fait l'écho des accusations d'une radio (Larsen-FM) qui proteste contre les complicités qu'il y aurait eu au sein de la CNCL pour le partage des ondes. Le dessinateur Plantu y va même de ses croquis; on s'amuse bien sur les diagonales du plateau. La CNCL, presque outragée, exige des sanctions face à cet odieux crime. Le 17 septembre, Francis Bouygues déclare : « La liberté d'expression a ses limites. »

Nullement impressionné, le roi Polac, la semaine suivante, poursuit son petit bonhomme de chemin. Aurait-il voulu se soumettre qu'il est permis de douter qu'il y serait parvenu. Le voilà donc à présent qui s'intéresse de près au pont de l'île de Ré, construit par l'entreprise Bouygues, sans permis de construire paraît-il. Il évoque, documents à l'appui, les pratiques courantes de versement de pots-de-vin dans le bâtiment. Le dessinateur Wiaz, à son tour emporté par l'air des diagonales, n'y tient plus : il fait dire à Francis Bouygues qu'il dirige « une télévision de m. ». Les risques de dérapage du direct... Peut-être une tentation suicidaire. En tout cas la procédure de licenciement est lancée.

Écoutons le plaidoyer de Michel Polac : « J'ai toujours réussi à passer outre aux pressions politiques avec cette émission. Le P-DG jusqu'à présent résistait avec nous. On a d'abord retardé mon émission. Puis il y a la CNCL et l'affaire du pont de Ré. J'avais pourtant indiqué au départ que je considérais que l'actionnaire principal ne devait pas être tabou. Francis Bouygues avait spécifié : “ Vous pourrez même parler des affaires de Bouygues. ” Patrick Le Lay me l'avait confirmé à l'antenne. Le dessin de Wiaz fut un prétexte pour faire sauter l'émission. Maintenant, il y a certains confrères qui disent qu'il ne fallait pas cracher dans la soupe. Il y a une série de journalistes qui tombent ainsi dans la malhonnêteté intellectuelle. Anne Sinclair est allée jusqu'à dire dans une émission : " Quand on n'est pas d'accord avec son patron on s'en va. " Je trouve cela... enfin bon. J'avais dit publiquement que je ne pouvais rester dans une entreprise privée que si les " intérêts de l'actionnaire principal dans les autres entreprises ne limitaient pas notre liberté d'expression ". Je pensais que si je ne parvenais pas à passer ce cap, je ne pourrais pas non plus diffuser mon émission programmée sur les ventes d'armes. Personne dans l'équipe ne pensait que Francis Bouygues enverrait chez moi un télégramme pour me licencier. »

Une puissance qu'un patron a détruite, un autre patron peut la restaurer. « Les dirigeants d'A2 ont fait croire qu'ils allaient embaucher Michel Polac, dit Frédéric Gilbert. Mais il n'en était pas question. Ils organisaient une sorte de cache-cache. Élie Vannier a rencontré Michel Polac et ne lui a rien proposé de précis. Il faut dire que Claude Contamine faisait partie de l'équipe qui l'avait renvoyé en 1971. Il n'y a pas eu de propositions de FR3. Sur La Cinq, il n'en était pas plus question : Michel Polac avait passé une grande partie de son temps à combattre Robert Hersant. C'est finalement Marin Karmitz, celui qui a produit *Bagdad Café*, actionnaire de M6 et de *Libé* qui lui a dit : " Voulez-vous que l'on monte une émission ensemble? " Cela a marché. Michel Polac m'appelle. Le 25 novembre, nous sortons " Libre et change ". L'investigation me manquait mais nous avions une paix royale. Marin Karmitz n'est jamais intervenu. » Même cause, mêmes effets : M6 ayant l'intention d'arrêter, Michel Polac a pris les devants et a annoncé sa retraite.

La télévision dit la règle des rapports de la presse avec son patron, privé ou public. C'est ainsi que dans le groupe Hersant, une même formule revient sans cesse : « Robert Hersant intervient peu mais on sent partout sa présence. » Jean Bothorel précise : « Robert Hersant a compris qu'il était le pouvoir en termes de symbole. Il est dans la tête de tout le monde. Peu de gens pourtant l'ont vu. Je ne pense pas que depuis un an il ait un contact direct dans la maison. Avant, Charles Rebois passait les instructions. Plus ou moins rapidement. On était ainsi convenus d'attendre vingt-quatre heures avant de parler du dossier sur le passé de Le Pen. Max Clos? On sait seulement que Robert Hersant piquait des colères quand il lisait ses éditoriaux, mais il n'avait guère de contacts avec lui. Vis-à-vis de moi? J'avais fait chez Albin Michel une *Lettre ouverte aux 12 présidentiables,* en septembre 1984. Il avait été prévu que le *Figaro-magazine* fasse une couverture. Jean-Marie Le Pen a été mis au courant, je ne sais comment. Il n'avait pas apprécié son portrait. Il serait intervenu pour que l'on ne parle pas de mon ouvrage. Dans tout le groupe Hersant, sauf *Presse-Océan* car la consigne est arrivée trop tard, cela a été le silence sur mon livre. » Consigne? Il est peu probable que Robert Hersant soit lui-même intervenu dans cette affaire. Il n'hésitera pas, en revanche, à faire du *Figaro* une machine électorale au service de Jacques Chirac lors du second tour des élections présidentielles de 1988.

L'élite journalistique est-elle condamnée à la connivence avec la logique d'entreprise pour assurer son salaire et sa carrière?

Le syndrome Kahn

« Les journalistes affirment toujours : " Moi, je n'ai jamais subi de pression " indique Dominique Jamet. Mais c'est surtout parce qu'ils anticipent souvent, c'est l'autocensure. À tout moment le journaliste doit bien faire des compromis avec le patron. À *L'Aurore,* quand Robert Hersant a mis la main sur le journal, les journalistes justifiaient leur présence en disant : " Il faut bien que je gagne ma vie. " Et c'est vrai. Si un journaliste communiste quitte *L'Humanité,* il peut dire adieu aux quotidiens. La raréfaction des titres rend prudent. Un journaliste de province qui vit dans une région où il n'y a qu'un seul quotidien, par exemple *Ouest-France,* doit se taire. Quant à moi, je n'ai jamais usé de la rubrique des médecins ou des pharmaciens quand j'étais au *Quotidien de Paris.* Pourquoi?

Parce que ce quotidien dépendait du *Quotidien du médecin* pour son financement, donc des médecins. Si j'avais fait une critique, le patron aurait crié " au fou " et l'on n'aurait pas passé l'article. »

La raréfaction des titres? Il y avait 80 quotidiens nationaux en 1914, 28 en 1946 et... 11 en 1988. Se retourner vers la presse quotidienne locale ou régionale? Il ne faut guère y compter : 242 quotidiens en 1914, 175 en 1946 et... 65 en 1988.

La situation est certes moins désespérée que le microcosme ne veut bien le dire : le journalisme de proximité (presse quotidienne locale et régionale et télévisions locales) et le développement d'une presse spécialisée, aussi bien écrite qu'audiovisuelle, permettent bien des atterrissages.

Seulement voilà : cette presse ne produit pas de médiacrates. Entre la direction d'un journal de loisirs et celle d'un « news » ou d'un magazine télévisé, de Denis Jeambar à Bernard Rapp, la réaction est unanime : l'argent ne fait pas le... bonheur. Pour conserver ses pouvoirs, faut-il donc se taire?

« Il y a des limites, précise Dominique Jamet. J'ai travaillé durant six mois à *L'Aurore* après que Robert Hersant l'avait racheté. J'avais deux colonnes tous les jours. J'écrivais ce que je voulais. Bien sûr, il ne m'est jamais venu à l'idée d'écrire : " Que faisait monsieur Hersant durant la guerre? " Cela a duré jusqu'au moment de l'" affaire des diamants " de VGE. J'ai écrit un article pour en parler. L'Élysée a émis une " vive protestation " adressée à Robert Hersant. Celui-ci est venu me voir et, dans une conversation amicale, il m'a dit : " J'ai oublié de vous dire que lorsque cela concernait la vie du président, il ne fallait rien écrire. " Je lui ai répondu : " Je ne suis pas d'accord. " Cela se passait dans son bureau au *Figaro*. " Vous choisissez ", me dit-il. J'ai choisi. Je suis parti. »

Il y a ainsi des moments où le grand journaliste préfère se démettre que se soumettre. Jean-François Kahn détient, de ce point de vue, le record toutes catégories des évictions et des départs fracassants.

Il commence par démissionner pour des raisons déontologiques de *Paris-Presse :* « La façon dont était couvert le conflit algéro-marocain était vraiment inacceptable. » On venait de censurer un de ses articles. Il abandonne un peu plus tard son poste d'envoyé spécial permanent du *Monde* parce qu'il n'était pas couvert par la Sécurité sociale (alors que son épouse attendait un enfant). Il entre à *L'Express.* Tout va bien... jusqu'au moment où Jean-Jacques Servan-Schreiber, alors propriétaire, veut devenir homme politique. Jean-François Kahn raconte : « Un jour, Grumbach m'a convoqué. J'habitais à Antony : " Vous êtes un des meilleurs journalistes de votre génération; me dit-il, c'est bien pourquoi je vous licencie. " C'était clair. J'avais pris les devants et j'étais devenu éditorialiste à Europe 1. Ce qui ne plaisait pas à Jean-Jacques Servan-Schreiber qui a téléphoné à Europe 1 pour leur dire : " Vous avez embauché Jean-François Kahn, vous avez pris un risque. Il est fou. " Pourquoi " fou "? À cause d'une conversation plutôt vive. La théorie de Jean-Jacques Servan-Schreiber était de passer par l'ordinateur pour régler les problèmes de l'humanité. Moi, je défendais l'idée, qui l'irritait, selon laquelle l'ordinateur n'était qu'un moyen qui pouvait être mis au service de n'importe quelle fin. Je lui donnais l'exemple de la RDA où la technique pouvait être mise au service du totalitarisme. JJSS en avait conclu que j'étais un admirateur de la RDA et que j'étais fou... Me voilà en tout cas à Europe 1, malgré lui. »

Les ennuis avec le propriétaire continuent. « Étienne Mougeotte était alors directeur. Valéry Giscard d'Estaing critiquait le " persiflage " de la radio et il ne m'aimait guère. À deux reprises, Jean-Luc Lagardère m'a demandé d'être directeur de la rédaction. J'ai refusé. Il m'a alors questionné : " Qui voyez-vous à ce poste? ", j'ai répondu : " Étienne Mougeotte ". Tant que j'étais en tête des sondages d'audience, cela allait. Un jour, d'après les sondages, il y a eu une baisse de l'audience pour tout le monde. Une réforme des émissions du matin a eu lieu. Ils m'ont proposé un voyage à travers le monde ou un éditorial. Au choix. C'était une forme de mise à l'écart, j'ai refusé et je suis parti. »

Jean-François Kahn sévissait alors également à *L'Est républicain.* Même cause, mêmes effets : « J'ai été licencié le temps d'un changement de propriétaire. À la suite d'un nouveau changement de majorité dans le capital, je suis revenu. Et puis... je suis reparti. »

Ensuite? « Il m'est arrivé de gros ennuis à FR3. J'avais une émission " Les Visiteurs du dimanche soir ". J'avais produit un " Aron-Mitterrand " de 1 h 30 sur le thème de la liberté. Claude Contamine est devenu fou. Complètement fou. Il a carrément effacé cette émission. Il m'a en même temps écarté de FR3. »

Et puis c'est la grande époque du *Quotidien de Paris :* « J'y suis entré comme rédacteur en chef. *Libération* n'existait pas encore. J'ai pris conscience à ce moment-là que la qualité du journal, les moyens de composition, les techniques, les abonnements... tout cela était lié. Mais le propriétaire, Philippe Tesson, ne voulait pas vraiment que le journal se développe. Au bout d'un an, je suis donc parti. »

Retour à la télévision : « Je suis alors entré à Antenne 2 comme chroniqueur. Mais plus on avançait vers les élections de 81, moins on m'employait. On me mettait sur la touche. Je suis allé voir Jean-Pierre Elkabbach et je lui ai dit : " Baisse mon salaire, pour le travail que je fournis, je gagne vraiment trop. " Il était étonné. C'était la première fois que quelqu'un venait réclamer une baisse de salaire. J'ai démissionné, en juin 1981, par solidarité, pour protester contre la chasse aux sorcières. Je suis le seul à l'avoir fait. On ne m'en a d'ailleurs jamais été reconnaissant. »

Les Nouvelles littéraires? « C'était, dès 1980, une aventure extraordinaire. Elles étaient diffusées à 7 800 exemplaires quand je suis arrivé. Avec la même équipe, on a fait un hebdo d'informations générales qui diffusait à 70 000 exemplaires. Le problème c'est que Philippe Tesson, propriétaire, était devenu de droite le 10 mai 1981, une droite revancharde. La situation était cocasse : *Les Nouvelles littéraires* avec l'argent de Philippe Tesson se battaient contre Philippe Tesson. J'ai démissionné en 1982.

Je suis arrivé ensuite au *Matin de Paris,* cela a duré

trois mois. Claude Perdriel, le propriétaire, m'avait appelé. Les journalistes étaient d'accord. J'avais précisé que le journal ne serait pas " de gauche ". Pour que *Le Matin* devienne le grand quotidien qu'il pouvait être, il le fallait. Mais Claude Perdriel organisait des coups invraisemblables. Il a fini par vouloir m'empêcher d'agir. Un jour, il arrive : " Vous savez, j'ai pris une décision : à partir de demain il y aura six pages tiercé. " Il savait que je n'étais pas d'accord. La preuve que c'était pour m'ennuyer : dès que je suis parti, il les a enlevées. Cela avait un côté presque puéril. Un jour, il a fait arrêter mes chroniques. Alors, en 1983, j'ai démissionné. »

Jean-François Kahn décide donc de changer de stratégie. Mais laissons-le pour le moment : nous le retrouverons plus loin.

Par leurs oppositions et leurs démissions en cascade, sans le savoir, les grands journalistes ont montré que le temps du réalisme par rapport au détenteur du capital était venu. La révolution médiacratique entrait dans une nouvelle phase. Une phase inaugurée par Raymond Aron lorsqu'il démissionna du *Figaro*. Face à un propriétaire qui veut intervenir dans un domaine qui n'est pas le sien, qui soutient des candidats aux législatives, Raymond Aron affirmait la nécessité du professionnalisme. Face à une logique qui ne voit dans chaque homme que le rouage d'une machine à profits, qui valorise dans l'entreprise de presse l'aspect entreprise au détriment du côté presse, Raymond Aron rappelait le propriétaire à ses intérêts bien compris. Un industriel de la mode ne doit pas oublier qu'il doit produire des objets destinés au corps, comme le chef d'une entreprise de presse doit produire de l'information destinée à ses consommateurs. Or, la propagande n'est pas de l'information. Et le profit ne se fait pas malgré ou contre cet ingénieur de l'information qu'est le médiacrate, mais par lui.

C'est pourquoi, face au propriétaire qui veut transformer son journal en bulletin d'annonces gratuites (tentation de *France-Soir*), sa radio « libre » informative en station musicale (type NRJ), sa télévision en support de « paillettes publicitaires », le médiacrate répond : « Je démissionne. »

Et il s'en va. D'un pas d'autant plus alerte qu'il sait l'existence d'un marché concurrentiel de l'information. La multiplication des médias permet de jouer une autre musique que la marche militaire et, à la différence du journaliste de base, il craint moins les affres du chômage.

Dans cette stratégie d'affrontement, constatons d'ailleurs que seul le médiacrate qui refuse la connivence avec le propriétaire exprime la voix de la raison. Car il y a bien de la folie à nier la nécessité de la professionnalisation et à laisser partir ses cadres chez les concurrents...

L'illusion du philosophe-roi

Cette phase d'affrontement de la révolution médiacratique généra des illusions du côté de l'élite. Nombre de grands journalistes ont été attirés, dès le début des années 60, par une position qui prenait le contre-pied de la toute-puissance aveugle du capital. Ils ont reproduit dans leur monde, souvent par « réalisme », le mythe platonicien du philosophe-roi ou du roi-philosophe. Puisqu'on ne pouvait espérer que le capital fût sage, certains décidèrent de faire le médiacrate-propriétaire ou le propriétaire-médiacrate...

Telle est la décision prise par Jean-Jacques Servan-Schreiber lorsqu'il crée *L'Express* avec le soutien de Françoise Giroud. Arrive le printemps 1971 : le mythe du journaliste-roi montre son inefficacité. « Les problèmes internes à *L'Express* ne pouvaient être dissimulés dit Jean-François Kahn. Il y avait une crise entre Imbert-Chevrillon-Suffert et le propriétaire, JJSS. À ce moment, avec Albert du Roy et Jacques Giraud, nous devenons les porte-parole de la rédaction pour défendre nos droits. Nous créons une commission de déontologie, à la direction de laquelle j'ai été élu. Nous avons exposé des demandes. Et tout nous a été accordé. »

La charte déontologique signée entre la société des rédacteurs et la direction peut limiter la crise durant un an et demi. Le mythe du roi-journaliste survit. « Puis, dit Albert du Roy, nous sommes entrés dans une période noire.

JJSS a mis le journal au service de sa carrière politique. Les gens de la section politique ont souffert. Moi, par chance, je ne m'en occupais pas. Finalement, Claude Imbert et ses amis sont partis et JJSS a appelé Philippe Grumbach. La tension entre lui et ceux qui étaient restés a vite ressurgi. Philippe Grumbach a marginalisé tout le monde. »

Qu'a-t-on gagné avec le propriétaire-journaliste? Que le propriétaire soit plus sensible au « son de cloche » journalistique? Sans doute. Écoutons Albert du Roy : « Quand JJSS a lancé l'idée de régionalisation, je me méfiais de son enthousiasme. J'essayais de préserver la distance du journal vis-à-vis de ses engagements. Deux ou trois fois, j'ai présenté ma démission et il a cédé. »

Facilitée, la possibilité de résistance reste pourtant faible. Les municipales de 1977 vont le montrer. « Valéry Giscard d'Estaing présente Michel d'Ornano contre Jacques Chirac à Paris et Françoise Giroud se présente comme tête de liste dans un arrondissement, raconte Albert du Roy. Philippe Grumbach décide d'une " cover " sur Paris, ce qui était normal. Je fais un papier conforme à la réalité des enjeux. Je remets le papier le jeudi soir, sur les coups de minuit. Le lendemain matin, je retrouve sur mon bureau une photocopie du papier corrigé par Françoise Giroud. Mon article avait été largement remanié. Je discute. JJSS et Philippe Grumbach cèdent pour une quinzaine de points mais ils en maintiennent cinq. J'ai alors fait une erreur : je laisse ma signature. Je me suis compromis. Je m'en aperçois rapidement car dans le XVe arrondissement, lors d'une distribution de tracts, l'équipe de Françoise Giroud utilise mon article pour sa campagne. J'allais démissionner pour aller au *Matin* mais je suis resté quand j'ai appris que *L'Express* allait être vendu à Jimmy Goldsmith. »

Adieu donc le journaliste-propriétaire, bonjour le propriétaire-journaliste! Albert du Roy va de Charybde en Scylla. « Jusqu'au 10 mai 1981, Jimmy Goldsmith se tenait à l'écart du journal. Il le surveillait, mais d'en haut. *L'Express* était dirigé par Jean-François Revel et Olivier Todd était rédacteur en chef. Le 10 mai, tout a basculé. En apprenant la nouvelle de la victoire de François Mitterrand, Jimmy Goldsmith s'est effondré dans un fauteuil, un verre à la main lors de la soirée RTL. À *L'Express*, certains bureaux sablaient le champagne, d'autres buvaient du whisky. Le mercredi 13 mai, avec Robert Schneider et Olivier Todd, nous avons un entretien avec Lionel Jospin. À la sortie, Olivier Todd me dit : " Jimmy a piqué une colère. Il voulait une démission. Jean-François Revel a réussi à le calmer. " Au parking, avenue Hoche, je quitte Olivier Todd. J'arrive dans mon bureau. Olivier Todd m'appelle à l'interphone : " Je viens de recevoir ma lettre de licenciement. " Une assemblée générale a lieu à 12 h 30 : Jean-François Revel, Max Gallo et moi annonçons notre démission. L'après-midi, l'assemblée générale reprend. Jimmy Goldsmith monte sur une table. Il est violent : " Si vous me faites ch., je ferme la boutique. Ce journal est de la m., cela ne continuera pas comme cela. " En sortant je lui dis : " Jimmy, je voudrais vous voir assez rapidement. " Il me répond : " Je me doute de la raison. Je voulais vous dire que la manière dont vous avez traité la campagne électorale a été remarquable. " J'étais soufflé. C'était une pièce de théâtre. Les vrais tempéraments se sont révélés : beaucoup ont dit qu'ils allaient démissionner sans le faire. C'était la deuxième fois que nous avions vu qu'il pouvait se passer n'importe quoi à *L'Express* et que le véritable pouvoir, c'est la propriété. Il avait suffi de six mois à JJSS pour reprendre en main un appareil qui marchait très fort. Il n'a fallu que quelques heures à Jimmy Goldsmith. »

Que faire? Cette solution du roi-philosophe produit indéniablement les mêmes effets dévastateurs pour l'entreprise que les solutions « classiques » : crise, départs de cadres, baisse d'audience... Parce qu'ils voulaient éviter d'avoir à choisir entre se soumettre et se démettre, les médiacrates inventèrent une autre solution : la séparation des pouvoirs.

La séparation des pouvoirs

Séparer les pouvoirs économiques et médiacratiques? Deux possibilités sont offertes. D'abord le verrouillage du capital, ensuite le déverrouillage partiel. Deux solutions qui répondent mal aux impératifs contemporains.

Est-ce un hasard si aujourd'hui un journal de province, *Ouest-France,* réalise de façon typique cette voie originale? Héritage généreux de la Libération, le pouvoir dans le journal a été différencié du capital « amical », lui-même divisé. Avec 56 actionnaires, dont les familles Desgrées du Loû, et Hutin (François-Régis Hutin restant P-DG avec 33 % des actions), Amaury du *Parisien libéré* (10 %) et quelques médiacrates comme Jacques Duquesne et Jean Boissonnat, *Ouest-France* pouvait même être montré en exemple par toute la profession : il était bon, il était grand, il était républicain. Las, avec ses 745 655 exemplaires vendus en moyenne en 1988 (selon l'OJD), il était une proie tentante pour les groupes qui se constituent aujourd'hui en Europe. Pour éviter la soumission ou la démission, le pouvoir médiacratique devait agir. Il décida donc de faire peau (juridique) neuve pour... « conserver son indépendance tout en restant fidèle à l'esprit de désintéressement des fondateurs et des actionnaires ».

Le 9 avril 1990, les actionnaires utilisent donc la loi 1901 sur les associations pour scinder en deux la Société d'édition Ouest-France. D'un côté, les éditions Ouest-France, les radios locales, les hebdomadaires dans la SOFICOM; de l'autre, une association toute simple, l'Association pour le soutien des principes de la société humaniste, présidée par l'un des fondateurs du journal : Pierre-Henri Teitgen. Une association qui détient la SIPA, qui elle-même contrôle 99,99 % de la société Ouest-France et les 2 000 salariés du journal. Pourquoi faire simple quand on peut faire compliqué? François-Régis Hutin et les créateurs peuvent ainsi dormir tranquilles.

Dormir ou ronronner? Vouloir préserver son indépendance, voilà qui part certes d'une bonne intention, mais préserver son outil de travail, n'est-ce pas aussi le développer? La solution choisie paraît bien inadaptée. Le capital manque.

Que l'élite ait quelque ambition, nationale ou européenne, et voilà dévoilées les limites de l'artisanat. *Le Monde* le montre. Tout commença le 12 décembre 1944.

La volonté du général de Gaulle de donner à la France un journal de renommée internationale le porta à choisir Hubert Beuve-Méry comme directeur-gérant d'une publication au statut de SARL. Hubert Beuve-Méry, qui n'aimait guère le général et se méfiait des hommes politiques (quoiqu'il fût lui-même très proche du MRP), connaissait le pouvoir de l'argent.

Assez rapidement, sous son impulsion, l'imprimerie et les locaux confisqués à la Libération sont définitivement propriétés du journal, les dettes envers l'État sont remboursées et la société des rédacteurs prend le contrôle de la SARL. La rédaction est enfin chez elle. Le capital est bien verrouillé, d'autant qu'il est quasi inexistant (donc fragile). Et les événements sur la comète médiatique prouvaient qu'un petit chez-soi valait mieux qu'un grand chez les autres...

Mais passe le temps et, dans les années 70, comme le montre Jacques Doléans *(La Fin d'un Monde)*, le quotidien ne peut plus affronter les défis. Les ventes commencent à baisser, le coût de fabrication est trop élevé en raison de l'imprimerie, les annonceurs très argentés ont tendance à aller vers *Le Figaro*. Le format du *Monde* interdit le fac-similé qui aurait permis la délocalisation, les effectifs paraissent trop importants...

La dégradation de la situation du *Monde* en 1980 s'accélère encore. Le quotidien survit grâce à des crédits bancaires. *Libération* devient sa « hantise » (Doléans). Le 3 décembre 1984, André Laurens, qui a pris la succession de Jacques Fauvet, après bien des combats menés contre les archaïsmes du journal, propose courageusement la réduction des charges d'exploitation, la réorientation de la fabrication, le changement dans la politique salariale, la vente de l'immeuble de la rue des Italiens... Mais le 19 décembre, l'assemblée générale de la SARL, crispée, refuse sa confiance à André Laurens, l'homme du renouveau. André Laurens ne peut plus tenir la barre.

Après une bataille au couteau, le 15 janvier 1985, André Fontaine est élu par la société des rédacteurs, élection confirmée le 18 par l'assemblée générale. En mai 1985, *Le Monde* commence à sortir de la voie artisanale. Il est transformé sur les bases d'un projet qui était celui d'André Laurens (vente de l'immeuble) et d'André Fontaine (ouverture aux capitaux extérieurs).

Les journalistes acceptent de déverrouiller leur capital : appel à des capitaux extérieurs, baisse de la part revenant à la société de rédacteurs, vente de l'immeuble... Le 2 septembre 1985, avec Régie-Presse, Le Monde Publicité est créé. En juin 1987, une société des lecteurs se voit dotée de 11,3 % des parts. À sa tête : Alain Minc. La société Monde-Entreprise obtient 8 % de ces parts. On y trouve Saint-Gobain, Suez, Elf, BSN, BNP, Seuil, Fayard, UAP-Vie, Roger Fauroux... Un « sauvetage », dit Patrick Jarreau.

Sauvetage momentané. Comment ne pas penser que *Le Monde,* par cette ouverture limitée, est resté timoré? Qu'il y a une regrettable confusion entre les ordres de la gestion et de la direction, entre les logiques d'entreprise et journalistique? Effets pervers : le surgissement d'un pouvoir techno-structurel dans le journal et la détermination du pilotage du journal par des considérations commerciales et industrielles n'empêchent pas *Le Monde* d'aller mal financièrement. Comment s'étonner enfin si le capital se croit autorisé à refuser, en décembre 1990, l'élection par la rédaction de Daniel Vernet au poste de directeur-gérant? Survivre appelle une reconnaissance plus distincte de la division du travail – l'élection de l'économiste Jacques Lesourne au poste de directeur-gérant du *Monde* montre le chemin – et, surtout, un déverrouillage autrement plus radical.

Aucun détenteur de capital n'aime savoir au départ qu'il ne pourra agir en cas de chute du marché. Comment, d'autre part, un médiacrate pourrait-il contrôler lui-même gestion, investissements, matériel et hommes? En octobre 1983, Jean-François Kahn ne se doute pas de l'étendue des problèmes qu'il aura à résoudre lorsqu'il appelle au téléphone Guy Rousset, de l'Agence France-Presse, pour l'informer qu'il lance une souscription visant à créer un hebdomadaire. L'idée est d'émettre des actions réparties dans un large public pour assurer l'indépendance. Il y aura aussi de gros actionnaires, un peu « noyés ». La rédaction des *Nouvelles*, par les voix de Pascal Krop et de Yann Plougastel, soutient dans le même temps une reprise possible par Jean-François Kahn de leur journal (locaux, personnel) à laquelle J.-P. Ramsay n'est pas opposé. Après de multiples interventions dans la presse, notamment « chez Polac », voilà *L'Événement du jeudi* lancé avec des assemblées d'actionnaires réunissant jusqu'à 1 600 personnes. Et voilà... Jean-François Kahn perdant une grande partie de son temps dans la gestion, surveillant et investissant selon une compétence très aléatoire. Et puis bientôt ce constat : un tel éparpillement du capital ne va-t-il pas à l'encontre du développement? Ne faut-il pas des actionnaires plus stables, plus puissants?

Jeanne Villeneuve exprime bien en conférence de rédaction le danger qu'il y aurait à trouver dans *L'Événement* un actionnaire ou un groupe d'actionnaires principal : « Lorsque j'étais à *L'Express*, il y avait des actionnaires sur lesquels je ne pouvais pas écrire et je ne voudrais pas que cela recommence ici. S'il y a des gros actionnaires, j'aimerais autant changer de service. » Jean-François Kahn réplique : « Parmi nos actionnaires actuels, il y a déjà des industriels, comme Antoine Riboud. Mais lorsqu'il y a opposition entre journalisme et actionnariat, c'est le journalisme qui doit l'emporter. Cela dit, faire du profit, c'est bien aussi la raison d'être d'un directeur. Nous, à *L'Événement du jeudi*, il ne faut pas dissimuler quc l'on est le journal le plus capitaliste qui soit. Le choix, puisqu'il faut se développer, n'est pas de savoir si l'on fait entrer des gens dans notre capital mais qui l'on fait entrer. Et puis, n'oubliez pas que nous étions partis pour faire un journal de 70 000 exemplaires et que nous sommes arrivés à 220 000. Il y a donc une logique industrielle à l'œuvre avec ses problèmes propres. »

Bref : *Money is money!* Toute médiacratie régnante qui a de l'ambition est contrainte d'accepter l'existence d'une logique d'entreprise dans le moyen d'information sur lequel elle pose sa marque et de reconnaître qu'il faut des professionnels pour le gérer professionnellement. Peu de médias peuvent se permettre aujourd'hui de jouer, comme

Le Canard enchaîné ou *Le Meilleur* – peut-être pour peu de temps encore – la pièce de l'artisanat ou du déverrouillage partiel. La solution? Non la division mais l'équilibre des pouvoirs.

L'équilibre des pouvoirs

Pierre Brisson, qui dirigea seul *Le Figaro* de la Libération jusqu'en 1965 (date de son décès), avait inventé cette formule : « En accord avec le capital mais indépendant de lui. » Il ne put malheureusement jamais la mettre en application : ses propres relations avec les milieux politiques (il était lié aux hommes de la IVe puis il engagea le journal du côté gaulliste) et économiques (Pierre Brisson était très sensible à certaines pressions de ces publicitaires qui donnaient, en 1965, 85 % des recettes) l'interdisaient.

Faut-il prescrire au pouvoir économique de répondre à une logique autre que la sienne? Absurde. On peut difficilement demander à un propriétaire de perdre son investissement. Patrick Richard, réalisateur de TF1, le dit mieux que quiconque : « On est dans une maison où il faut aussi gagner de l'argent. » Et Philippe Madelin renchérit : « Le problème, bien entendu, ce sont les coupures de publicité. Cela ne fait jamais plaisir de voir son magazine coupé par la pub. Mais un 52 minutes, cela coûte cher. » Pierre-Luc Séguillon de La Cinq confirme : « En 1988, Robert Hersant a décidé d'arrêter mon émission " La Preuve par 5 " et " Face à France " de Guillaume Durand. Tout cela a été supprimé en vingt-quatre heures. J'ai vu que Robert Hersant avait pris sa décision la mort dans l'âme. Il fallait que l'on parvienne à un certain niveau d'audience globale. »

Peut-on à l'inverse demander au journaliste de mettre en valeur les publicités? De mentir, de passer sous silence des informations qui nuiraient, de façon directe, aux actionnaires? Bref, de sacrifier sa vocation pour une logique qui n'est pas la sienne? Absurde. L'entreprise abandonnerait des parts du marché en laissant ses produits informatifs perdre de leur valeur. En effet, la baisse de crédibilité, lorsqu'il s'agit de ces marchandises spécifiques que sont les informations, équivaut à une baisse de valeur pour les consommateurs qui ne sont pas longtemps dupes.

Toute entreprise de presse est un mixte : d'un côté, une entreprise à part entière (comme telle, elle se doit, par exemple, de faire des bénéfices); de l'autre, une entreprise qui fabrique de la presse. Que l'on oublie l'un ou l'autre de ces aspects et l'on échoue. On omet facilement le premier lorsque, pris par l'information, on ne saisit plus la réalité marchande. On néglige aisément le second lorsque l'on méconnaît la spécificité des relations à autrui qu'engagent les actes des médiacrates.

Cette mixité est d'autant moins perceptible que la plupart des grands médias diffusent des produits non journalistiques : publicités, variétés, musique, films...

L'intérêt des détenteurs du capital? Que les médiacrates soient crédibles comme journalistes. Que Jean-Pierre Pernaut ne paraisse pas travailler pour une marque d'automobile lorsqu'il parle de véhicule, que Guillaume Durand ne soit pas soupçonné de recevoir des pots-de-vin de l'armée française lorsqu'il interroge un général à propos des performances des avions Jaguar dans la guerre du Golfe, que tous deux – sans doute, les styles les plus opposés qui soient – puissent continuer à suivre leur chemin : celui de l'indépendance journalistique. Telle est la règle : sans crédibilité, il n'y a plus d'écoute, et sans écoute, les recettes fondent.

La concurrence veille d'ailleurs à ce jeu d'intérêts bien compris. Quand, sous le coup d'une colère (mauvaise conseillère), Jacques Lehn et Jean-Luc Lagardère décidèrent de renvoyer Jean-François Kahn dans ses pénates pour avoir osé traiter de « requins » ceux qui voulaient, en 1986, prendre TF1 tout juste privatisée, ils commirent plus qu'une faute face à ce qui était, en effet, un excès de langage : un mauvais investissement. *L'Événement du jeudi* attaqua vertement, imposant dans nombre d'esprits une connotation négative à l'image d'Europe 1 : censure, cynisme, positionnement à droite... Ce dont profitèrent les concurrents du groupe Hachette. Le retour de Jean-François Kahn quelques années plus tard ne constitua pas la réparation d'une injustice, mais plus simplement la prise en compte d'une morale de l'intérêt.

Le capitaliste « éclairé » sait que le grand journaliste est tout à la fois le créateur, le porteur et le détenteur du secret de cette liaison de l'image de marque et de l'information. L'image de marque est la production par le style de l'élite d'une forme imaginaire liée à l'entreprise de presse. Qu'est-ce qu'une bonne image de marque? Une rencontre entre cet ensemble de valeurs inscrites au sein du produit et des consommateurs d'informations. Harmonie (pré)établie : lorsque cette rencontre s'opère, les autres produits de la chaîne, les publicités par exemple, se vendent mieux. Voilà pourquoi Jean-Luc Lagardère a décidé de laisser les mains libres sur Europe 1 à Jean-Pierre Elkabbach et à Jean-Pierre Joulin... en attendant le succès économique.

Les grands journalistes sont absolument uniques. Malheur à l'entrepreneur – qu'il soit public ou privé ne change rien – qui tente de cloner le style d'une Christine Ockrent avec celui d'une Jacqueline Alexandre : il va tout simplement à l'échec. Ses produits ne trouveront pas preneur. Pour jouer « du PPDA », il faut PPDA; pour faire « du Cavada », il faut Jean-Marie Cavada. Le style renvoie à la singularité du médiacrate et seule cette singularité est achetée.

En ce sens, par le style, le journaliste ressemble à l'artiste plus qu'à l'artisan. Voilà pourquoi, lorsque le « capital » désire suivre sa propre logique, il s'écarte dans le traitement des événements pour laisser place nette au médiacrate.

Qui peut s'étonner dans ces conditions de voir à TF1 les hommes de Francis Bouygues ne pas inquiéter les Gérard Carreyrou ou les PPDA? Accepter les Robert Nahmias quand les Pierre Géraud s'en vont, plutôt que choisir un animateur? Ils posent leur marque et celle-ci est désirée, donc achetée. Ils obtiennent de l'audience, voilà l'important.

Les hommes entrés à TF1 pour défendre la légitimité Bouygues ne connaissent rien à la presse, dites-vous? C'est quelquefois vrai. Mais ils ne se heurtent aux différents réseaux de journalistes que lorsque ceux-ci ne répondent plus aux impératifs économiques.

Paradoxe de la révolution médiacratique : les réseaux de journalistes sont d'autant plus puissants qu'en répondant à leurs propres impératifs ils répondent également ainsi à ceux de la logique économique. Voilà pourquoi Étienne Mougeotte est soutenu par Patrick Le Lay. Comme le dit Jean-Pierre Pernaut : « À Montparnasse, où est le bureau de Francis Bouygues, ils regardent les résultats et n'interviennent pas dans les choix journalistiques. » Philippe Madelin ajoute : « À TF1, durant la dernière campagne électorale des municipales, Bernard Tapie a fait pression auprès des journalistes sur le terrain parce qu'il est actionnaire. Ceux-ci en ont rendu compte à Michèle Cotta qui en a parlé à Patrick Le Lay et celui-ci a dit : “ Un actionnaire n'a pas à faire pression. ” »

Que TF1 produise et diffuse des magazines ne tient pas du miracle. Les propriétaires privés ont seulement compris (plus vite que les propriétaires publics) une règle générale : l'efficacité dans la recherche du profit appelle le grand journalisme autonome. Écoutons T. : « Il y a 12 membres au conseil d'administration de TF1. Alors que nous avions une réelle inquiétude au début de la privatisation, ils accordent une grande importance maintenant à l'information, sous l'influence d'Étienne Mougeotte notamment. Le CA regarde les résultats d'audience. Lorsque “ Questions à domicile ” est venue sur le tapis, il est apparu que cette émission était mal ciblée tandis que “ 7 sur 7 ” marche car il y a du reportage. “ Ex-libris ” un autre jour a été mis en discussion. C'est un succès parce qu'il y a aussi du reportage, de l'image. »

Ce nouvel équilibre conduit à renverser les rapports de forces à l'avantage du médiacrate jusque dans les nominations au sommet. Reconstituons à cet égard une partie de l'histoire de Renaud Girard, un ancien élève de l'ENA aujourd'hui grand reporter au *Figaro :* « En 1987, j'étais alors au *Figaro* comme reporter dit-il. Bruno Rohmer, alors président des Presses de la Cité et de *L'Express,* voulait que je devienne directeur de développement du groupe. J'ai accepté. Les choses sont allées très vite. En février 1988, la Compagnie générale d'électricité organise une prise de contrôle (Ambroise Roux) qui oblige Bruno Rohmer à partir. En avril 1988, j'étais au chômage. »

Les événements se déroulent alors à peu près ainsi d'après B. de TF1 : « Patrick Le Lay a demandé à sa secrétaire de téléphoner à Renaud Girard pour le rencontrer aux Champs-Élysées. Lors de leur rendez-vous, le premier lui propose de devenir directeur délégué de TF1. Renaud Girard aurait dû se méfier car Pierre Barret, qui avait dirigé Europe 1 et auquel Patrick Le Lay avait proposé le même poste, s'était fait renvoyer au bout de trois jours. »

Revenons à Renaud Girard : « Je devais m'occuper de tout ce qui était informations, programmes, relations avec les autres actionnaires, dont Robert Maxwell. J'étais aussi secrétaire du comité exécutif de la chaîne. Ne croyez pas que je n'avais pas de craintes. Patrick Le Lay m'a rassuré. Il m'a dit, c'était avant les élections présidentielles : " J'ai toujours protégé mes lieutenants. Même si nous sommes nationalisés, je vous emmènerai avec moi. " Me voilà donc, confiant, au premier étage à Montparnasse, où est la direction générale. Je me retrouve avec Patrick Le Lay et Étienne Mougeotte. J'aurais dû me méfier un peu plus. Lors de notre première rencontre, Étienne Mougeotte me salue froidement. Nos rapports ne partaient pas pour être cordiaux. Quant à Patrick Le Lay, il me dit : " On se retrouve à Cannes. " Il y avait là-bas le marché des programmes audiovisuels (Mitcom). Je réponds à Patrick Le Lay : " Je sens beaucoup d'animosité. " J'ai eu l'impression qu'il me soutenait peu. Le 20 juin au matin, Patrick Le Lay nous annonce le départ de Christine Ockrent. À 11 heures, à la fin de la réunion, il me convoque : " Je suis obligé de vous faire partir car vous ne faites pas l'unanimité. " J'étais soufflé. Je dis à Patrick Le Lay : " Vous me décevez beaucoup car vous m'avez donné votre parole à deux reprises. " Il réplique : " Excusez-moi, mais je ne peux pas faire autrement. " »

Pourquoi le représentant de Bouygues à TF1 ne peut-il agir différemment? Comment la propriété peut-elle se trouver soudain arrêtée par le pouvoir médiacratique? La raison l'impose. Les hommes de Bouygues devaient-ils préparer une crise dans la direction? Allaient-il risquer de voir partir des professionnels de grande qualité, peut-être chez le concurrent, pour un homme seul? Fallait-il compromettre l'« image de marque » de TF1? Pas un grand industriel éclairé ne peut accepter une telle solution. N'est-ce pas même à cela, à ce manque de sentiments que se reconnaissent les grands du monde des affaires? Qu'importe si tel cadre n'a pas les goûts et les couleurs de son employeur : il lui conviendra s'il est un atout pour le développement de sa firme, c'est-à-dire de sa propre puissance.

Renaud Girard, qui avait aussi acquis le « pouvoir délégué » de directeur des affaires internationales, aurait dû se méfier. À la vitesse de l'éclair, n'avait-on pas vu passer Patrice Cox, Yann Maxwell, Christine Ockrent... tous renvoyés parce que le « clan Mougeotte » ne voulait pas d'eux ou, plus simplement, ne les soutenait pas face au capital?

La règle vaut pour l'écrit. Comme le déclare Guy Sorman : « Lorsque Jimmy Goldsmith, alors patron de *L'Express,* voulut me nommer éditorialiste, en 1984, un an après la mort de Raymond Aron, la direction de la rédaction s'y est opposée. Et Goldsmith dut céder. »

On peut alors revenir sur l'éviction de Michel Polac et voir que l'on errait quelque peu en l'attribuant à la volonté farouche du propriétaire. Ce qui manqua plus encore à Michel Polac – et lui serait indispensable demain pour diriger une chaîne – c'est l'appui d'un clan. Polac est trop solitaire.

Dans ce jeu d'intérêts, le journaliste trouve d'ailleurs son avantage au développement de l'entreprise. Niveau de vie d'abord : est-ce un hasard si les médiacrates reçoivent un salaire aussi confortable? Jamais moins de 40 000 F par mois. Reconnaissance des pouvoirs ensuite, dont ils jouent pour accroître leur propre puissance, selon le meilleur et pour le pire. Moyens pour mener à bien leur travail enfin. Écoutons Renaud Girard : « Au *Figaro* on a toujours eu assez d'argent pour nos investigations. Quand je suis parti en Afghanistan, j'ai loué des chevaux, j'ai payé un interprète pour qu'il m'accompagne.» Pas d'argent? Pas d'enquêtes, pas de magazines, pas de bons journalistes. Ils le savent à FR3 et à Antenne 2, sacrifiés par le pouvoir politique à la fin des années 80 sur l'autel de considérations idéologiques, tacticiennes ou ignorantes.

On comprend dans ces conditions la tranquillité et la fragilité de Claude Imbert : « Nous sommes dans une situation extraordinaire, médite-t-il. Nous avons un capital majoritaire très puritain, celui de Nicolas Seydoux. Je me demande parfois si Nicolas Seydoux n'est pas fâché quand la critique d'un film produit par Gaumont, qu'il dirige, est bonne. Je n'ai jamais eu le moindre coup de téléphone. " Soyez ce que vous êtes ", c'est ce que dit Nicolas Seydoux. Il est là parce que, quand nous étions chez Hachette, nous avons eu très peur au moment du rachat par Jean-Luc Lagardère, même si celui-ci ne prêtait pas prise au soupçon. Mais nous ne voulions pas de fils à la patte commerciaux. Nous avons sorti les premiers, avant *Le Canard,* des sujets comme les " noyaux durs ". Cette indépendance, nous y tenons. Nous ne voulions pas être placés dans une situation difficile. J'ai dit à Jean-Luc Lagardère : " Vous nous aviez indiqué que nous pouvions vivre notre propre vie si nous le souhaitions. Aujourd'hui, nous le voulons. " Il a donné son accord à condition qu'il puisse retirer ses billes à un bon prix. Un des premiers candidats a été Nicolas Seydoux. Il a pris 51 %, 19,9 % sont allés à un actionnaire suisse, un grand imprimeur, Ringier. 10 % à Jean-François Lemoine, 10 % aux Éditions Mondiales (*Télé-poche, Intimité, Nous deux...*), le reste étant réparti entre des collaborateurs du journal. Et nous sommes tranquilles tant que le journal marche. »

Terrible pouvoir menacé pourtant : que se passe-t-il si le journal ne « marche » pas? Tous les médiacrates régnants doivent l'admettre : « La sanction peut tomber, c'est normal » (Jean-Pierre Pernaut). La contrepartie de l'extraordinaire pouvoir du médiacrate qu'autorise le jeu des intérêts, est son extrême fragilité en cas d'échec... économique. Ce monde est sans pitié. Qu'importeraient alors le passé, les qualités humaines...

L'arrivée d'un propriétaire sans ambition journalistique, qui ne veut que son profit mais qui connaît les lois du marché de l'information, apparaît ainsi tout à la fois comme une menace et une protection. Antoine Riboud ou Francis Bouygues? On sait qui est là, qui protège et menace. Ils menacent? Au moins le médiacrate les connaît-il : il peut infléchir, devancer leurs désirs, jouer sur leurs partenaires, leurs concurrents, comme le fit Claude Imbert en novembre 1990. L'entreprise est-elle une proie? Ils protègent. Qui pourrait attaquer Canal Plus de Rousselet-Havas et ses privilèges (cahier des charges), contreparties de sa présence à la cour? Qui oserait menacer Europe 1 de Jean-Luc Lagardère? Charge-t-on quand même? Au moins l'attaquant va-t-il prendre contact avec le médiacrate pour jouer la continuité du marché. Met-il le médiacrate de côté tel Hersant poussant Max Clos? C'est que le médiacrate a erré. D'une certaine façon : il l'a mérité.

Ainsi, puisqu'il ne peut compter sur la morale universelle (et muette), le médiacrate joue avec les intérêts. Il n'évite pas pour autant les conflits. Il faudrait un miracle pour que Francis Bouygues-entrepreneur accepte d'être accusé par les journalistes de TF1, pour que soient émises des critiques en matière de ventes d'armes sur Europe 1, dont le principal actionnaire est Jean-Luc Lagardère, P-DG de Matra... Qui empêchera le détenteur du capital du *Point* de se réveiller, soudain inspiré par quelque grand dessein? Pour tous, quelles que soient les précautions, la menace pèse. Ce monde est incertain, instable.

Mais lorsque l'on préfère l'autonomie à la servitude volontaire, il faut accepter les risques de l'équilibre des pouvoirs pour obtenir le droit éphémère de régner.

2. LE MÉDIACRATE ET LA PUBLICITÉ

L'« Audimat est mort, vive le Médiamat! » Tel fut le cri de joie de nombre de patrons de l'audiovisuel saluant le nouvel indice, sorte d'équivalent de l'OJD utilisé pour la presse écrite et fabriqué par Médiamétrie. Enfin, on allait avoir l'outil qui permettrait d'accueillir les publicitaires! Abonnements et manne de l'État ne suffisent guère. Et de moins en moins. Du *Point* au *Nouvel Observateur,* du *Monde* à FR3, de La Cinq à *L'Expansion,* les propriétaires pressent l'annonceur : il faut qu'il pénètre dans la place. Bien sûr, quelques récalcitrants prétendirent que l'institut producteur du Médiamat n'était pas fiable. Mais enfin, tous les patrons de presse, sous une forme ou sous une autre, quel que soit l'indice choisi, vouent aujourd'hui leur culte à dame audience finalement satisfaite d'être aussi bien courtisée.

Minute par minute, à la télévision, l'écoute est épluchée dans de belles courbes distribuées aux directions de l'information. La marge d'erreur étant de 3 % à 5 % environ, la possibilité de connaître l'intensité de l'attention étant à peu près nulle, l'indice donne néanmoins quelques précieuses indications qui permettent de cibler les publics, de réorienter les grilles et, en fin de compte, de tracer une voie royale aux annonceurs.

Quelques médiacrates ne s'inquiétèrent pas. Sans doute prédestinés, certains même étaient bien décidés à distribuer de bons mots, du spectacle, du plaisir – y compris avec du sang –, de la démagogie, voire de la vulgarité pour attirer le chaland, flatter ce qu'il y a de plus vil en l'homme. Fin prêts aussi pour profiter des avantages que procure une attitude plus réceptive vis-à-vis de l'annonceur que ne le veut la simple morale ordinaire : les « ménages », les cadeaux permettent aux courtisans de jouer la connivence sans états d'âme. Contrairement à ce qui a été souvent dit lorsque l'on a commencé à épiloguer sur le traitement de la guerre du Golfe à la télévision : l'audiovisuel ne montrait pas l'exemple, il rattrapait seulement son retard. Depuis longtemps, des journaux s'étaient spécialisés dans les silences, les mensonges, les insistances qui font la joie de l'annonceur à courte vue. Depuis longtemps surtout, une certaine presse écrite avait mis en avant les trivialités, les Unes outrancières et les images qui font les forts tirages. La presse écrite convenable n'hésitait guère elle-même à mettre en avant des thèmes comme la sexualité, la prostitution, le sang... avec des clins d'œil, des photos, des enquêtes de terrain qui ne devaient pas grand-chose au souci de recherche de la vérité.

D'autres médiacrates, moins bien disposés et surtout effrayés, déterrèrent la hache de guerre, dénonçant la « dictature du Médiamat ». Leur crainte? Voir surgir le pouvoir des annonceurs au cœur de leur cité, être contraints par leur propriétaire à la connivence avec les dépositaires de la manne publicitaire. Comme le dit Jean-Pierre Pernaut : « Au début de la privatisation, l'affichage des Audimats dans les couloirs de TF1 a choqué. »

Encore faut-il ne pas se laisser prendre au piège des mots. La dictature du Médiamat signifie-t-elle que lorsqu'une émission fait chuter l'audience, on doit la supprimer? Si telle était la définition, cela se saurait. T. explique : « Regardez ces courbes d'audience de Médiamétrie, ici la chute est régulière, tous les jours ce " trou ", là, avant et après le journal télévisé : 5 points. C'est l'heure du grand zapping, celui que l'on dissimule aux annonceurs, l'heure des publicités. » Voilà le grand paradoxe, que l'on cache à grand renfort de pub sur la pub : si le Médiamat était une machine programmée pour supprimer les émissions qui font baisser l'audience, les publicités seraient en premier condamnées. Il est plutôt une fusée à tête chercheuse utilisée pour éliminer les émissions qui ne permettent pas de garantir un taux élevé d'écoute publicitaire. Un missile pour développer les gains de l'entreprise. À travers les mesures, c'est l'annonceur, quelquefois anonyme, virtuel, qui parle : tel un dieu, il est d'autant plus puissant qu'il est caché...

Pour laisser entrer l'indispensable argent, il fallait apparemment se soumettre ou se démettre. Beaucoup n'ont pas supporté. Et la sélection des émissions au nom de l'audience a fait plus d'un malheureux. Lorsque le propriétaire voit ses parts de marché diminuer avec « Questions à domicile », entre lui et Anne Sinclair, voilà la tension. L'émission sera supprimée : voilà la sanction. Le journal télévisé de 13 heures de TF1 est-il dépassé par celui d'Antenne 2? Adieu Yves Mourousi. Le Médiamat et ses avatars ressemblent ainsi à des puissances maléfiques qui guettent et frappent les journalistes sans que ceux-ci y puissent quelque chose.

Lorsqu'ils ont argumenté pour justifier leur frayeur, les médiacrates mécontents ont mis en avant le caractère limité, voire arbitraire, de cette « arme ». Ce missile n'est pas « intelligent », protestèrent-ils. « Car c'est Stéphane Collaro qui a propulsé TF1. Et jamais Antenne 2 n'a pu rattraper son retard », note Guillaume Durand. Pierre Géraud ajoute : « Le vrai problème se découvre à 19 heures. Les gens qui regardent la télévision veulent retrouver un produit. » Hervé Brusini renchérit : « La différence de Médiamat tient aux programmes. Il y a une inertie de l'audience. Un changement de présentateur ne joue pas beaucoup : l'écart est toujours minimal. Il n'y a pas de rush pour voir un présentateur. C'est le " Bébête-show " qui a fait la fortune de TF1. » Puis ce serait « La Roue de la fortune »...

Tout cela est vrai. Mais on sous-estime un peu ici la « programmation intelligente » du missile. Ainsi, on constatait généralement sur TF1 une augmentation de l'audience entre 19 h 45, heure de « La Roue de la fortune » et 20 h 16, heure du journal télévisé sur TF1. « La Roue de la fortune » n'explique donc pas seule l'audience élevée. Dira-t-on que la différence est peu appréciable? C'est vrai. Exemple typique : on passe de 22 à 23,3 points le 9 juillet 1990. Mais le même jour, aux mêmes heures, on passe de 7,6 points à 11,9 points sur A2, soit plus de 50 % d'augmentation. Plus encore, le mouvement exactement inverse se produit sur FR3, où les actualités régionales obtiennent 15,1 % d'audience à 19 h 22 contre 9,6 points à 19 h 45, lors du journal « 19-20 infos ». Soit une perte du tiers de l'audience. Tous les jours, on peut ainsi constater l'autonomie relative de l'écoute du journal télévisé. Et plus encore des magazines. Le Médiamat dit quand même la satisfaction ou l'insatisfaction du public envers les produits journalistiques.

L'image de marque

La deuxième phase des rapports de l'élite indépendantiste aux indices d'audience, à la fin des années 80, fut non de nier cette réalité, non de se jeter dans les plaisirs de la connivence, mais d'adopter le seul langage que pouvait entendre le propriétaire : celui de ses intérêts.

La « dictature » arrive en vérité quand le propriétaire veut rentabiliser trop vite. Il oublie alors que le plus beau Médiamat du monde ne peut donner que ce qu'il a.

L'« image de marque » naît à long terme, la chaîne des images s'inscrit, elle, dans l'instant. On touche ici le point aveugle de tout indice : il juxtapose les chiffres des audiences. Il quantifie dans l'instant.

Or, il faut souvent du temps pour s'imposer sur le marché et réaliser les investissements comme l'ont compris les propriétaires éclairés. « Quand je suis arrivé, on m'a dit : “ Yves Mourousi c'était quand même mieux ”, raconte Jean-Pierre Pernaut. Pendant six mois, j'ai été beaucoup critiqué. Mais j'ai tenu bon. À Montparnasse, où était Francis Bouygues, ils ont attendu. Ils ont regardé les résultats. Et ils ont fini par dire : “ Il est bien. ” Il faut laisser du temps. » Mouvement de fond. C'est seulement à long terme que la chaîne des images, que mesure le Médiamat, rejoint l'image de la chaîne.

Comme il faut du temps pour mesurer les apports financiers d'une programmation. Dira-t-on que l'émission « Résistances » de décembre 1987, sur un camp de concentration en URSS, attire moins de 6 % de spectateurs? Certes, mais elle est achetée à l'étranger et se trouve reprise par tous les journaux, du *Figaro* à *L'Humanité :* argent et publicité pour la chaîne. Même dans le court terme, tout se discute, se pèse, se soupèse et le Médiamat n'est qu'un des éléments d'appréciation. Le prix, la qualité, le temps des publicités... ne dépendent qu'indirectement des indications qu'il donne.

Changer une équipe, donc un style, peut conduire à l'inverse à perdre des espaces publicitaires sans trouver forcément pour autant l'équivalent : FR3 en est la démonstration. Et ne vaut-il pas mieux un journal haut de gamme sur FR3 pour attirer les cadres supérieurs avec la diffusion de publicités plus ciblées, que tenter de concurrencer les autres chaînes de télévision?

Plus encore : l'image de marque peut momentanément imposer des pertes d'audience. Écoutons Pierre Géraud, rédacteur en chef du 20 heures sur TF1 : « Notre chaîne est commerciale. Elle se donne pour but d'attraper le marché maximal pour des recettes maximales. La difficulté pour des gens comme moi, attachés à accorder une grande place à la culture par exemple, c'est de montrer l'intérêt qu'il y a à s'occuper de ces problèmes. Nous avons un service culturel d'une quinzaine de membres. " Apostrophes " sur la 2 ne fait pas des écoutes folles, mais l'émission contribue à l'image de la chaîne. Une image d'enfer avant qu'ils ne veuillent jouer le même jeu que TF1. Nous, nous avons " Ex-libris ". S'il y avait cela dans tous les domaines, je serais heureux. »

C'est ce que ne comprirent pas RMC ou La Cinq (du temps de Silvio Berlusconi). Le capital, en ne voyant que l'audience, est appelé à errer. Il perd de vue cette image de marque. Il oublie que des émissions sans grande audience peuvent apporter ce surplus d'âme que l'intérêt bien compris appelle. Phénomène que connaît toute la presse : un numéro de *L'Événement du jeudi* sur les universités (juin 1990), peu vendu, plombe l'image du journal et fidélise ainsi des catégories de lecteurs plus intellectuelles, même si momentanément il perd quelques consommateurs. À l'inverse, un numéro bien vendu peut détruire cette image. La une du *Nouvel Obs* sur la prostitution, début juillet 1990, allège l'image d'un « news » qui veut élargir son assise, mais ce jeu ne peut être qu'exceptionnel, sous peine, à court terme, de détruire le capital de sympathie auprès d'un lectorat traditionnel très intellectuel. Le traitement spectaculaire de l'information lors de la révolution roumaine a amené La Cinq à accroître son audience, mais elle l'a payée d'une perte de prestige.

Le lecteur peut même acheter un journal, écouter une radio ou regarder une chaîne « quoique » ceux-ci contiennent des « papiers » qu'il ne peut comprendre (difficultés de lecture, articles pointus, émissions spécialisées...). C'est-à-dire, en vérité, bien souvent, « parce que » ces « papiers » y sont. Cette image de marque du média, c'est aussi l'image que le spectateur veut donner de lui ou, plus simplement encore, l'image du Moi à laquelle il s'est attaché.

Dans les grands médias modernes, le jeu médiacratique a été de faire perdre au propriétaire sa vision « à la Berlusconi ». On est entré dans l'ère du pragmatisme plus ou moins éclairé. Comme le dit F. : « Il y a eu des séminaires à TF1 où l'on nous a dit : " L'Audimat minute par minute indique que les gens n'aiment pas les plateaux, alors il faut les supprimer ou les réduire au maximum... Mais la pression s'est relâchée. " » Ainsi, un plateau de plus d'une minute et demie est prohibé, et plus encore chez PPDA qu'ailleurs. Pourtant : « Oui, je sais, dit PPDA, ce plateau avec Bakhtiar a duré assez longtemps. Mais il fallait le faire. »

En même temps, le journaliste a perdu sa posture puritaine. « Maintenant, nous n'avons plus l'impression, à l'information, d'une dictature de l'Audimat, dit Jean-Pierre Pernaut. Je vis le Médiamat au quotidien. Tous les matins, il me permet de savoir si j'ai intéressé les gens. La concurrence avec les autres chaînes se traduit par des résultats d'antenne. On a tous le regard les uns sur les autres. On se surveille. C'est ainsi que l'on a pu juger que le journal d'Antenne 2 avait vieilli. On est en réalité redevenus des journalistes normaux. Il n'y a plus de place acquise : quand un journal écrit ne se vend pas, est-ce que l'on va embaucher du personnel? Nous, à la télé, on a des résultats d'audience. Quelqu'un a dit : je préfère la dictature de l'Audimat à celle du chauffeur de mon P-DG. On est une entreprise de presse. » « Cela fait partie du métier », dit de son côté Guillaume Durand.

En cas d'échec dans l'information? La sanction tombe. Légitimement. L'écrit n'échappe d'ailleurs pas à la règle. Comme le dit Yann de l'Écotais : « J'ai la chance d'avoir aujourd'hui un propriétaire qui me laisse faire mon travail. Il est certain que si le journal ne marchait pas, je serais remercié. Ce serait normal. »

Le médiacrate ne perd pas toujours ses batailles, loin de là. Il peut faire pression pour que soient pris des risques d'information. C'est ainsi que Carreyrou, aidé par Mougeotte, obtint qu'une soirée soit débloquée pour les dernières élections européennes. « Il n'y a eu qu'un seul débat, dit-il, mais son succès permet d'espérer que la prochaine demande, si elle est fondée, sera satisfaite. » Le médiacrate peut ainsi imposer des émissions de prestige, à la satisfaction de leurs propriétaires qui pourront en bénéficier... en augmentant le prix de leur espace publicitaire.

Nous ne vivons donc pas exclusivement l'ère de la « dictature du Médiamat » ou du « culte de l'audience ». La véritable efficacité se moque des comptes d'apothicaire. Elle en appelle aux conflits des intérêts. Une guerre au cours de laquelle le médiacrate bien armé joue et gagne, non pas contre l'entreprise mais avec elle, en sachant transformer la qualité en promesse de quantité.

La stratégie des mains sales

Les annonceurs interviennent pourtant de façon moins abstraite. Et le spectre de la servitude volontaire se fait bien pressant. Inutile de rappeler que la plupart des produits journalistiques sont tributaires des annonceurs. La publicité représente, dans l'ensemble de la presse écrite, 40,5 % du chiffre d'affaires en 1988, soit 12,7 % de plus qu'en 1987 (d'après le Service juridique et technique de l'information, 1990). La baisse de la part publicitaire est apparue catastrophique en automne 1990 : *Le Point* tangue, *Le Nouvel Observateur* connaît de sérieuses difficultés, *Le Monde* ne sait comment il va continuer... Dans l'audiovisuel, la situation n'est guère plus brillante. La Cinq, avant sa reprise par Hachette, en était réduite à brader son espace publicitaire pour rivaliser avec TF1, qui détient à elle seule la moitié de la publicité télévisée. Ce sont ces difficultés qui expliquent probablement la nomination un peu curieuse de Pascal Josèphe à la direction générale de l'antenne (programmation et politique commerciale) par le groupe Hachette alors qu'il était encore l'un des responsables de Carat Espace, une centrale d'achats d'espaces publicitaires.

Les médias les plus prospères ne sont pas à l'abri d'une tempête. « Que les annonceurs publicitaires se mettent à bouder *Le Figaro* alors qu'ils font deux tiers du chiffre d'affaires, dit T., et celui-ci risque bien rapidement de devoir déposer son bilan. » Dominique Jamet précise : « Un journaliste est d'autant plus vulnérable qu'il dépend de ses annonceurs. *Le Quotidien* ayant peu de publicités, était peu sensible aux pressions, en dehors des milieux médicaux. Par contre, au *Figaro*, il faut y regarder à deux fois avant de se mettre à critiquer les agences de voyage, les promoteurs immobiliers, les parfumeurs. »

« C'est encore plus vrai pour *France-Soir*, dit D.; avant que Michel Schifres n'arrive, il fallait faire des papiers pour attirer la publicité. » Que les annonceurs d'offres d'emploi ou ceux du cinéma en viennent à abandonner *France-Soir* et ce journal, malgré l'appui d'une nouvelle équipe et la stratégie de gratuité mise en place, risque bien de déposer son bilan. Que Peugeot vienne à annuler sa campagne de publicité pour *L'Événement du jeudi* comme il l'a fait le 2 octobre 1989 à la suite d'un article sur l'attitude de Jacques Calvet dans le conflit de son entreprise – « Il lui manque une case sociale » avait titré le « news » – et le journal est dans une passe difficile.

D'où les conflits latents dans l'écrit comme dans l'audiovisuel. « La vraie source du pouvoir, dit Thierry Pfister, c'est l'espace. Or, qui détermine l'espace rédactionnel? Le service de publicité. Et il y a une véritable bataille pour les marchés. Quand *Le Monde* a tenté d'entrer dans le marché immobilier, il est devenu difficilement imaginable qu'un journaliste puisse attaquer la FNAIM. Quand on a des suppléments régions, de la même façon, la rédaction est poussée à fournir de la copie. Il est implicite qu'on ne peut guère être critique. Dans les années 70 ainsi, au *Monde,* nous avions fait un numéro sur la Réunion. Il y avait deux articles demandés, l'un à Paul Vergès le communiste et l'autre à Michel Debré, gaulliste. Le département finançait le supplément. Mais quand Michel Debré a appris que Paul Vergès, écrivait, il a téléphoné pour dire : “ Si vous le passez, je ne finance plus, nos accords son caducs. ” » L'intervention de Paul Vergès sera publiée mais plus tard et dans une « tribune... libre ».

Pourtant, l'attitude de la médiacratie a évolué. C'est le jeu des mains sales. Le médiacrate des années 90 a découvert que sa liberté n'était pas dans la limitation des sources publicitaires.

Paradoxe : plus le poids et surtout la diversité de la publicité augmentent, plus l'indépendance est assurée. « Il nous est arrivé de perdre des campagnes publicitaires, dit Daniel Vernet du *Monde,* mais nous ne le regrettons pas. Ainsi, il y a six ans, BMW a cessé sa campagne sous prétexte que nous étions trop à gauche. Il y a quelques années encore, à la suite d'articles sur la Suisse, Swissair a dénoncé ses accords de publicité. » *Le Monde* pouvait résister grâce à l'existence d'autres publicités qui assuraient sa survie. Et cette attitude se révéla finalement payante : « Depuis, la compagnie Swissair est revenue », constate Daniel Vernet. Confirmation du côté de Jean Boissonnat : « Il y a quelques années, à la suite d'une enquête, la famille Peugeot a boycotté *L'Expansion* pendant quelques mois. Mais elle s'est rendu compte qu'elle ne faisait pas une bonne affaire. La situation dans laquelle nous sommes est telle qu'un de nos annonceurs peut nous laisser choir. Il y a quelques semaines, nous avons fait avec nos annonceurs “ la nuit des entreprises ”. La partie artistique était, il est vrai, bas de gamme. L'un des entrepreneurs, pour manifester sa mauvaise humeur, a décidé de faire annuler une page d'annonces publicitaires sur un titre. Il n'a pas compris que nous n'étions pas responsables des variétés. Cela ne crée pour nous aucune dépendance. »

Même écho dans l'audiovisuel. « Sur Europe 1, dit C., il y a dix ans, on faisait attention. Par exemple, s'il y avait une affaire gênante pour Darty, on avait tendance à la taire. Mais les choses ont évolué depuis. » Bernard Rapp confirme : « Le risque des stations commerciales ce sont les annonceurs. À Europe 1, j'ai conduit des émissions qui n'ont pas plu à certains. On m'a dit " attention ". Mais je les ai faites quand même. Avoir pu les réaliser, voilà l'important. »

Une telle attitude ne va pas sans une claire conscience des enjeux du point de vue de l'entreprise et du médiacrate. « Le poids des publicitaires, c'est une question grave, admet Jean-Claude Bourret. Il en va de notre honneur de journaliste. Si un journal de consommateurs fait une enquête sur une marque de pneus qui ont explosé et que l'entreprise en question apprend que sur une radio le résultat de l'enquête va être donné, alors un des dirigeants de l'entreprise va téléphoner : " C'est très simple, si cette enquête est diffusée, je supprime les 2 milliards de publicité. " Il en va de l'honneur du journaliste de ne pas céder. Nous, sur La Cinq, on est une chaîne de télévision commerciale, entièrement financée par la publicité. Mais on ne nous a jamais dit – c'était une de mes craintes – " attention, il y a tel gros annonceur qui vient chez nous, il faut faire cela ". »

Ne pas avoir les mains sales? Voilà qui est à peu près impossible, sauf pour un journal comme *Le Canard enchaîné.* Il faut bien financer. Sponsoring : les stylos Dupont allaient à l'émission de Pivot. Publicité : la météorologie et la bourse sont détachées du journal télévisé. Sponsoring ou publicité? Les journaux peuvent même être en partie financés par des régions ou des conseils généraux.

Mais une telle réponse ne va pas sans dangers. « UAP pour la météo, Fujicolor pour Flushing Meadow... je crains un dérapage, dit Jean-Claude Bourret. Les gens qui ont beaucoup d'argent ont de l'imagination. Quand on voit ce qui est arrivé à " Interville " où il y a de la publicité, de la publicité et encore de la publicité... c'est aussi le risque que nous courons dans l'information. Il faut trouver un équilibre avec les publicitaires, car il ne faut pas leur déclarer la guerre. Un équilibre tel que les journaux télévisés ne soient pas un jour un peu d'information dans beaucoup de publicité. »

Équilibre? Telle est bien en effet la solution pour que le médiacrate assure tout à la fois sa puissance (financement) et son autonomie.

La liberté paie

Le médiacrate aux mains sales peut sourire : son paradis est pavé de mauvaises intentions. Cette posture autonome n'est-elle pas aussi finalement dans l'intérêt des annonceurs, qui devraient se méfier des paradis artificiels de la connivence?

La servitude de l'élite aux publicitaires produit des « effets pervers ». Première sanction de la courtisanerie : trop de maîtrise nuit au maître. D'après un sondage SOFRES/Corporate du *Monde,* le 23 septembre 1989, seulement 15 % des Français font confiance aux journalistes pour les informer de façon véridique sur la situation des entreprises. Une conception largement partagée par les chefs d'entreprise. Si l'on en croit *Dynasteurs* (avril 1990) ceux-ci n'éprouveraient que rancœur et mépris à l'égard des « journaleux ». Il y aurait trois sortes de journalistes : ceux de l'audiovisuel, courtisés mais méprisés pour leur « nullité »; ceux de la presse professionnelle, que l'on achète; enfin ceux de la grande presse avec lesquels on établit des relations à long terme mais qu'on finit par faire plier. Dès lors, quand il s'agit d'avoir des informations crédibles, nos annonceurs-entrepreneurs ne les trouvent pas dans la presse française soumise à leur propre volonté. Ils vont donc les chercher du côté de la presse... anglo-saxonne *(Financial Times* et *Wall Street Journal).* C'est le syndrome des revues d'art qui guette. Oubliant le public, les galeries d'art en sont venues ainsi à acheter la plupart des revues et journaux spécialisés. En échange de publicités grassement payées, elles demandent des articles sur mesure. Un monde de courtisanerie prolifère ainsi, dans l'indifférence quasi générale : puisque ces écrits servent à tout – en particulier à la spéculation – sauf à la lecture. Chacun montre ainsi fièrement aux autres l'article obtenu. Ce n'est plus de la dissimulation, nul n'étant dupe, mais la spirale inflationniste du simulacre.

Seconde sanction : trop de publicité nuit à l'esprit publicitaire. L'idéal des industriels de la télévision, qui était de transformer, comme le notait Marc Paillet dans *Télé-gâchis,* chaque stade en parcours publicitaire et chaque information en publicité, se retourne contre lui-même. Le zapping guette à la télévision, l'auditeur se détourne des stations trop publicitaires et le lecteur met à la poubelle le *France-Soir* publicitaire. Absurdité aussi du côté du propriétaire qui a accepté de se laisser ainsi investir, tout heureux de voir, un temps, son chiffre d'affaires augmenter grâce aux publicités. Ses consommateurs le quittent et, comme ce « news » le fit un temps, il rachètera en kiosque ses propres numéros pour maintenir l'illusion d'être lu et, surtout... le tarif des publicités. Ou bien encore, il distribuera ses abonnements avec des « cadeaux » qui valent aussi cher que l'abonnement lui-même... en souhaitant que les publicitaires soient longtemps encore assez dupes pour « surpayer » leurs espaces publicitaires à des journaux dont le coefficient de lecture pourrait descendre en dessous de 1, comme on le voit avec les numéros distribués gratuitement.

Troisième sanction : l'annonceur décrédibilise l'entrepreneur qui dort en lui. Comment les informations honnêtes sur l'entreprise pourraient-elles être séparées de celles qui ne sont que le produit des relations de connivence avec le médiacrate? Qui croit sérieusement aux informations sur la qualité des automobiles dans les revues spécialisées? Le patron est quelquefois d'autant plus ravi que son archaïsme est fondé sur son narcissisme : c'est « moi » que l'on met en avant. Comme le remarque judicieusement Sylvain Cipel dans *Dynasteurs :* l'annonceur est « plus anxieux de connaître ce qui se dit de lui que de son entreprise ». Il paye pour cela des cabinets-conseils chargés de gérer son image. Comme le dit Michel Frois, qui mit en place la communication du CNPF dans les années 70 : « L'état d'esprit en entreprise était avant : pour vivre heureux, vivons cachés. » Au milieu des années 80 – dénationalisations (triplement des actionnaires) et OPA obligent – les entrepreneurs ont massivement compris le besoin d'une communication interne et externe conséquente. À cet égard des hommes comme André Azoulay, « ex » de Paribas, ont joué un rôle central. Mais la communication fut pourtant encore largement méprisée par les autres secteurs de l'entreprise. Les patrons eux-mêmes l'ont considérée plutôt comme un appendice des relations publiques. Conséquence : l'avis des « dir. com. » ne compte pas toujours. Ainsi, Jacques Calvet décida de supprimer la publicité de *L'Événement du jeudi* sans avertir la directrice de la communication de Peugeot. Alors que l'Europe se construit, ce qui n'était qu'inconséquence devient tout simplement catastrophique : malheur à l'entrepreneur qui ne comprend pas la nécessité d'une presse indépendante et bien renseignée. Les concurrents européens en profiteront.

D'autant plus que l'annonceur va tout droit au conflit avec le médiacrate : c'est la quatrième sanction. Lorsqu'en juin 1990, à Biarritz, cet éminent membre du CNPF déclare : « Comment vouliez-vous que Peugeot maintienne sa campagne de publicité alors que *L'Événement du jeudi* l'avait attaqué? », il prouve simplement ainsi la puissance des archaïsmes. Mise en cause par l'un des quatre grands « news » du pays, elle aurait pu, comme l'a fait Perrier aux États-Unis, contre-attaquer en achetant des pages de publicité. La loi du talion est le contraire de la loi des affaires. Qui d'ailleurs est « puni » dans l'affaire? *L'Événement du jeudi?* À court terme sans doute, mais à moyen terme? Ce journal a vu son image de marque recevoir le sceau de l'indépendance; voilà qui n'a pas de prix pour une entreprise de presse. À l'opposé, l'entreprise Peugeot a été dotée d'une image d'archaïsme nuisible lorsqu'on la compare à celle des entreprises allemandes...

Ce jeu est finalement vain : voilà peut-être l'essentiel. Naguère, les journalistes ne s'efforçaient pas même de chercher les sources. La connivence jouait ainsi à fond, avec ses flonflons et ses « petits cadeaux ». Mais les François de Closets et les Emmanuel de la Taille, soutenus par les écoles de journalisme, ont retourné la situation. Les annonceurs partisans de la connivence trouvent de plus en plus l'opposition des médiacrates. Ceux-ci, forts de leur propre savoir, se soucient d'autant moins de « plier » qu'ils multiplient les annonceurs et usent d'autant plus aisément de leur force de frappe qu'une telle démonstration accroît leur propre puissance.

L'intérêt bien compris des annonceurs? Il passe par le respect des règles de concurrence. Par l'autonomie des médiacrates. Le « réalisme » favorise la puissance du médiacrate. Pour vendre le bonbon publicitaire, il faut que subsiste ce qui l'enrobe : le contenu journalistique.

V

LA VOIX DE SON MAÎTRE
LE PIÈGE POLITIQUE

1. LA MANIPULATION DE L'ÉTAT

Le médiacrate n'est pas seulement pris dans un tissu de relations avec les autres journalistes ou avec son patron. À l'orée de son bois, l'État veille. Surtout lorsqu'il est propriétaire. L'opinion ne s'y trompe pas : d'après un sondage SOFRES publié par *La Croix* le 10 janvier 1990, 61 % des Français ne croient pas à l'indépendance de leur presse (contre 29 %). A peine moins qu'en 1987 (63 % contre 26 %). Même en laissant de côté ce qu'un tel résultat doit à la presse spécialisée et de proximité, locale et régionale, ladite opinion publique a-t-elle tort? Ne perçoit-elle pas le désir secret de certains médiacrates de retrouver par la connivence, par un acte de soumission volontaire, la grande communion de naguère?

Car lorsque certains intellectuels spécialisés dans les leçons de morale protestent contre la manipulation-jamais-aussi-puissante du pouvoir d'État, quand ils dénoncent le surgissement d'une « classe politico-médiatique », croyant énoncer la dernière et la plus définitive des vérités, ils font sourire. L'audiovisuel? Le pouvoir d'État fut longtemps sinon son patron, du moins son cerbère. La presse écrite? Elle fut longtemps partisane ou soumise. Inutile de gémir : il n'y a pas de paradis français perdu.

Pas même dans l'après-guerre. Lorsque, le 26 juillet 1948 le cabinet André Marie décide de créer un secrétariat d'État à l'Information, rattaché directement au président du Conseil, ce n'est évidemment pas pour laisser les mains libres aux journalistes et encore moins pour laisser surgir une médiacratie. L'homme nommé à ce poste est d'ailleurs réputé pour son bon sens. Nul doute : il contrôlera l'information. Son nom? François Mitterrand. La radio, plus encore que l'écrit vaut bien une telle messe. Je, tu, il ou elle, manipule, telle est la règle. Pas de connivence alors : un simple rapport de domination.

La IVe République vit (quoique, par calcul, elle s'en défendît) sous les lambris de la IIIe : ceux de la soumission de la presse aux partis et à l'État. Forts de cette expérience, les plus anciens apprennent aux plus jeunes ce principe qui tient lieu d'unique commandement : « Si tu ne contrôles pas la presse, ton adversaire politique s'en chargera. » Notre République vit aussi sur les décombres du pétainisme : Pierre Laval crée la SA SOFIRA, rachetée par Vichy en 1943. Ancêtre de la Société financière de radiodiffusion (SOFIRAD) chargée de créer et d'exploiter les radios de l'empire. Bref, la IVe navigue de l'État-patron à l'État-cerbère. Les résistants, souvent engagés politiquement, s'étaient emparés de nombre de journaux pour les orienter dans le « bon sens ». Il aurait fallu connaître le monde anglo-saxon pour imaginer que *L'Humanité* ou *Le Populaire* allaient bientôt rejoindre au grenier le rouet et le métier à tisser.

Bon an, mal an, de l'épuisette du président du Conseil à l'escarcelle de quelques hommes politiques méritants, le ministère de l'Information passe de main en main. Le désir de manipulation ne se dément pas.

La Ve République commence sous les mêmes auspices. La télévision devient bientôt, plus encore que la radio, la proie recherchée des princes. En 1961, de Gaulle peut l'utiliser directement pour mater un putsch de généraux félons. « Il fut un temps, dit Philippe Madelin (TF1), au début des années 60, où le no 242 permettait d'avoir directement l'Élysée et le no 246 Matignon. » Le no 61, contestent d'autres. Qu'importe. D'ailleurs ministres, secrétaires d'État, directeurs de cabinet prennent l'habitude d'exprimer leurs desiderata. Et leurs désirs sont des ordres. Est appelé

« information » ce qui sert le pouvoir d'État. « Propagande » ennemie ce qui le dessert.

Le grand journaliste? Qu'il s'appelle Raymond Marcillac, Édouard Sablier ou François Gerbaud, il est sélectionné sur le seul critère de la fidélité politique. C'est pourquoi il est aussi facile de passer du sommet du journalisme au sommet politique : Max Petit ou François Brigneau deviendront députés. Voix de son maître, le grand journaliste a la figure de Michel Droit. Un port de tête altier. Ainsi confond-on quelquefois les maîtres et leurs majordomes : ce personnel de service qui craint d'être durement éconduit, mime toujours en mieux les gestes de ses maîtres. Avantage : humer l'air du maître et profiter de sa mansuétude pour monter dans la hiérarchie.

En ces temps-là, au gouvernement, fidèles à leur mission rédemptrice, Alain Peyrefitte, Yvon Bourges puis Georges Gorse jouent savamment leur rôle ministériel de « flic des ondes ». Arrive 1968. Le remplacement de Georges Gorse (le 31 mai) par Yves Guéna ne changera rien. Et pourtant...

On a beau lessiver, rincer, épurer, par charrettes pleines, la France est entrée dans une zone de turbulence. Sans crainte : la légitimité charismatique du général a disparu. La révolution médiacratique a commencé. Néanmoins, avec Georges Pompidou puis Valéry Giscard d'Estaing, le pouvoir a encore du mal à accepter de perdre pied; une grande éclaircie durant cette période : le gouvernement de Jacques Chaban-Delmas (juin 1969-juillet 1972). Après Joël Le Theule (juillet 1968-juin 1969) et Philippe Malaud (1973), Jean-Philippe Lecat reçoit en octobre 1973 le cadeau empoisonné : le ministère de l'Information. La disparition de ce portefeuille, lorsque Valéry Giscard d'Estaing « décrispe », n'empêche pas de voir se perpétuer une coutume si respectable par le secrétaire d'État aux Postes et Télécommunications ou par les hommes du président. Comme le rapporte Patrick Richard (TF1) : « Patrice Duhamel expliquait à la rédaction ce que le président Giscard d'Estaing voulait. Il expliquait et expliquait ce que disait Giscard, et il répétait et se répétait inlassablement... cette voix de son maître, je t'assure, cela nous rendait fous. »

L'incompréhension des désirs exprimés par exemple par Denis Baudoin, président de la SOFIRAD, pouvait trouver une rapide sanction...

La gauche en 81, malgré ses promesses, reprend la musique militaire. Il faut marcher au pas. Il est étrange de voir comment peuvent survivre des comportements dont tout indique pourtant qu'ils sont devenus caducs. Les hommes politiques ressemblent souvent à ces enfants qui continuent à jouer alors que la fin de la récréation a depuis longtemps sonné. Et, depuis 1968, elle avait sonné.

Frondes à la télévision

Emmanuel de la Taille fut l'inspirateur de ce premier grand feu qui devait conduire à refuser la manipulation dans le monde télévisuel : celui de Mai 68.

Il y eut des précédents : les grèves de novembre 1961 conduites par les cameramen, d'octobre 1962 après qu'un journaliste (Gilbert Lanzun) avait refusé de signer un reportage manipulé, de février 1964 contre le « service minimum », de février 1966 autour du statut et des salaires.

Avant 1968, au sommet, c'est le temps des « dissidents », des Joseph Pasteur, André Harris et Alain de Sédouy, et non des révoltés. Ces dissidents ne peuvent guère jouer de leur notoriété pour trouver un relais dans les publics : en 1960, 13 % seulement des foyers sont équipés d'un téléviseur. Après 1968, c'est le fantastique mouvement qui va conduire à la révolution médiacratique. Inexorablement. Qui va détruire le mur sans que nul n'imagine encore le terrible usage qui pourrait être fait de cette liberté réclamée.

Écoutons Emmanuel de la Taille : « Je suis né en 1932. Durant la guerre d'Algérie, je me suis retrouvé lieutenant. J'étais du côté des décolonisateurs sans être communiste ni proche des partisans de l'indépendance du type Sartre. Quand j'ai été démobilisé, je me suis retrouvé à Angers. Dans un kiosque, je vois un énorme titre sur les accords d'Évian. Je me suis dit : il faut que je sois au centre de l'actualité. Je me suis fait affecter au cabinet Delouvrier.

Là, j'ai rencontré la presse. J'ai côtoyé Jacques Boetsch et Claude Imbert qui étaient à l'AFP. À la suite d'une conversation avec un rédacteur en chef, au cours d'un déjeuner, je me suis retrouvé deux jours plus tard à la télévision. Une voix me parvenait par un interphone placé au plafond. Soudain, j'entends : " Emmanuel de la Taille, allez-y, c'est à vous. " Je fais mon commentaire sur l'Europe en scrutant l'endroit d'où venait la voix. À la fin, les amis sont venus me dire : " C'était vraiment très bien, mais pourquoi regardais-tu toujours en l'air ? " Je suis rapidement devenu une sorte de vedette. Les gens se précipitaient vers moi. J'ai fini par me consacrer entièrement à la télévision quand j'ai reçu de la direction de l'agence une lettre impérative : " Monsieur l'agent Emmanuel de la Taille... " je n'étais qu'un " agent "! De 1965 à 1968, je me suis retrouvé chef du service étranger à la télévision.

En 1968, avec François de Closets, nous étions dans le guêpier. L'élite de la télévision venait de basculer du côté des manifestants qui accusaient l'information de manipuler, de ne pas rendre compte de la réalité du mouvement. On prenait conscience que c'était vrai. Nous étions au milieu d'un cloaque et parties prenantes de ce système. J'ai été l'un des leaders de la grève. Avec Jean Lanzi, François de Closets et Maurice Séveno, nous nous disions : puisqu'il faut choisir entre être " jaunes " ou " rouges ", nous serons " rouges ". Charles de Gaulle l'a très mal pris. Selon lui, je l'avais personnellement " trahi ". J'étais en tête de la liste de ceux qu'il fallait éliminer. Les choses sont allées très vite. À partir du moment où j'étais devenu " tricard " au gouvernement, les portes se sont fermées partout. Durant les deux mois de juillet et d'août, ce fut épouvantable. Quand j'arrivais en Belgique par exemple, on me disait : " Nous sommes amis du gouvernement français. Nous souhaitons que vous ne lésiez pas nos intérêts. " J'étais fini. En août, j'ai été licencié. J'ai eu les honneurs du *Canard enchaîné*. J'ai réussi à entrer à *France-Soir* grâce à Pierre Lazareff. Il m'a dit : " On te prend, mais il faut que tu changes d'attitude. Il paraît que tu voulais faire sauter les pylônes de la télévision ? " Les rumeurs allaient bon train. »

La reprise en main de l'après-68 fut menée tambour

battant. Yves Guéna, qui avait fait occuper les installations de l'ORTF par l'armée en 1968 (et qui avait nommé Jean-Jacques de Bresson directeur général de la télévision), commanditait les opérations d'épuration. Frédéric Pottecher est mis d'office à la retraite, Maurice Séveno, François Loncle, Bernard Père..., une soixantaine de journalistes sont licenciés ou mutés. Les émissions les plus subversives sont supprimées.

L'arrivée de Georges Pompidou à l'Élysée a-t-elle changé l'esprit de l'État-patron vis-à-vis de « sa » télévision? « Bien au contraire, répond Emmanuel de la Taille. À la différence de Charles de Gaulle qui se déchargeait de la surveillance sur ses " godillots ", Georges Pompidou contrôlait tout directement. Ainsi, alors que Pierre Desgraupes a voulu me faire revenir à la télévision, Pompidou s'y est opposé. »

Emmanuel de la Taille profite de la première période de dégel et de l'atténuation du courroux de Georges Pompidou. Jacques Chaban-Delmas, Premier ministre, n'est guère partisan des manières expéditives qui lui paraissent archaïques. Contre l'avis des gaullistes de choc, il avait nommé Pierre Desgraupes à la direction de la première chaîne et Jacqueline Baudrier à celle de la seconde. Un peu d'air frais circule. Les journaux télévisés recrutent des hommes prêts à l'autonomie. Cela ne sera pas pardonné au maire de Bordeaux. Les conseillers de l'Élysée Marie-France Garaud et Pierre Juillet se déchaînent contre lui. Ils le feront partir. Chemin faisant, ils imposeront la nomination à la direction de l'ORTF d'un député UDR, Arthur Conte.

Emmanuel de la Taille avait pu profiter de l'éclipse : « Un jour, alors que je désespérais de pouvoir retourner à la télévision, il y a eu un deal entre Pierre Desgraupes, qui n'avait pas abandonné l'idée de me faire revenir, et Jacques Chaban-Delmas. Desgraupes me dit : " Voilà, tu peux revenir mais je peux seulement te proposer d'aller travailler comme correspondant aux États-Unis. " Bref, d'accord pour mon retour à la télévision à condition que je ne sois plus dans les parages. »

Laissons là-bas celui qui fera hurler la gauche plus tard (1982) en déclarant que les pommes de terre ne poussent pas dans les arbres. Les Emmanuel de la Taille et les François de Closets ont mis, par la revendication de leur identité de journaliste, le vers dans le fruit du gaullisme audiovisuel. Les Raymond Marcillac commencent à être montrés du doigt par la profession mais ils dominent encore. « Nous fûmes 250 à être virés après les grèves de fin d'ORTF, en début 1971, dit Sérillon. Je n'ai moi-même été récupéré qu'en février 75 par FR3. »

En 1974, Valéry Giscard d'Estaing est élu président de la République. « Quand on m'a réembauché, explique Claude Sérillon, Claude Lemoine m'a dit : " Je ne veux ni te voir, ni t'entendre. " Cela a duré trois mois. Puis je suis allé sur A2. Fin 1975, j'ai eu à nouveau des ennuis. J'ai été envoyé pour réaliser un reportage sur l'achat par Robert Hersant de *Paris-Normandie.* J'ai enquêté. Trop peut-être. B. m'appelle au téléphone et il me dit : " Laisse tomber. " J'ai adressé une lettre de protestation à la direction. On m'a répondu : il y a des " intérêts supérieurs " en jeu. Ce manège a continué au moment de l'affaire des diamants offerts par Bokassa à Giscard d'Estaing, à l'automne 79. J'étais chargé de la revue de presse du journal. Tous les journaux parlaient de l'affaire des diamants. J'ai voulu en faire autant. Jean-Pierre Elkabbach n'a pas accepté. Il m'a proposé un autre sujet. J'ai refusé. Je me suis retrouvé au placard pendant deux mois. »

La décrispation voulue par VGE, peut-être parce que l'époque ne s'y prêtait guère, échoue. Lorsque l'ORTF est démantelée en 1974, les sept établissements créés sont autonomes mais leurs présidents sont nommés... en Conseil des ministres. Les sanctions politiques, moins nombreuses il est vrai que dans les années précédentes, après deux ans de relative tranquillité, tombent. Surveillance, pressions et interventions redeviennent continuelles.

1981 : François Mitterrand est élu. De la droite, l'élite journalistique n'espérait rien. La gauche, elle, faisait rêver. Après treize ans de combats contre la première, la seconde rendit alors un service inespéré. Elle détruisit en quelques semaines les dernières illusions. Elle créait en même temps contre l'adversité, dans une histoire commune, un sentiment de « solidarité négative ».

Les journalistes, à 70 % plutôt proches de la gauche, se souvenaient pourtant des batailles socialistes pour la « libération de l'audiovisuel », des protestations contre la censure, notamment lors de l'« affaire Clavel » (« Ce sont les gens de l'Élysée qui avaient coupé un mot de Clavel », rappelle Alain Duhamel). Les souris journalistiques se prennent ainsi encore quelquefois de tels amours pour les chats...

Le 10 mai 81; les têtes d'Étienne Mougeotte, de Patrice Duhamel et de Jean-Pierre Elkabbach sont réclamées. Elles tombent. Les journalistes d'Antenne 2, qui ne comprennent pas encore que rien n'a changé, prennent la gauche autogestionnaire au mot : ils élisent Noël Copin comme directeur. Pierre Desgraupes, éjecté de son siège de directeur de l'information en 1972, est nommé par Mauroy. Il met vite de l'ordre et remplace Noël Copin par François-Henri de Virieu. Partout, le nouveau pouvoir tente de nommer aux postes clés ses hommes.

La médiacratie a compris. La couleur du chat importe peu : toujours il veut attraper les souris.

Révoltes dans les radios

Mai 68 sonna à peu près partout l'heure de la rébellion. Il fut ce moment privilégié où le voile se déchira. Le paternalisme politique dans les radios montra son véritable visage. L'élite dut se rendre à l'évidence : on ne pouvait jouer la carte du bon maître.

Europe 1 fut l'exemple idéal de la manipulation douce. Comment l'élite de cette station aurait-elle pu ne pas avoir nourri quelques illusions? Dès sa création (par Charles Michelson), l'élite n'avait-elle pas eu l'impression de vivre son autonomie en toute impunité?

Dans les ex-studios de cinéma de la rue François-Ier, Pierre Sabbagh, Claude Terrien, Louis Merlin, Jean Gorini et Maurice Siegel lancent, à partir du 1er janvier 1955, un style. Fini le speaker engoncé, coincé, lecteur des dépêches de l'Agence France-Presse. Par leurs entretiens, leurs directs et leurs commentaires souvent acides, les journalistes jouent leur autonomie relative avec cran, dans un style vocal propre. Luc Bernard, dans son impressionnante histoire d'Europe 1, évoque cette voix « intérieure » de Claude Terrien, celle « inflexible et sans bavure » de Jean Gorini ou gouailleuse de Maurice Siegel... Ils inventent véritablement l'information radiophonique tout comme Frank Ténot et Daniel Filipacchi inventent le journalisme musical avec leur émission sur le jazz. Quand Charles Michelson vend ses parts, Sylvain Floirat, le nouveau patron, descend de sa Rolls, déterminé à préserver cette image de la station alors dirigée par Louis Merlin...

Soudain, après une émission, le 27 décembre 1956, le pouvoir se réveille. De Maurice Faure à Guy Mollet, un objectif : le contrôle de la radio. Car il y a scandale : la station, en pleine guerre d'Algérie, n'hésite pas à parler (modérément) des tortures, à rechercher la vérité. Sylvain Floirat, pour sauver l'outil, est contraint de laisser une partie de ses actions à la SOFIRAD.

Pourtant les journalistes s'inquiètent peu qu'Europe 1 soit ainsi contrôlée (la SOFIRAD prendra 35,2 % des parts et 46 % des voix). Quelques rappels à l'ordre ne gâchent pas les festivités durant dix ans. La mort qui emporte une des plus grandes consciences de ce journalisme indépendant, Claude Terrien, tout comme l'élimination de Georges Fillioud, militant de premier plan la même année (1966), n'empêchent pas le souffle de la station de se répandre. Même si France Inter, inspirée par Étienne Mougeotte (il va bientôt passer sur Europe) devient la première des radios devant Europe 1, talonnée par RTL.

1968 : c'est la crise sur « radio-barricades ». Comme RTL et à la différence de France Inter (ligotée par son patron André Astoux), la station, devenue très populaire dans la jeunesse dès la fin des années 50, décide de mener à bien son travail d'information. Les consignes du pouvoir arrivent-elles? Qu'importe. On croit que le politique, moyennant quelques infimes concessions, restera « bon ». Gilles Schneider interroge les leaders étudiants avec son « nagra » (magnétophone), Alain Cancès montre la répression policière, Julien Besançon suit les manifestations pas à pas; toute la famille Europe de François Jouffa à Jean

Gorini est sur des charbons ardents. Le gouvernement la dénonce comme un des fers de lance de la « chienlit ».

« Le premier gros accident de l'histoire d'Europe 1, c'est 1968, dit Albert du Roy. J'ai eu le sentiment qu'il y a eu une grande peur du pouvoir politique. Il s'est dit : les journalistes sont des irresponsables, il ne faut pas qu'une telle station puisse recommencer à être subversive. Il y a eu une vague de 22 licenciements. Une anecdote à cet égard : le patron d'Europe 1 vient me voir au moment de la grande manifestation gaulliste de 68. Il me dit : " Vous vous êtes conduit en commissaire politique en mai lors des manifestations étudiantes. " Il m'accuse d'avoir surveillé les reportages lors des événements de la rue Gay-Lussac. Ce qui était assez drôle parce qu'en fait j'étais parti en RFA le 3 mai et je ne suis revenu que le 11 pour repartir le 13 afin de couvrir le voyage de De Gaulle en Roumanie. Et lorsque je suis revenu le dimanche suivant, il y avait la grève générale. Je ne pouvais donc avoir joué le rôle de meneur qu'il m'attribuait. En vérité, c'est notre style qui n'était pas aimé. »

Avec ses charrettes de licenciés et de départs forcés, Europe 1 rentre dans les rangs. De Julien Besançon à Alain Cancès, de Pierre Bouteiller à Alexandre Baloud, d'Olivier Mazerolle à Guy Claisse : tous sont licenciés ou poussés dehors; Albert du Roy partira peu après. Ils rejoignent ceux de France Inter, où Pierre West et Jean-Pierre Elkabbach, punis, ont été mutés en province tandis que 18 Tintins (dont Pierre Janin et Jean-Claude Dassier), avaient été licenciés. L'Europe 1 des illusions a vécu.

Qu'importe si le pouvoir présente à nouveau un visage paternaliste. Les Bernard Langlois, Ivan Levaï et Jean-François Kahn montent, les Étienne Mougeotte et les Gilles Schneider restent et ont retenu la leçon. Ils frondent avec le soutien des patrons, Sylvain Floirat et son « héritier » Jean-Luc Lagardère.

Gérard Carreyrou prend alors son envol. Il est le témoin d'un des plus importants remaniements d'Europe 1, celui de l'après-68 : « Je suis un journaliste politique et je peux dire que j'ai vécu le gaullisme audiovisuel et que je m'en suis toujours souvenu. J'étais à Europe 1 quand Maurice Siegel a été licencié par Denis Baudoin à la demande de Jacques Chirac. » Denis Baudoin, président de la SOFIRAD, est alors vécu par beaucoup comme la main de Matignon et de l'Élysée, plus encore que son œil et son oreille. Il n'aime pas Europe qui fait des siennes. Jean-François Kahn est plus particulièrement visé. Entre deux références poétiques, il persifle et signe malgré les longues discussions téléphoniques avec Valéry Giscard d'Estaing, qui voudrait le convaincre qu'il n'a rien d'un populiste « Louis-Philippard ». Les pointes acérées d'André Arnaud, Ivan Levaï et Gérard Carreyrou ne sont pas mieux appréciées. Le président de la République se fâche.

Il exige de Jacques Chirac l'élimination de Maurice Siegel. Denis Baudoin convoque un conseil de gérance et, par le jeu du capital détenu par l'État, obtient, malgré Sylvain Floirat et grâce à sa participation dans le capital, le licenciement de Maurice Siegel. Un licenciement annoncé par Denis Baudoin à l'intéressé par ces propos célèbres : « Vingt ans, ça suffit ! » La rédaction alors, pour la deuxième fois, se soulève. Assemblées générales, motions, critiques ouvertes qui parviennent aux auditeurs... Le pouvoir d'État ne cède pas.

Arrive Jean-Luc Lagardère. Il confie la direction de l'information à Étienne Mougeotte (sur proposition de J.-F. Kahn, qui n'a pas souhaité ce poste pour lui-même). Il accepte de signer un contrat garantissant l'indépendance de la station. Maurice Siegel va fonder *VSD;* par solidarité, d'autres partent aussi : Jean Gorini notamment, l'homme de l'engagement entier. Il sait déjà qu'il regrettera à jamais cette existence. Et plus tard, ceux de *France-Soir* le verront écouter avec nostalgie, du matin au soir, cette radio qui avait été sa seule vraie passion professionnelle.

Victoire à la Pyrrhus du gouvernement? Le contrat d'indépendance pourrait le laisser penser. Mieux vaudrait pourtant ne pas croire que le pouvoir a cessé de veiller. Ivan Levaï passe-t-il à l'offensive en contraignant les hommes politiques à s'expliquer tous les matins en six minutes? La responsabilité du matin lui sera retirée. Jean-François Kahn attaque-t-il Denis Baudoin? Il devra quitter la station. Les médiacrates payent cher leur volonté de liberté. Réponses d'Étienne Mougeotte : il fait monter d'autres merles moqueurs plus « libéraux » : Jean Boissonnat, Alain Duhamel, Robert Nahmias... et bientôt l'ex-assistante de Jean Gorini : Anne Sinclair. Le clan Mougeotte se constitue : il faut se protéger. « À Europe 1, dit Alain Duhamel (qui, pour être alors giscardien, n'en était pas moins « indépendantiste »), les hommes politiques avaient l'habitude d'appeler le patron et de lui dire : " Virez-moi ce morveux. " » La mise à l'écart de Christiane Collange, qui avait ironisé sur le mariage de la fille du président avec un divorcé, comme le départ de Coluche, démontraient qu'il ne fallait rien attendre des « libéraux » français.

Et de la gauche? En 1981, à la radio comme à la télévision, il fallut se rendre à l'évidence. Jean-Luc Lagardère put aller discuter à Matignon, les jeux étaient faits. Qui aime bien châtie bien. Étienne Mougeotte et Alain Duhamel sont écartés par Jack Lang, Joulin devient envoyé spécial. Même si les frères ennemis Ivan Levaï et Gérard Carreyrou, jugés plus à gauche mais tout aussi « indépendantistes » que leurs prédécesseurs, sont promus, Jean-Luc Lagardère, las, finit par partir : Multi-Média-Beaujon, sa holding, vend une partie de ses actions à Marcel Dassault. Et la SOFIRAD, avec de plus en plus de difficultés pourtant, continue à veiller à la survie de ce qui reste son enfant.

Le médiacrate est celui qui a appris que l'espoir d'un bon maître politique est chimérique pour qui veut préserver sa liberté.

Rébellions dans la presse écrite

La presse écrite n'échappe pas à la règle de ces années de fer, même lorsque l'État n'est pas le propriétaire... tant il est vrai que la distinction public-privé ne recouvre pas forcément une réalité. Exemple typique d'une manipulation par le pouvoir d'État : *France-Soir.* La nomination aux postes clés, jusqu'à la prise en main du capital par Robert Hersant, était directement imposée par le pouvoir qui pouvait ainsi contrôler le plus grand quotidien « parisien » français. Comme l'indique Bernard Veillée-Lavallée : « Le journal était gouvernemental *a priori.* Qu'importait la couleur du gouvernement, sous la IVe comme sous la Ve République. »

De 1953 au début des années 70, le journal, malgré son légitimisme, connaît une réussite populaire. Pierre Lazareff (ex-directeur de *Paris-Soir*), nommé rédacteur en chef dès 1944, détient la direction. Lorsqu'il s'agit de le remplacer, qui mettre à sa place? Situation d'autant plus préoccupante que le journal, édité par France-Éditions et Publications, contrôlé par Hachette (un groupe alors très gaulliste), vit une situation préoccupante. Sa diffusion chute : de 1 120 000 en 1961 à 720 000 exemplaires en 1974. Plutôt que d'affronter le problème, le pouvoir politique place et déplace ses hommes. Durant deux ans, Valéry Giscard d'Estaing parvient à imposer l'un des siens à la tête de la rédaction : Jean Méo. Puis c'est Henri Amouroux, chabano-centriste, qui règne à son tour sur les 280 journalistes. Il est remplacé par Jean Gorini, puis par Paul Winkler. Le journal vogue au gré des vagues politiques. En 1976, les journalistes doivent se rendre à l'évidence : l'entreprise meurt et le pouvoir politique ne se rend pas. Vient, un peu tardivement, la première révolte.

« Nous étions d'abord un journal d'informations, raconte Bernard Veillée-Lavallée qui fut chef adjoint du service étranger de *France-Soir.* Bien sûr, ce journal était gaulliste. Il faut comprendre qu'après Pierre Lazareff, plus personne ne voulait prendre *France-Soir.* Henri Amouroux, qui venait de *Sud-Ouest,* avait géré le journal comme un quotidien de province. Après Amouroux, il fallait un gaulliste avec l'accord de l'Élysée et de Matignon. Jean Gorini fut choisi. Cela pouvait être étonnant car il avait été l'adjoint de Maurice Siegel à Europe 1 et Siegel s'était fâché avec Chirac. Mais il n'avait pas été marqué par le différend entre Siegel et Chirac. Et il avait d'autant plus facilement quitté *VSD* qu'il ne s'était pas senti très bien dans sa peau. L'important pour le pouvoir politique était d'être assuré de la manchette, de la Une contrôlée par le directeur. Sinon, il n'y avait pas vraiment besoin d'intervention directe extérieure. Quand le général embrassait une petite fille, il semblait naturel que nous mettions la photographie en première page. Avec Paul Winkler, tout ce qui couvait depuis le départ de Pierre Lazareff a éclaté. Il était autoritaire et très politique. Il voulait reprendre en main certains services devenus de véritables forteresses dans le journal, comme le spectacle, le sport ou la télévision. Philippe Bouvard et son équipe par exemple étaient intouchables. Paul Winkler cassait la machine de professionnels qui avait été mise en place. Il faisait de l'idéologie. Les journalistes les plus professionnels commençaient à devenir " tricards ". On finissait par écrire n'importe quoi. Par exemple, Paul Winkler était passionné d'occultisme. Il avait sorti deux affaires : une de sorcellerie en Allemagne, une d'empoisonnement je ne sais plus trop où. On en rajoutait pour aller dans son sens. Cela nous faisait marrer d'aller plus loin encore que lui dans des histoires invraisemblables que nous inventions de toute pièce et qu'il gobait. Finalement, on en a eu assez. Ce type était incompétent. Il n'avait pour lui que d'avoir été nommé par le pouvoir. Cela a fini par une révolte. Et on a échoué. Après la grande grève et les troubles de 1976-1977, une vingtaine de journalistes sont partis. Michel Schifres n'a pas voulu venir au *Matin* avec moi, il a préféré le *Journal du dimanche* où il est devenu rédacteur en chef. On en était tous désolés, mais le grand *France-Soir* était incontestablement fini. Malgré nous, il avait été tué. »

Au début des années 80, nul médiacrate ne peut plus se leurrer : les « indépendantistes » ne peuvent se contenter d'une propriété privée. Il leur faudra s'imposer comme maîtres dans la cité.

La chasse à l'homme

Prendre en main le média? Le projet n'est pas toujours aisé à réaliser. Lorsque le journaliste se rebiffe, le pouvoir a une tentation : la chasse à l'homme.

Jean-Michel Carpentier (né en 1957) ne savait pas ce qui l'attendait en sortant du CFJ, le 1er juillet 1981 : « Pour la première fois, une année entière avait été consacrée à l'audiovisuel télévisé dans l'école. Les trois premiers classés se sont retrouvés, l'un à TF1, l'autre à FR3, une à Antenne 2. Donc me voilà à FR3. J'y suis arrivé comme stagiaire. François Bonnemain était là, il est allé travailler pour Jacques Chirac ensuite. Lors de notre première rencontre il me dit : " Bon, voilà tu arrives dans cette profession et tu viens du CFJ. Je suis du RPR. Je n'en ai rien à faire que tu sois de gauche. Je veux et j'ai toujours seulement voulu du professionnalisme. " Il a ajouté : " Je vais me faire virer pour des questions politiques. Toi, tu es jeune, pense à ne jamais mélanger les genres. " En septembre-octobre, Maurice Séveno est nommé. Et bientôt la " liste Juquin " arrive. »

Pierre Juquin était alors le porte-parole du PCF; il avait obtenu, à la suite de discussions avec Robert Blum, dit « West », qu'un certain nombre de journalistes communistes entrent à la télévision pour « rééquilibrer » la composition politique des chaînes. S'emparer d'un média? Le clan des journalistes communistes n'était pas décidé à laisser passer une telle aubaine.

« Deux journalistes sont imposés sur FR3 raconte Jean-Michel Carpentier : Pierre Charpentier et Michel Naudy, qui sortait du service politique de *L'Humanité.* Ils ont phagocyté " Soir 3 ". Michel Naudy, lors de sa première prise de parole en conférence de rédaction, en décembre 1981, déclare : " Je suis ici pour rééquilibrer l'orientation politique du journal. " Dominique Baudis est parti deux mois plus tard : il n'avait plus la maîtrise du journal. Un jour, en février 1982, Maurice Séveno, qui était socialiste, nous convoque dans son bureau, avec Pierre Charpentier, Michel Naudy, Jean-Pierre Locatelli, socialisant et Alain Schmitt, plutôt marqué à droite. On se retrouve dans son grand bureau. Il dit : " Il faut répartir les tâches. " Il a proposé que Michel Naudy s'occupe de l'opposition de droite, que Pierre Charpentier fasse le PCF, moi les syndicats et Alain Schmitt le PS. Alain Schmitt a compris qu'il était mis de côté. Dès qu'il voulait faire un papier politique, Michel Naudy le devançait. Maurice Séveno laissait passer. De jour en jour, les pressions devenaient plus fortes. Alain Schmitt a fini par partir. Moi je commençais à avoir de sérieuses difficultés avec le clan. Un jour, en été, Jacques Chirac publie un article important à la Une du *Monde*. Il y a une conférence de rédaction. Pendant trois quarts d'heure, tout le monde parle. Je demande : " Alors on fait un papier sur Chirac ou pas? C'est quand même la Une du *Monde*. " Gilles Vaubourg me soutient. Michel Naudy affirme : " On en a déjà parlé. " Il y a des éclats de voix. Je ne suis pas de reste. Le lendemain, un membre du clan vient me voir. Il me dit : " Que tu sois rocardien, c'est ton problème, mais est-ce que tu es conscient que tu fais le jeu de Chirac? " Michel Naudy voulait me retirer du social. Un jour, je suis tombé malade. Ils en ont profité pour parachuter un gars de Corse qui était, heureusement, tout à fait nul. Trois jours après être revenu, j'ai repris le service en main. Mais la guerre n'était pas terminée. Henri Krasucki devait prendre la tête de la CGT, au congrès de Lille, en 1982. À la même époque, François Mitterrand fait un voyage en Afrique. Maurice Séveno, qui voulait m'éloigner, me dit : " Je vous envoie trois semaines en Afrique. " Je lui réplique : " Mais cela tombe pendant le congrès de la CGT. " Maurice Séveno insiste. Alors je décide : " Non, j'irai au congrès de la CGT. " Et j'y suis allé.

Les politiques voulaient tout contrôler. Ils n'hésitaient pas à s'attaquer aux personnes. Il m'arrivait de rentrer chez moi en larmes. Parfois, ma copine recevait des coups de fil avant 7 heures du matin, le jour de mon repos. On m'a menacé physiquement, notamment un jour, en coinçant l'ascenseur : " Pourri, tu joues le jeu de la droite! " Ils créaient des problèmes sur les dates de congés. Ils me faisaient venir systématiquement le week-end pour que je prenne du repos en semaine et on me disait : " Tu vois, tu ne peux pas tout faire, il te faut de l'aide. " Ils ont tenté aussi des mesures administratives, notamment d'intégrer mon service dans celui des " info générales " pour le contrôler.

Après 1983, avec l'éloignement du PCF du gouvernement, j'ai enfin commencé à souffler. Mais le véritable soulagement, c'est quand je suis passé sur TF1. J'ai pu m'occuper du social et Pierre-Luc Séguillon a décidé de nous protéger contre tous les clans politiques. Cela changeait. PPDA et lui ont joué la jeunesse, la professionnalisation et, enfin, j'ai été couvert. »

Le pouvoir d'État n'intervient pas seulement de l'intérieur des médias. La chasse à l'homme se concrétise aussi par l'espionnage. Tout simplement. Que les Renseignements généraux fassent leur travail d'« information », rien là qui soit très inquiétant. La plupart des services politiques ont un « officier contact ». « Je mesure ce que je lui livre » dit Denis Jeambar du *Point*. En retour, l'officier « offre » des informations sur les études ou sondages de ses services.

Les affaires sont plus complexes dès que l'on approche le jeu souterrain des Renseignements généraux : « Ils doivent avoir une taupe au plus haut niveau dans la maison ou bien des écoutes, raconte Denis Jeambar. L'officier qui me téléphone fait allusion parfois à des conversations qui ont eu lieu dans mon bureau quelques heures avant. »

Taupe ou micros? Tout est possible. Sinon, comment expliquer que lors de l'affaire *Greenpeace*, le contenu des discussions entre un ministre, un médiacrate et une de ses adjointes ait été entièrement connu par les RG alors que le repas se déroulait dans la salle de restaurant du journal? Edwy Plenel indique d'ailleurs de son côté : « Les écoutes téléphoniques font partie des risques du métier. »

Le scandale des micros du *Canard enchaîné* a démontré la réalité de ce « risque ». Même si, dans ces affaires comme dans bien d'autres, la bêtise trouble les projets les mieux préparés. « C'est au troisième étage du *Canard enchaîné* que furent placés les micros dit Claude Angéli. Le raisonnement des flics était le suivant : si quelque chose d'important se passait, c'était forcément près du bureau du directeur. Ils y sont donc allés pour placer leurs micros. Mais le directeur ne s'y rendait jamais, car, journaliste dans l'âme, il préférait être avec nous, dans les salles de l'étage en dessous. » Et aujourd'hui encore, le visiteur peut aller assouvir sa curiosité au troisième étage. Il verra, marque de l'attachement du journal à son passé, un beau trou et une plaque commémorative...

La chasse à l'homme peut aller plus loin, comme cet

autre médiacrate (R.) put en faire l'expérience. Son adultère découvert, les Renseignements généraux glissent une lettre de dénonciation, avec photo à l'appui, sous la porte de son appartement, adressée au nom de son épouse.

Les vengeances ou les tentatives d'intimidation peuvent conduire jusqu'aux menaces de mort. Écoutons Jacques Derogy : « À propos du blanchiment de l'argent de la drogue, j'avais fait un article sur Giancarlo Parretti, patron de Canon et de Pathé. Un membre du cabinet de François Doubin est venu nous trouver. Il n'avait presque rien à dire, seulement ceci : “ Plusieurs journalistes italiens sont morts parce qu'ils enquêtaient sur la Mafia. Je pense sincèrement que vous êtes allés au terme extrême de votre enquête. Vous ne pouvez aller plus loin. ” »

Peine perdue pourtant. Ces mesures et les « résistances » qu'elles ont occasionnées, ont créé dans l'élite, au cours des années 70 et au début des années 80, un sentiment d'appartenance à un groupe, une « solidarité négative » face au pouvoir politique.

2. LE RAPPORT DE FORCES

Après la phase de « résistance » au politique, partout règne le nouveau maître : le rapport des forces. L'annonce par Jacques Delors (mai 1982) d'un virage économique qui prend à contre-pied les principes dominants de la gauche, le grand écart du PCF qui est au gouvernement tout en le critiquant, l'avancée de la vague libérale dans les esprits... tout cela a certainement contribué à rendre instables les relations entre le monde journalistique et l'État.

Suivons à cet égard l'itinéraire symptomatique de Christian Dauriac, qui connaîtra succès et échecs sur les domaines « princiers ». Au début était donc la manipulation : « À vingt ans, je suis à l'Institut d'études politiques de Bordeaux. Je fais un stage à l'ORTF de Rennes à l'été 1972. Je présente des journaux télévisés. L'ORTF était liée à l'UDR. Souvent, les recrutements s'opéraient non pas sur critères professionnels mais à partir du SAC. On recrutait aussi certains assistants des députés. J'ai même eu à Rennes avec moi un gars qui était là parce qu'il avait été le colleur d'affiches de François Le Douarec. »

Puis vient le temps de l'affrontement. « J'ai pris des responsabilités syndicales. C'était ça l'erreur. J'ai défendu mes confrères, fin août 1974, au moment de l'éclatement de l'ORTF. Il y avait une commission dite " de répartition " présidée par un colonel de gendarmerie, Perrier. Elle a rendu son verdict : 280 journalistes ont été considérés comme

" non répartis " dont Claude Sérillon, qui était à Paris. J'étais évidemment du lot. » Après avoir été chômeur et avoir travaillé dans une petite agence de presse économique à Toulouse, il entre à Sud-Radio qui dépendait de la SOFIRAD et se fait licencier en 1979 à la suite d'une plainte d'un notable de Figeac. Finalement, il aborde France Culture en 1981 : « En mars 1984, je suis heureux à France Culture mais il y a une crise à FR3, poursuit Christian Dauriac. Édouard Guibert, directeur de l'information, démissionne. Il était en conflit avec Serge Moati. Le nouveau directeur de l'information est mon prédécesseur à France Culture. Michèle Cotta nous demande de reconstituer le tandem que nous formions. J'arrive comme rédacteur en chef. La rédaction est bizarre. Le président Holleaux, me dit : " Vous devez garder vos deux adjoints, ils représentent une équipe formidable. Le premier, Henry Chapier, est de sensibilité chiraquienne; le second, Michel Naudy, de sensibilité communiste. Michel Naudy fait partie de la liste Juquin et comme les communistes n'ont rien eu, si vous le bougez, vous aurez une explosion. Quant aux présentateurs, deux sont de sensibilité socialiste, Geneviève Guicheney et Gilles Vaubourg, tandis que Jean-Jacques Perrault est de sensibilité plus libérale. "

C'est " Beyrouth ". Pendant une semaine, les journalistes défilent dans mon bureau et disent les uns sur les autres pis que pendre. En conférence de rédaction, je déclare : " Si je répète tout ce que vous m'avez dit, vous allez vous entre-tuer. Donc, on oublie tout. " J'entre assez vite en conflit avec le tandem Naudy-Chapier. Je propose un journal différent et les politiques réagissent : on me prévient : " Juquin est furieux contre toi. " Durant l'été 1984, un dîner avec Juquin et Bidoult chez Alain Manevy est organisé. C'était avant que Mauroy ne saute, les communistes sont encore au gouvernement. Michel Naudy n'était pas là. Pierre Juquin me vole dans les plumes : " Tu es un salaud, tu ne respectes pas l'accord prévu à FR3. Il était dit que puisque nous n'avions rien dans l'audiovisuel, nous aurions Naudy à FR3. Et tu sors Naudy de la rubrique politique. Tu as une semaine pour le remettre à l'antenne, sinon tu auras affaire à moi. " Je connaissais bien Naudy car nous avions été ensemble au lycée de Bordeaux, j'étais au PSU à l'époque et lui déjà au PCF. Le lendemain du repas, Naudy, très sûr de lui, vient me voir dans mon bureau. Il me dit : “ Tiens, je fais un plateau aujourd'hui. ” Et il me soumet son papier. Je le lis et lui dis : “ Ton papier est très bon, mais je ne veux pas me déjuger. Il a été dit que l'on ferait un journal d'information et de reportages, il n'est pas question de revenir là-dessus. ” Le PCF a réagi en une semaine. Daniel Karlin, représentant du PCF à la Haute Autorité, a fait pression sur Michèle Cotta pour que je sois remplacé. Je ne le suis pas. À la même époque, Enrico Berlinguer, le dirigeant du PC italien, meurt. Un reporter me propose la réaction de Toni Negri, grande figure intellectuelle de l'extrême gauche italienne qui n'aimait guère Enrico Berlinguer. Alors que tout le monde disait “ Enrico Berlinguer est sympa... ”, lui affirmait tout le contraire. Je passe le reportage. Pierre Juquin va chez Pierre Mauroy : “ On ne peut pas garder ce type-là, lui dit-il. Il crache sur la tombe de Berlinguer. ” Le Premier ministre ne cède pas. »

Christian Dauriac l'emporte. Mais une bataille n'est pas la guerre. « Quand les communistes quittent le gouvernement avec le départ de Pierre Mauroy, Laurent Fabius arrive. La vie à “ Soir 3 ” s'améliore. Les pressions s'amenuisent. Je demande l'allongement du temps du journal et je l'obtiens. Puis le journal télévisé passe à 22 heures. Il devient un journal haut de gamme pour les lecteurs de “ news magazine ”. On recrute alors une vingtaine de journalistes. La rédaction grossit jusqu'en mai 1986. Les élections législatives arrivent et de nouveaux ennuis. Mme Langlois-Glandier est la nouvelle présidente nommée par la droite. Je suis relevé de mes fonctions. On me propose une direction régionale de FR3, je refuse. On me met au placard. Langlois-Glandier fait sortir de son “ placard ” un inspecteur général qui est en même temps secrétaire de la commission d'information du RPR. Il devient directeur général. C'est René Han. Je deviens à mon tour inspecteur général. » Christian Dauriac, désabusé, finit par quitter FR3 à l'automne 1987. Il y reviendra en 1990, recommençant une nouvelle guerre d'indépendance à partir de FR3-Île-de-France.

Que s'était-il passé entre-temps? La mise en route du processus tourbillonnaire qui transforma profondément les rapports de forces entre l'État et les journalistes sur la comète médiatique.

Le processus tourbillonnaire

La multiplication des médias indépendants (et leur technicisation) rend non seulement leur contrôle plus difficile pour le pouvoir politique qui s'affaiblit à partir de 1983, mais surtout elle produit un processus formé par le jeu de deux dynamiques.

Première dynamique : l'élite recherche d'autant plus l'autonomie qu'elle acquiert par sa lutte une notoriété monnayable dans d'autres médias qui n'hésitent pas à employer ces cadres : l'image d'indépendance draine des consommateurs. En retour, les zones autonomes récupèrent donc des cadres de valeur, ce qui les renforce et favorise plus encore les revendications de ceux qui sont à l'intérieur des zones serves.

Seconde dynamique : à chaque attaque du pouvoir politique, des segments entiers de l'opinion sont alertés et mobilisés par une presse indépendante renforcée, ce qui menace les hommes politiques sur le marché électoral. Voilà qui affaiblit un peu plus leur marge de manœuvre et attise, en conséquence, les envies d'indépendance.

Écoutons Albert du Roy : « Je suis arrivé à Antenne 2 à un moment exceptionnel, lorsque Pierre Desgraupes était P-DG. Il y avait des présentateurs-vedettes de grande qualité comme PPDA et Christine Ockrent. Une équipe de professionnels. La direction de la chaîne m'a proposé d'être rédacteur en chef, responsable du service politique et éditorialiste; j'ai accepté. J'avais la garantie de pouvoir faire mon travail. À peine arrivé, ma première activité a coïncidé avec l'affaire de la grue de Latché, le 31 décembre 1982. Mitterrand devait faire une intervention depuis sa propriété des Landes et la grue qui devait assurer la transmission technique n'est jamais arrivée. Grâce à la direction, cela s'est bien passé. »

Néanmoins, le pouvoir d'État luttait de pied ferme pour conserver un « droit de cuissage » : « La situation a commencé à changer, poursuit Albert du Roy, à la rentrée 1983 et elle est carrément devenue difficile pour moi, un an plus tard, quand Pierre Desgraupes a pris sa retraite. *L'Événement du jeudi* allait se lancer. Michèle Cotta me dit : " Il faut que vous restiez à Antenne 2. " Je lui réponds : " Je veux bien, mais pas aux mêmes conditions. " Jean-Claude Héberlé, nommé à la place de Pierre Desgraupes, m'annonce alors que j'aurai la responsabilité totale de la rédaction. »

L'existence d'une presse indépendante – *L'Événement du jeudi* dans ce cas – constitue un moyen de pression et une solution au cas où les événements tourneraient mal : « Après un mois et demi pourtant, les premiers incidents ont commencé, rapporte Albert du Roy. Jean-Claude Héberlé a exigé le traitement de sujets que je n'avais pas commandés. Un jour, je vis que le passé n'était pas mort : un rédacteur en chef-adjoint avait coupé un passage sans intérêt dans une intervention de François Mitterrand. Il avait raison. Jean-Claude Héberlé s'y est opposé. Je tenais bon pourtant pour maintenir notre indépendance. Mais, en préparant un nouvel organigramme, en mars 1985, j'appris que certains rédacteurs en chef avaient un fil direct avec Jean-Claude Héberlé qui leur disait ce qu'ils devaient faire. Bien plus, je découvris que Jean-Claude Héberlé était un homme dont Laurent Fabius tirait les ficelles. L'affaire devenait claire. Jean-François Kahn à *L'Événement du jeudi* me dit : " Alors tu viens? " Il me présente son bureau et ajoute : " Tiens voilà mon bureau, je le coupe en deux. " C'est comme cela que je me suis retrouvé pour un temps à *L'Événement du jeudi.* »

Ce jeu tourbillonnaire permet non seulement l'accroissement de la résistance mais aussi le gain d'une manche. En été 1985, l'élite d'Europe 1 fait ainsi basculer en sa faveur les rapports de forces.

« Avec la SOFIRAD, explique Gérard Carreyrou, Fabius était en prise directe sur nous. Il essayait de faire changer les horaires, les invités, les émissions. Cela a été terrible. À la garden-party de Matignon, le jeudi 20 juin 1985, je rencontre Gérard Unger, président de la SOFIRAD. Son discours a été un festival de pressions : “ Il faut faire sauter ‘ Parlons vrai ’ et l'émission de Charles Villeneuve; il ne faut pas toucher à Levaï, Grendel et Guy Thomas; Catherine Nay irrite trop Mitterrand; Elkabbach ne doit pas avoir le journal de 8 heures, pas plus que Christine Ockrent... ” Mon directeur était soumis aux mêmes pressions. Il me disait d'ailleurs : “ On va nous virer. ” Mais nous, on a tenu tête. Vraiment, c'était devenu insupportable. »

Gérard Carreyrou fulmine. Est-ce pour cela qu'arrivé chez lui, il ne voit plus les marches de son escalier? Il tombe en tout cas et se casse une rotule. Direction : l'hôpital Ambroise-Paré. Il y apprend sa nomination comme directeur de la rédaction. Mais sa décision est déjà prise : il dénoncera la manipulation politique : « Cela suffisait, nous étions constamment pris entre Unger et Jean-Claude Colliard. J'ai donné un entretien dans *Le Quotidien de Paris.* Je disais tout. Les confrères ont été au courant. Cela a fait du bruit. » Le processus tourbillonnaire était en route et il produisit ses effets.

À un point que Gérard Carreyrou n'imagine pas. À peine arrivé dans son bureau à Europe 1, vers 19 h 30 ce soir-là, la sonnerie du téléphone retentit. « Allô? » À l'autre bout du fil : François Mitterrand lui-même. Écoutons Gérard Carreyrou : « Je dois dire que j'étais très surpris. “ Vous avez déclaré que le pouvoir faisait des pressions, me dit le président. Je tiens à vous faire savoir que je ne suis intervenu d'aucune manière. Quant au président de la SOFIRAD, je ne l'ai vu qu'une fois, au moment de sa nomination. ” J'étais estomaqué. En tout cas, ce n'était pas tombé dans l'oreille d'un sourd. J'en ai profité. J'ai rapporté ces propos à la rédaction. Cela nous a permis de mieux résister encore aux pressions. »

Gérard Carreyrou, Charles Villeneuve et Philippe Gildas ont gagné la manche : Jean-Pierre Elkabbach sera imposé le soir, Catherine Nay maintenue, F. Grendel déplacé... J. Godefroy, Guillaume Durand et Gilles Schneider sont propulsés dans les émissions du matin.

En août 1985, l'affaire *Greenpeace* met le processus tourbillonnaire à son plus haut niveau. Toute la comète va s'embraser. Disait-on l'*Observateur* gouvernemental? La rédaction joue l'indépendance. Croyait-on l'audiovisuel manipulé? À TF1 comme à A2, l'élite « fonce ». Le pouvoir d'État organise-t-il encore des pressions par la SOFIRAD sur Europe 1? Réaction de Stéphane Paoli : « N'en déplaise à Matignon, nous maintenons nos informations. » Il reste bien entendu ici *(Le Matin de Paris)* ou là (FR3) quelques îlots sous tutelle. Néanmoins, le gouvernement est acculé. C'est une victoire générale du camp « souverainiste ».

Une victoire qui s'appuie sur la fin des dernières illusions. À l'heure du premier bilan, l'arrivée de la gauche au gouvernement montra que derrière l'action des hommes de pouvoir, il n'y avait rien d'autre que... le pouvoir. Aucune des déclarations « généreuses » ne fut mise en œuvre. Les discours moralistes ne furent que l'indispensable complément du pur cynisme.

Canal Plus fit apparaître en pleine lumière cette réalité. Le 9 juin 1982, François Mitterrand annonce une quatrième chaîne, tournée « davantage vers des retransmissions et aussi des problèmes de culture ». Un mois plus tard, Georges Fillioud proclame la vocation pédagogique et culturelle de la chaîne, les principes « généreux et hardis » qui seront siens. Le rapport Dahan précise le projet : pas de discrimination par l'argent, culturel et éducatif, la parole donnée à toutes les associations qui le souhaitent, des séries éducatives grand public, des émissions destinées à des groupes ciblés (musique rock...).

En mars 1983, François Mitterrand décide d'offrir la chaîne à son ami André Rousselet, P-DG d'Havas (Canal Plus sera mis en service en novembre 1984). André Rousselet proclame immédiatement la vocation distractive de la chaîne et la diffusion prioritaire de films. Georges Fillioud, qui a oublié malencontreusement ce qu'il proclamait quelques mois plus tôt, déclare le 20 juin 1983 que Canal Plus sera donc une « salle de cinéma nationale ». Et André

Rousselet, le 15 novembre, peut affirmer : « Nous avons décidé de nous adresser en priorité au consommateur d'images. » Jean-François Lacan, du *Monde* spécialiste des médias, se fait l'écho de toute la profession : que reste-t-il du grand projet du septennat? Réponse : rien. Rien, sinon un ami de la Cour à la tête d'une chaîne de télévision.

Cynisme encore : la gauche sous la coupe de François Mitterrand a joué sur le grand mythe techniciste de cette fin de siècle, selon lequel la multiplication des médias serait, en elle-même, un atout pour la société française, sinon pour la démocratie. Elle en a profité pour offrir à l'« ami » Silvio Berlusconi une chaîne, La Cinq. Celui-ci n'avait pas caché son objectif à l'Élysée : l'argent. Il annonça clairement qu'il voulait une chaîne à paillettes, distractive, sans émission éducative, avec le moins de programmes journalistiques possible. Ignorance et trivialité étaient ses principes affichés en Italie. François Mitterrand et ses conseillers le savaient.

Cynisme toujours : quand Pierre Mauroy, pour préserver ces multiples formes d'existence de la société civile que sont les associations, lance son fameux : « pas de radios fric », il ne sait pas que l'Élysée a déjà tranché. La loi du 29 juillet 1982 n'est plus que l'ombre des proclamations de la gauche du temps de l'opposition... Le double régime est institué sur la bande FM : d'un côté, des radios associatives bénéficiant d'un Fonds de lancement national; de l'autre, des radios commerciales, optant pour des recettes publicitaires sans subvention étatique. En mai 1984, Georges Fillioud ouvre définitivement la boîte de Pandore, en pleine connaissance de cause. Les radios associatives peu protégées, manquant de moyens, finissent par être écrasées pour la plupart par les radios, dites de divertissement, par les réseaux qui se constituent (NRJ, Nostalgie, Fun, Skyrock, Kiss FM...). Les beaux principes avaient trouvé leur consécration.

Cynisme enfin : les socialistes avaient-ils proclamé le principe de la liberté de la communication audiovisuelle avant 1981? Au nom de la morale, étaient-ils partisans d'une autorité administrative indépendante de l'audiovisuel? Ils n'avaient en vérité qu'une seule perspective : le contrôle. La Haute Autorité de la communication audiovisuelle chargée de garantir l'indépendance en juillet 1982, loin de faire écran entre le service public de l'audiovisuel et l'exécutif, loin de préserver le pluralisme et le respect de la personne humaine, fut dépouillée de ses pouvoirs, truffée d'hommes du président. Elle laissa les radios associatives sans voix, les journalistes sans défense.

Les exemples sont en vérité innombrables. Les témoignages concordent tous. Que nombre des principes d'avant 1981 fussent inadaptés, archaïques, nul n'en doutait. Comment permettre à une chaîne ou à une radio de vivre sans recettes? De quel droit refuser de multiplier les chaînes? Après tout, Canal Plus ne s'en tire pas mal, certains réseaux permettent la qualité... Mais rien de ce que la gauche a réalisé n'aurait été impensable de la part de la droite. À l'inverse, la plupart des « œuvres » furent accomplies dans le plus grand mépris des hommes, des journalistes et des citoyens aussi, dans le souci de contrôler les médias.

Dernières offensives avortées du pouvoir d'État

Entre 1985 et 1990, l'élite journalistique, massivement désillusionnée, assure à peu près partout son autonomie vis-à-vis du politique... quand elle le veut. Elle profite du mouvement de privatisation lancé sous la présidence de François Mitterrand et de l'affaiblissement du pouvoir central accéléré par le jeu conflictuel (dit de « cohabitation ») entre le Premier ministre, Jacques Chirac et le président de la République, François Mitterrand.

Symptôme de l'achèvement de la « révolution médiacratique » vis-à-vis du pouvoir d'État : TF1. La force d'un pouvoir d'État de gauche? Jean-Michel Carpentier (TF1) raconte : « En 1985, une grève dure démarre à Saint-Gobain, avec occupation du comité central d'entreprise par les syndicats. Les grévistes nous font entrer sur les lieux d'occupation. À l'époque, Alain Minc était directeur financier de l'entreprise dirigée par Roger Fauroux et José Bidegain. " Que faites-vous ici? " nous demande José Bidegain devant des dizaines de témoins. Je lui réponds : " Nous filmons. " Alain Minc intervient : " Je vous donne l'ordre d'arrêter de filmer. " Derrière nous, un gars de la CGT menace : " Si vous arrêtez de filmer, je vous casse la gueule. " Je réponds au gars de la CGT : " la ferme! ". Il se tait. Et nous filmons. Je suis interpellé : " Mon jeune ami, vous savez, j'ai les moyens de vous briser, je peux casser votre carrière. Un coup de fil cet après-midi et c'en est fini de vous à la télé. " Le cameraman me demande : " Qu'est-ce que je fais, j'arrête? " Je lui réponds : " Je vais appeler la rédaction. " J'appelle le rédacteur en chef du 20 heures, Jean-Loup Demigneux. Je lui raconte l'histoire. Il dit : " Fais les plans et rentre à la télévision, tu fais un sujet au 13 heures là-dessus. " Après le coup de fil, je reviens et je dis au cameraman : " Tu fais les plans. " Le censeur était blême. Il téléphone à la direction de TF1. Cela descend chez Alain Denvers. L'émoi dans la maison est à son comble. Le sujet est visionné. Jean-Loup Demigneux impose qu'il passe. Je n'ai plus entendu parler de mon apprenti-censeur. »

La force d'un pouvoir de droite? « Durant l'hiver 1986-1987, il m'est arrivé une affaire semblable, avec la droite cette fois, narre Jean-Michel Carpentier. Pierre-Luc Séguillon et moi avions Matignon en ligne trois fois par jour lors de la grève des cheminots. On avait aussi les grévistes dix fois par jour. La conseillère sociale de Jacques Chirac s'occupait de nous avec vigilance. Elle me téléphonait régulièrement, vingt minutes avant le journal : " Vous ne mettez pas assez l'accent sur le ras-le-bol des usagers. " Une fois, je fais un papier qui expliquait la position des grévistes : pour eux, l'avancement au mérite, cela signifiait l'avancement à la tête du client. Le lendemain, cette conseillère me téléphone : " Je ne sais pas si vous avez bien compris. Le mérite pour un cheminot, c'est un peu comme vous si vous faites un papier. Le mauvais papier c'est ce qui vous empêche d'avancer dans votre carrière. Le bon papier c'est ce qui vous permet de continuer. " Moi je lui réponds : " Je reçois des informations contradictoires, alors je fais mon travail. " Elle réplique : " Oui, mais vous m'avez comprise. " Et elle a raccroché. Il n'y a pas eu de suites : Pierre-Luc Séguillon nous a protégés. »

Mais la prise de conscience de ce nouveau rapport de

forces, du côté de l'État, a pris du temps. Au début de la cohabitation, la droite, à peine revenue au pouvoir d'État, grisée par sa victoire, se lance encore sabre au clair dans la bataille. François Léotard et Jacques Chirac placent René Han (RPR) sur FR3, Roland Faure (chiraquien) sur Radio France, Claude Michaud (RPR) sur RFO, Henri Tezenas du Montcel (barriste) sur RFI, et Claude Contamine (RPR, ancien directeur de cabinet de Peyrefitte et membre de la commission RPR de l'audiovisuel) sur Antenne 2.

Comment, dans le secteur public, face aux rédactions, le pouvoir aurait-il pu échapper à la débandade générale? Les conseillers en eurent d'ailleurs parfaitement conscience dès qu'ils voulurent reprendre en main Antenne 2. Comme le dit R. : « Ce fut un grand cafouillage. On avait peur de la rédaction. Faire le ménage restait pourtant une obsession. On demande à Pierre-Henri Arnstam, directeur de la rédaction, mais il refuse. Jean-Claude Paris doit alors remplacer Arnstam. Il refuse à son tour et préfère démissionner. Vannier arrive enfin en février 1987. Il a notamment renvoyé Bernard Langlois et Claude Sérillon. Mais on n'était pas très tranquilles. »

Non sans raisons. Éliminations à Antenne 2? La rédaction se met en grève. Un mouvement qui aurait pu être encore plus dur si Claude Sérillon n'avait tempéré les esprits assoiffés d'indépendance. On contrôlerait quelques hommes mais non la chaîne. Claude Sérillon mis au placard? « J'y ai écrit deux livres, dit-il. J'ai posé mes affaires dans un carton mis dans la cave. Je recevais mon courrier dans le hall. Maurice Rheims m'a sauvé en me proposant de présenter “ Haute Curiosité ”. Cela m'a rassuré. De temps en temps, on m'appelait. En février 1988, on me propose de présenter “ Édition spéciale ”, de guerre lasse j'ai accepté. Je préférais être là que chez moi. » Rapidement, Claude Sérillon revient aux avant-postes. Il est même baptisé un temps par *Télé 7 jours* (novembre 1990) le « joker d'Antenne 2 ».

Bilan de cette réaction politique : « Lors des dernières municipales, en 1989, on a pu voir que les choses avaient bien changé, constate Claude Sérillon. Dans la nuit qui a suivi le second tour, Chirac a parlé à mon propos de “ militantisme ”. J’ai déposé plainte. Il a fait machine arrière et m’a adressé une lettre comique dans laquelle il disait que ses propos avaient été déformés. Je me suis dessaisi de l’affaire. Vis-à-vis de la gauche, il en va de même. Lors de l’émission consacrée à l’opéra Bastille, “ Tonton ” était très mécontent contre moi. Mais rien ne s’est produit. *Le Canard enchaîné* m’a donné le titre d’“ emmerdeur d’or ”. Les pressions maintenant viennent surtout des lobbies : de l’Église, des groupes financiers... »

Sur l’échafaud de FR3, plus de la moitié des directeurs régionaux (8 sur 12) et des chefs de bureaux régionaux (16 sur 21), l’élimination de Christian Dauriac et René Manevy, la suppression des émissions « Taxi » de Philippe Alfonsi et bientôt « Boîte aux lettres » de Jérôme Garcin... Et tout cela en vain : la rédaction parisienne, à la fin de la cohabitation, reste largement allergique au pouvoir d’État. Le vers identitaire travaille. FR3 entre dans une zone de turbulence continuelle.

Bien plus : la population réagit. Lorsqu’il s’agit de reprendre en main la direction de l’antenne Corse, le présentateur Sampiero Sanguinetti est par exemple mis de côté sans égard. Réaction : le 24 février 1987, un millier de personnes manifestent à Ajaccio en signe de protestation. Des téléspectateurs frustrés? Pire pour les politiques qui gouvernent : des votants.

Finalement, seule RFO sombra : avant le référendum du 13 septembre 1987, le P-DG de RFO parvient à refuser la diffusion en Nouvelle-Calédonie de l’émission « L’Heure de vérité » où l’invité était Harlem Désir... Pour la droite, le bilan est clair : « C’est trop cher payé, on ne nous y reprendra plus », dit R.

L’expérience des autres valant peu pour soi-même, à peine revenue au pouvoir, la gauche organise une charrette. Sanction : l’insignifiance ou... la chienlit.

L’insignifiance? Doit-on choisir en 1989 un nouveau patron à Radio France Internationale? RFI était présidée, nous nous en souvenons, par le barriste Henri Tezenas du Montcel. Le voilà renvoyé à d’autres activités sur un coup de téléphone. Pour la succession, le CSA doit nommer.

Autorité administrative « indépendante », il est appelé à se... soumettre au choix de Michel Rocard. Le Premier ministre tape du poing sur la tablc. Il obtient la nomination par Catherine Tasca et Jack Lang, le 30 novembre 1989, de son conseiller technique (depuis mai 1988) André Larquié. Pas d'appel à candidatures, pas d'auditions, pas de concurrence : le fait du Prince. Pour le « copain », ancien élève de l'ENA, spécialiste de musique et de théâtre : une belle station. Seul Igor Barrère, membre du CSA, tenta de sauver l'honneur de l'institution en s'opposant à cette désinvolte mascarade. En vain. Qu'importait d'ailleurs : centre-gauche ou centre-droit, la voix des maîtres était seulement un peu plus drapée qu'hier dans le droit et la morale...

Chienlit? Le gouvernement croit œuvrer habilement ce 26 avril 1989 lorsqu'il institue la présidence commune d'Antenne 2 et de FR3. Loi votée le 19 juin 1989, promulguée fin juillet : le voile de fumée est au point. Il ne reste plus qu'une bagatelle : assurer, par l'intermédiaire des amis au CSA, la nomination au poste de P-DG d'un ami du gouvernement. Les hommes du pouvoir se félicitent déjà (on « se » félicite toujours dans les allées du pouvoir!). Et puis, patatras! Georges Kiejman, l'avocat dévoué du président, malgré les manœuvres, les ronds de jambe, les promesses, est battu par cinq voix contre quatre. Incroyable mais vrai : il y a eu trahison! Le CSA avait osé montrer plus qu'une once d'indépendance (il recommencera plus tard en cédant La Cinq à Jean-Luc Lagardère contre l'avis de Jack Lang et de Catherine Tasca). Igor Barrère et Geneviève Guicheney, pourtant nommés par Laurent Fabius et François Mitterrand, avaient joint leurs voix à celles de Francis Balle, Daisy de Galard et Roland Faure, nommés par Alain Poher. Les courtisans ne sont plus ce qu'ils étaient.

Le nouvel élu? Philippe Guilhaume. Le seul des candidats de départ – Hervé Bourges, Georges Kiejman, Christian Bourgois et Michel Caste – à n'être pas de la famille de gauche. Ancien étudiant de la faculté des lettres et de Sciences-Po, professeur d'histoire et chroniqueur à France Inter (1969-1972), il est devenu conseiller à la SOFIRAD en 1978. Proche de Chaban-Delmas, il quitta le monde audiovisuel en 1981, acceptant le poste de directeur d'une entreprise d'exportation d'usines clés en main. En 1982, il se lance dans la politique en fondant le Mouvement des nouveaux démocrates, condamnant l'absence de réalisme de la gauche. En 1986, Jacques Chaban-Delmas le prend comme conseiller à la présidence de l'Assemblée nationale avant de le parachuter, en janvier 1988, à la tête de la Société française de production qu'il conduit au bord du gouffre financier (400 millions de francs de déficit). Tel est Philippe Guilhaume. S'il n'appartient pas à la famille journalistique, il conserve en revanche de son cursus politique le goût du pouvoir. Vizir, il décide de devenir calife à la place du calife. Car c'est une couronne de roi qu'il vise, rien de moins. François Mitterrand sur son trône en reste muet. Philippe Guilhaume cherche des hommes de main. Il essuie des refus, tel celui de Jean-Pierre Elkabbach, méfiant, qui regarde déjà du côté de La Cinq. Finalement, il nomme Jean-Marie Cavada (directeur d'antenne) et Dominique Alduy (directrice générale) sur FR3, Ève Ruggieri (directrice d'antenne) et Jean-Michel Gaillard (directeur général) sur A2. Les socialistes? Il sourit. La moitié de ces professionnels ne sont-ils pas proches du pouvoir (Jean-Michel Gaillard et Dominique Alduy)? Philippe Guilhaume intervient alors sur la rédaction et les programmes comme jamais Francis Bouygues, Robert Hersant ou Silvio Berlusconi n'osèrent le faire. Le pouvoir d'État avait perdu son contrôle, les médiacrates n'avaient pas obtenu le leur, notre Napoléon III rayonnait.

Ce dernier chant du cygne du pouvoir produisit bien la « chienlit ». Le vizir grade et dégrade : Ève Ruggieri, qui se rebiffe, est mise sur la touche. Jean-Marie Cavada, d'un naturel prudent, s'en va aussi et Dominique Alduy prend ses distances. Les errances succèdent aux erreurs. De son côté, le pouvoir d'État fait preuve d'un ressentiment à la hauteur de ce qu'il croit être les enjeux. Les plus folles rumeurs sont programmées, les Renseignements généraux pistent la vie privée. Les salles de rédaction sont infestées d'odieuses calomnies sur Philippe Guilhaume. Comme cela ne suffit pas, le gouvernement utilise l'arme économique.

Il laisse le déficit se creuser et les relations sociales s'envenimer.

Les rédactions victimes de ces jeux sont en effervescence. Bientôt, c'est la révolte. Le 28 novembre 1990, FR3 est en grève et A2 se morfond, traversée par des mini-crises personnelles qui trouvent leur expression publique lors de la remise des « 7 d'Or » : la télévision se soulève. Il ne restait plus au Napoléon III qu'à partir.

Le pouvoir d'État l'avait-il emporté? Une victoire à la Pyrrhus. Certes, la présidence commune de A2 et FR3 est maintenue. Hervé Bourges, le nouveau promu, n'a pris aucun engagement auprès du CSA et a pourtant été désigné. Néanmoins, l'essentiel est ailleurs : dans le rapport de forces. Hervé Bourges n'est pas à la solde du gouvernement Rocard. En quittant RMC, ne s'est-il pas donné pour tâche de construire une BBC à la française, de jouer la différence avec TF1 plutôt que le clonage? L'autonomie vis-à-vis du pouvoir plutôt que la connivence? Est-ce un hasard s'il est président de l'École de journalisme de Lille? « Socialisant » peut-être, journaliste d'abord.

Posture identique prise en 1990 par Pierre Bouteiller et Ivan Levaï sur France Inter. Suspects d'être des « hommes du président », n'ont-ils pas décidé de laisser la rédaction jouer son propre jeu, cherchant même un temps à appeler Michel Polac? Pour tous, sortir le service public du marasme, c'était jouer du professionnalisme, encore et toujours. « Collaborer » avec le pouvoir d'État devait être référé non à une obligation mais à une vocation. La servitude ne pouvait plus être que volontaire et... suicidaire.

La manipulation contre l'intérêt du média

Cet adieu à la manipulation n'est pas seulement dû en effet au rapport de forces. Il doit sa vigueur à la découverte que la mainmise de l'État-patron va contre les intérêts du média. Si certaines élites, comme celle du *Monde,* sont très tôt parties à la conquête de leur pouvoir, d'autres ont pris un considérable retard. Et elles durent, telle celle de Radio Monte-Carlo, en payer le prix.

Pourtant, des illusions sur le pouvoir politique, les journalistes de cette station ne pouvaient guère en avoir. Dès l'origine, cette radio est conçue comme la « voix de la France ». Il s'agissait, ni plus ni moins, de soutenir les troupes de Rommel en Afrique du Nord. Pierre Laval l'avait voulu ainsi en 1943. La Libération arrive mais le principe d'une subordination demeure acquis. Le seul contrepoids à la toute-puissance du pouvoir politique de Paris fut la principauté de Monaco elle-même. Avec 16,6 % des parts dans le capital de l'entreprise, le rocher pouvait théoriquement faire jouer la règle statutaire de l'unanimité imposée en 1942. Mais Monaco préférait sa tranquillité. À chaque mouvement gouvernemental, la direction changeait donc de cap. Notamment de cap technique. Les prédécesseurs avaient-ils joué une information destinée à la ménagère monégasque? Les successeurs joueront l'information généraliste. Avaient-ils joué l'information généraliste? Vive la ménagère monégasque! Quant au personnel, éclaté entre Paris (130 personnes) et Monaco (420), il est le jouet de querelles qui n'ont pas la qualité de la cité pour premier objectif.

1981 : victoire de François Mitterrand. La direction, émule de la ménagère monégasque, est remplacée. Arrive Jean-Claude Héberlé, qui vient de Radio-Alger (1957-1961). Cet ancien grand reporter de France Inter, devenu correspondant à Washington (jusqu'en 1970), ex-rédacteur en chef du journal télévisé d'Antenne 2 (1972-1974) a pour lui d'avoir connu « le placard » durant sept ans : de quoi rendre tout héros neurasthénique. Homme de gauche, il décide de faire de RMC une station de gauche. « Enfin », dut s'écrier ce journaliste de grand talent! Et, bien entendu, il entend accentuer le caractère... généraliste de la station.

Cafouillages, guérillas : 35 % des auditeurs s'en vont. La radio passe en quelques mois de 11,4 à 7,4 points. La principauté enrage. La rédaction est en crise. D'autant qu'Héberlé voit des ennemis politiques un peu partout. Contraint et forcé, il doit bientôt baisser sa garde : il rappelle Guy Lux et réduit les reportages. La radio reprend un peu son style d'« accompagnement ». Le journal devient plus ciblé.

Alors qu'ailleurs, les premiers feux médiacratiques ont été allumés depuis plus de dix ans, démissions à l'appui, la station attend toujours son prince charmant – Mitterrand, VGE, Fabius ou Chirac... C'est alors que le ciel s'éclaire. L'envoyé spécial du bon vizir est annoncé. Il s'appelle Jean-Pierre Hoss. Il est nommé directeur général le 3 janvier 1985. L'espoir renaît : programmes musclés, appel à des animateurs et à des journalistes de talent, la station trouve un souffle. Audience en nette hausse (+ 21 % en six mois), résultats commerciaux améliorés, assainissement des filiales... Chemin faisant, l'envoyé trahit l'esprit du vizir, il distille chez les journalistes le goût de l'autonomie.

Las, la Belle (station) voit bientôt son maître d'œuvre la quitter : ce qu'un prince fait, il peut le défaire. Changement de majorité en 1986? Changement de direction, changement de style aussi. Par Antoine Schwarz, proche de l'UDF, patron de la SOFIRAD, le nouveau pouvoir tente d'imposer Pierrick Borvo, conseiller spécial au cabinet de Léotard et son ancien directeur de cabinet au Parti républicain...

Alors, pour la première fois, les journalistes s'insurgent. Tel Yves Mourousi, ils menacent de partir si Jean-Pierre Hoss est démis. L'équipe parisienne perd, mais elle vient de se constituer une « mémoire de lutte » qu'elle n'oubliera plus.

Les journalistes espèrent maintenant en la privatisation. Ne permettra-t-elle pas à la station de se dégager du politique? Pierrick Borvo ne l'a-t-il pas annoncée? Mais au fait, qui en profitera? Telle est la seule question. Voilà RMC ballottée au gré du conflit entre le RPR et l'UDF, qui veulent chacun offrir la station à leurs amis.

Ce qui devait arriver arriva : en septembre 1987, RMC n'a plus que 6,1 % de parts du marché contre 8,5 % un an auparavant. Les auditeurs ont voté contre la dépendance, pour la qualité. Et la situation financière s'est dégradée au point qu'il devient même impossible de rembourser les dettes auprès de l'Union européenne de radiodiffusion. La soumission au politique vient à nouveau de montrer son « efficacité ».

Pour s'en sortir, les hommes du pouvoir lancent un

plan financier relativement efficace : on « dégraisse les effectifs » en réglant quelques comptes : certains journalistes tentés par l'autonomie de la profession sont licenciés. L'activité journalistique est réduite, notamment les magazines.

La révolte gronde. Le 7 mars 1988, dans RMC déboussolée, la grève est décidée. L'assemblée générale du 31 mai proclame : « La dégradation progressive de notre entreprise nous impose de ne pas tenir compte des échéances politiques. » Elle revendique le départ des idéologues et « la désignation d'une direction qui devra disposer de la durée ». Pierrick Borvo est contraint de partir. Il doit se rendre à la raison journalistique qui se réveille. Le 17 décembre, il déclare : « Une entreprise n'est pas un laboratoire d'essai de stratégie libérale. » Il aurait pu ajouter : ou de toute autre stratégie. La résistance a définitivement pris pied dans la cité avec sa revendication principale : le professionnalisme.

Les socialistes parachutent à la tête de la station l'ancien P-DG de TF1, Hervé Bourges, qui succède en même temps à Antoine Schwarz à la tête de la SOFIRAD. Ce professionnel prudent décide de jouer la seule carte qui lui permette d'espérer relever la station : la carte médiacratique. Il nomme Yves Mourousi conseiller du directeur général pour l'antenne. Alain de Chalvron, de RFI, devient directeur de la rédaction. Avec Philippe Lapousterle, rédacteur en chef à Paris, l'équipe des « Bourges's Boys » agit. Pas de chasse aux sorcières, un effort budgétaire de 25 % pour l'information, la création de RMC Plus, des reportages, des directs dans ce mille-feuille qui comprend Radio Nostalgie, RMC classique, et le boulet TMC.

Après le départ d'Hervé Bourges appelé comme P-DG de A2-FR3, la nouvelle élite parviendra-t-elle à surmonter son handicap? Mieux vaut tard que jamais.

Le temps n'est plus d'un public crédule prêt à supporter sans réagir les effets de la manipulation. Les journalistes sont-ils asservis? Leur posture appelle une sanction : les consommateurs iront ailleurs.

Grand parmi les grands avant 1981, *Le Matin* dut affronter la dernière grande tentative de manipulation par le pouvoir d'État d'un média généraliste de la presse écrite. Le résultat fut... inespéré.

Tout avait pourtant plutôt bien commencé. « Avant 1981, on a vraiment eu l'impression de faire le meilleur journal de Paris, dit Didier Buffin. Mais avec la gauche au pouvoir, on est devenu un journal militant inféodé au pouvoir socialiste. Serge July l'a bien compris. Il a pris le créneau " critique ". *Le Matin* avait du plomb dans l'aile. Alors Seydoux a réagi. Il a dit : " J'en ai marre de mettre du fric en l'air. " Il a imposé Kahn contre Perdriel. Claude Perdriel, en réaction, a verrouillé Jean-François Kahn. Il l'a empêché d'intervenir sur *Le Matin magazine.* Les militants ont fait des barricades. Il y a eu un jeu anti-Kahn impressionnant par le biais du courrier des lecteurs. Jean-François Kahn ne pouvait intervenir que sur les services " société " et " notre temps ". Il s'est mis de côté. Comme il " recentrait " la ligne du journal, il était mal vu. Les journalistes commencent alors à comprendre qu'il faut partir. Comme Hervé Chabalier, Jacques Leclerc du Sablon puis Jean-François Doumic. J'aurais dû partir moi aussi. La manipulation politique est devenue vraiment insupportable avec l'arrivée de Max Gallo, avant les élections législatives de 1986. »

Le parachutage de Max Gallo au *Matin de Paris* fut un des plus spectaculaires effets de la paranoïa antijournalistique qui sévissait alors à l'Élysée. L'entourage du président attribuait les records de baisse de François Mitterrand, dans les sondages, à l'action négative des médias. Il était persuadé que Claude Perdriel était un ennemi juré. Difficultés financières : Claude Perdriel vend pour ne pas fermer. « Nous apprenons la nouvelle par une dépêche d'agence », dit Didier Buffin. *Le Matin* ayant été sauvé par l'argent du pouvoir, celui-ci trouvait naturel d'intervenir.

Claude Weil, alors président de la société des rédacteurs, aujourd'hui médiacrate au *Nouvel Observateur,* précise : « Le lendemain de l'annonce de la vente, je vais sur France Inter et je dénonce le côté insupportable de la vente des journalistes. Le nouveau patron est Max Théret, dont on ne sait pas grand-chose. Nous savions seulement que Max Théret agissait en liaison avec l'Élysée pour ramener

Le Matin dans une ligne pro-gouvernementale. On a une situation peu claire durant quelques mois. Les rumeurs courent, plus folles les unes que les autres. L'une d'entre elles néanmoins est insistante : " Gallo va arriver ! " Un jour, en effet, Max Gallo arrive. »

Agrégé d'histoire, appelé à *L'Express* comme éditorialiste en 1969-1970 par Françoise Giroud qu'il avait connue auparavant, Max Gallo n'était pas seulement alors un écrivain au passé de brillant éditorialiste. Fort de son départ de *L'Express* – il avait soutenu François Mitterrand contre Jimmy Goldsmith et avait démissionné en mai 1981 – Max Gallo avait commencé une carrière politique comme député des Alpes-Maritimes en juin 1981. C'est bien cet ex-porte-parole du gouvernement, membre du PS depuis 1974, un élu, qui entre à la direction du *Matin.* Écoutons-le : « Max Théret est venu me voir. Il m'a demandé si je voulais être rédacteur en chef. J'ai hésité puis j'ai accepté. Max Théret avait acheté *Le Matin* vers décembre 1984 et moi je suis arrivé en avril 1985. Problème immédiat pour moi : Max Théret avait fait croire que ma venue avait été imposée par le pouvoir. Il voulait passer pour un agneau. J'ai été surpris par la réaction négative de la rédaction. D'autant qu'au *Figaro,* il y avait des gens comme Peyrefitte ou Jean François-Poncet : pourquoi pas des politiques aussi au *Matin?* Oui, la volée de bois vert m'a surpris. Max Théret avait le souci de dégager son épingle du jeu en disant aux journalistes : On est du même côté contre Max Gallo. Les journalistes ne voulaient pas devenir des porte-parole. Et puis, beaucoup n'ont pas cru au succès du *Matin.* J'ai été surpris d'ailleurs d'en retrouver quelques-uns plus tard comme chargés de l'information dans un cabinet socialiste. »

Tel fut en effet le cas de Christian Casteran, au cabinet Nucci, alors ministre de la Coopération. « J'étais clair, poursuit Max Gallo. J'ai dit : " *Le Matin* va être un journal de gauche. " J'ai dit aussi que je prenais en charge les unes, les titres et des éditoriaux. Pourquoi *Le Matin* ne pourrait-il être un journal de gauche alors que *Le Figaro* était un journal de droite? »

Max Gallo sous-estime le rôle de l'Élysée dans sa nomination. « Dans cette prise en main politique du *Matin,*

Jean-Claude Colliard a eu, en vérité, un rôle fondamental, rapporte D. (qui travaillait alors pour l'Élysée). Ainsi, lors d'un dîner à l'Élysée, Max Théret a beau plaider devant François Mitterrand en disant que la venue de Max Gallo serait une erreur, c'était le fait du Prince. »

Du côté de la rédaction : « Nous avons vu dans cette arrivée la confirmation que nous n'étions plus indépendants, raconte Claude Weil. On avait demandé que le choix de la direction soit porté à l'appréciation de la rédaction. Il n'en a rien été. La première vague de départs, une dizaine de journalistes, est conduite par Cabu. Je pars avec la seconde vague de 35 journalistes. Certains ne sont pas partis car ils craignaient de ne pas retrouver du travail. Le pire c'est que lorsque j'ai dit à Théret : " Il va y avoir beaucoup de départs ", il m'a répondu : " Vous bluffez. Ils auront peur du chômage. " Les seuls qui, au comité d'entreprise, soutenaient Théret, étaient les élus syndicalistes trotskistes qui disaient : " On n'a pas à choisir ses patrons. " »

Max Gallo était-il incapable de diriger un journal? Certes pas. Mais si l'on fait abstraction de la part du trésor de guerre qu'il dut dilapider pour payer les départs pour clause de conscience – sur laquelle Bernard Le Saux insiste beaucoup –, il avait surtout commis l'erreur de ne pas prendre la mesure du nouveau rapport de forces dans le monde médiatique. Et il ne s'apercevait pas qu'il était devenu un jouet de l'Élysée.

Cet écrivain, avec son honnêteté coutumière, en convient : « Pourquoi ai-je eu cette réaction négative par rapport à l'" affaire *Greenpeace?* ". C'est que j'ai moi-même été manipulé par les gens du cabinet de la Défense. Ils m'ont mis sur des pistes qui étaient fausses. Un membre du cabinet m'a appelé pour me dire : " Ce sont les Anglais qui ont fait le coup. " Alors, je l'ai cru. »

Il n'eut pas même droit à la reconnaissance du patron : « Dès le lendemain des élections de 1986, j'ai été débarqué sans ménagement. Un certain Perthus devint directeur. Je suis parti. »

Le pouvoir, enivré de lui-même, poursuit ses vaines tentatives. Jamais sans doute il ne donna autant raison au célèbre journaliste de CBS, Dan Rather : « Les hommes politiques aiment les journalistes sous contrôle. » Paul Quilès voit dans tout cela un problème de « gestion ». Il arrive à la tête d'une imposante équipe de professionnels. On va voir ce qu'on va voir! *Le Matin* dépose son bilan...

La longue agonie du *Matin* confirme que toute tentative pour maintenir en vie des médias sous perfusion politique est vaine. Un monde a vacillé, touché à mort. La chute inexorable du quotidien *L'Humanité,* qui survit péniblement (avec une pagination réduite), l'échec de toutes les tentatives de constituer une grande presse engagée, même gouvernementale, le retard pris par les radios « sous influence » comme RMC, la perte d'audience de *France-Soir* ou de FR3... tout cela fait sens. Du côté de l'élite journalistique, il est devenu clair que l'avenir de la presse est une chose trop importante pour être laissé aux mains des professionnels politiques.

L'autonomie dans l'intérêt de l'entreprise

Intérêt de l'entreprise ou manipulation politique : il faut choisir. RTL montra, par son succès, à quel point cette règle était incontournable.

Rien ne la prédisposait pourtant à devenir la première radio autonome du pays. En 1929, Henry Étienne obtient du gouvernement luxembourgeois la concession exclusive pour vingt-cinq ans d'un service de radiodiffusion. Las! En 1931, il dut fuir la police pour une affaire de trafic de stupéfiants. Néanmoins, la Compagnie luxembourgeoise de Télédiffusion était bel et bien née.

Avant-guerre, l'esprit d'indépendance se développe curieusement. Alors que Hitler est au pouvoir en Allemagne, comme le rapporte R. Duval dans son *Histoire de la radio,* les émissions sont précédées d'une mise au point sur l'« esprit d'absolue impartialité politique et confessionnelle ». Arrêtée le 21 septembre 1939 par le gouvernement, elle resurgit à la Libération, rendue à ses propriétaires, dont l'Agence Havas.

Elle irrite alors fortement l'État français, qui a institué le monopole de la radiodiffusion en 1945 et qui apprécie peu le ton souvent persifleur de la station. En 1965, il croit arrivée l'occasion de la contrôler. La CSF ne vend-elle pas le capital qu'elle détient (12,8 %)? L'État français lance la SOFIRAD à l'assaut des actions. Le grand-duché réagit. Sa Chambre contraint le gouvernement français à changer de candidat. Le groupe Prouvost, par *Télé 7 jours,* prend la mise.

1968 : les journalistes jouent l'autonomie radicale. En réaction, le gouvernement coupe le câble reliant les studios parisiens au grand-duché. Cela ne suffit pas. Il lance l'ordre d'abordage en 1973 en participant à la société Audiofina, plus « arrangeante » que Prouvost, et obtient la majorité du capital de la radio (52,9 %).

Enfin « patron », il verrouille les postes de responsabilité. Au sommet Christian Chavanon, gaulliste chiraquien, ancien P-DG d'Havas, est nommé administrateur délégué. Et comme dans tous les médias « sous influence », les grands jeux politiciens font maintenant les petits jeux médiatiques. Changement de rapports de forces? Changement de personnel. En 1978, les giscardiens trouvent Christian Chavanon trop chiraquien. Ils s'apprêtent à nommer l'un des leurs. RTL, à l'image de RMC, va-t-il devenir un nouveau hochet?

Le grand-duché réagit. Il refuse le candidat de Valéry Giscard d'Estaing. Avec l'appui de la rédaction, il impose Jacques Rigaud, un conseiller d'État décidé à laisser vivre sa médiacratie.

Est-ce un hasard si aujourd'hui le classement des radios suit assez strictement la chronologie de l'autonomisation des journalistes? Car, première à avoir joué l'indépendance, RTL est aussi en tête en termes d'audience. Dernière à se libérer, RMC est à la traîne. Un phénomène semblable peut être observé dans les télévisions : TF1, première télévision de diffusion nationale et d'accès libre à se libérer du joug étatiste est en tête, FR3 en queue. L'écrit n'échappe pas à la règle : *Le Matin de Paris* soumis a coulé, tandis que *Libération* occupait l'espace; *Le Monde* flancha lorsqu'on le crut sous influence, il reprit du terrain en rappelant son indépendance consubstantielle...

La logique d'entreprise a un prix qu'il vaut mieux accepter de payer.

L'autonomie dans l'intérêt des hommes d'État

L'autonomie n'est-elle pas aussi le prix de la crédibilité du message de l'homme d'État? Rien ne le montre mieux que le conflit qui surgit entre la rédaction d'Antenne 2 et Laurent Fabius, alors Premier ministre, lorsque celui-ci tenta en 1984 d'imposer son « Parlons France » dans le journal télévisé de 20 heures, le premier mercredi de chaque mois.

« C'était une idée de la cellule communication, raconte Bernard Poulet, pour laquelle nous étions quelques journalistes à travailler. Notre modèle était les causeries au coin du feu que fit Pierre Mendès France à la radio. »

Idée de la cellule communication? En vérité, depuis 1981, François Mitterrand réclamait cette formule. La cellule communication de Pierre Mauroy, alors Premier ministre, avait toujours refusé d'obtempérer à ce « vœu » élyséen. Laurent Fabius, lui, trouva l'idée excellente. Mais les « professionnels de la communication » qui venaient du journalisme ne commirent pas l'erreur de croire en l'efficacité d'un journalisme aux ordres. « Il fallait que l'entretien fût crédible et de bonne qualité, rappelle Bernard Poulet. La première campagne de Nixon avait montré que des journalistes interviewers un peu durs permettaient de révéler les hommes politiques. Il nous fallait aussi des journalistes très connus pour mettre en valeur Fabius. On a demandé à Anne Sinclair. Mais cela ne s'est pas réalisé. Finalement, seul Jean Lanzi a accepté. Il savait qu'ainsi il se grillait dans notre profession, mais il s'en moquait. »

Comme le rapporte Pierre-Luc Séguillon : « Hervé Bourges me téléphone ainsi qu'à Alain Denvers. " J'ai une idée, dit-il, ce serait bien si le Premier ministre pouvait intervenir. " Il présente cette idée comme venant de lui. On refuse : " S'il veut parler, qu'il le fasse hors du journal. " Hervé Bourges répond : " D'accord, on fera cela après le journal, avant le film. Tu intervieweras le Premier ministre. "

Je n'accepte pas : " Cela fait un an que j'essaie de donner de la crédibilité au service politique. " Nous avertissons le service politique et c'est la rébellion. Nous décidons : ou le refus des conditions posées ou la démission de la direction du service. Je pars voir Hervé Bourges, la lettre de démission dans la poche. Hervé Bourges nous reproche alors de nous comporter en " gauchistes ". Un rendez-vous avait été pris chez Laurent Fabius le lendemain. Hervé Bourges me demande d'y aller. Je refuse en brandissant une menace de démission. Finalement, je n'ai pas eu besoin de démissionner. C'est Jean Lanzi, directeur de l'information de l'époque, qui se dévoue. Et comme c'est lui qui était allé au rendez-vous, il a aussi fait l'entretien. Alors qu'il ne le voulait pas plus que nous. »

Finalement? « Tout le monde s'est ennuyé », juge Bernard Poulet. Cela a été un désastre pour Laurent Fabius. Il n'a rien gagné du point de vue de l'opinion, qui fut d'autant moins dupe qu'elle était éclairée par les médias concurrents. Il a beaucoup perdu du côté des rédactions.

Les hommes d'État ont-ils tous compris la vanité de tels comportements? Certes non. Le pouvoir d'État ne manque pas de velléités d'intervention. Mais, en raison du nouveau rapport de forces, il utilise surtout des armes furtives, invisibles aux yeux des opinions publiques. Rien de bien nouveau d'ailleurs. Écoutons Patrick Jarreau (né en 1951) : « Je venais d'être nommé rédacteur de base. Je m'occupais de l'Élysée et des couloirs de l'Assemblée nationale. *Le Monde* était mal vu de Valéry Giscard d'Estaing. Je remplaçais Thomas Ferenczi devenu tricard. J'avais alors 25 ans. Pierre Hunt, porte-parole, me rendait la vie impossible. Il faisait en sorte que je n'aie pas d'informations ou le moins possible. Elles sortaient ailleurs. J'ai prévenu Raymond Barrillon. Et, en 1979, je me suis retrouvé sur le PCF tandis que Jean-Marie Colombani s'occupait du PS. »

La même arme furtive est utilisée aujourd'hui contre *Le Monde :* « Après *Greenpeace* et Pechiney, raconte Jean-Marie Colombani, François Mitterrand a considéré que l'on attentait à son honneur. Il a fait " rideau ". L'Élysée a alors décidé de donner en priorité ses informations à *Libération.* »

Le refus d'accréditation, qui n'a pas besoin d'être formel, n'est qu'une infime partie des possibles stratégies de rétorsion. À chaque fois, il s'agit de jouer la béance : ne pas venir, ne plus donner d'informations, refuser les relations d'échange...

Jean-Claude Bourret raconte : « Nous avons besoin des hommes politiques comme ils ont besoin de nous. C'est un peu le jeu du chat et de la souris. Et aucun parti n'échappe au péché de pressions sur la presse. C'est à nous d'y résister. Lors de la grogne des gendarmes, nous avons fait un reportage dans lequel on voyait des journalistes de La Cinq demander à Jean-Pierre Chevènement : " Est-ce que la grogne va continuer ? " Et le ministre répondait : " Demandez-leur. " Dans le reportage diffusé, on voit la caméra s'approcher d'un gendarme : " Que pensez-vous de la grogne ? " Il commence à répondre de manière embarrassée. Alors un colonel intervient et dit : " Vous voyez bien, vous mettez le gendarme dans l'embarras, laissez-le tranquille. " Jean-Pierre Chevènement, lorsqu'il a vu le reportage diffusé ensuite sur La Cinq, a dit qu'il y avait eu un trucage au montage. Pour lui, cet entretien avec le gendarme et l'intervention du colonel ont été faits avant qu'il ne dise " allez-y ". Le journaliste m'a dit qu'il n'y avait pas eu trucage. Résultat : lorsque l'on demande au ministre de venir sur La Cinq, il nous répond : " Vous n'avez pas été honnête, on ne viendra pas. " Autre exemple, avec le Front national au moment de la soirée des élections européennes, un journaliste de chez nous a fait son métier sur un ton un peu piquant en disant : « Jean-Marie Le Pen a voulu essayer de faire une présentation de sa candidature à l'américaine, il a longé la scène. Cela ne lui a guère réussi, ajoutait-il, car il a fait un peu moins de voix que la fois précédente. " Jean-Marie Le Pen a dit : " C'est scandaleux, vous avez agressé le Front national. Si c'est comme cela, on ne viendra plus. " »

Ce jeu furtif permet d'enfoncer les défenses lorsque les médiacrates commettent des erreurs. Alors que les élections européennes de 1989 se préparent, Gérard Carreyrou et PPDA décident de couvrir de façon « soft » une campagne qui ne passionne pas les électeurs. Un sujet est tourné sur chaque liste mais ils ne sont pas diffusés. Les hommes politiques font alors pression auprès de Michèle Cotta pour que la télévision les exploite. L'accord est trouvé. Jean-Luc Mano a traité la campagne Fabius : « Un modèle de cirage de pompes », disent deux de ses « collègues ». Puis c'est au tour du sujet traité par François Bachy : la liste Giscard-Juppé. Plus ironique. Réaction immédiate, que raconte L. : « Alain Juppé a protesté et VGE est intervenu auprès de Michèle Cotta qui n'avait pas vu le sujet. Elle répond qu'elle va se renseigner et remédier à cela. Elle rencontre Gérard Carreyrou. » Celui-ci couvre François Bachy, mais il doit lui aussi constater l'inégalité de traitement. Il propose, vu l'état avancé de la crise, que soit tourné un film plus « sympathique » sur la liste Juppé-VGE. François Bachy refuse : « Je n'ai pas fait de faute. » Gérard Carreyrou le soutient. Si faute il y avait, où était-elle? Fallait-il accepter le reportage non distancié de Jean-Luc Mano? La « réparation » fut faite mais les grands journalistes jurèrent qu'on ne les y reprendrait plus.

Finalement en un peu plus de vingt ans, les choses sont devenues claires. Rappelez-vous le prétexte de l'élimination de Bernard Langlois par le pouvoir socialiste. Au journal télévisé de 13 heures sur Antenne 2, Bernard Langlois dit tout haut ce que la profession pense tout bas lors de la disparition simultanée de Grace Kelly et de Béchir Gemayel. Béchir Gemayel? Sa disparition concerne l'Histoire, celle du Liban et celle du monde. Grace Kelly? Une « puissance d'opérette sur un rocher cossu ». Bernard Langlois n'a pas mâché ses mots. Plainte de la principauté : il sera licencié pour avoir dit la vérité.

En 1990, Guillaume Durand s'amusera pour les quarante ans de Rainier de Monaco à reprendre sur La Cinq le texte de Bernard Langlois : « Je l'ai concentré et j'ai parlé du “ royaume d'opérette ” : il n'y a pas eu une ligne dans la presse. Le nombre de personnes comme Bernard Langlois, dont la vie a changé pour des propos qui ne choquent plus personne aujourd'hui, est étonnant. »

Lors du procès que fit Jean-Christophe Mitterrand à

L'Événement du jeudi, l'avocat Georges Kiejman s'emporta contre la presse « sauf l'AFP ». La seule réaction qu'il obtint fut... le tollé. Devenu ministre de la Justice, quelques mois plus tard, la presse se souvenait encore de lui. *Le Canard enchaîné,* qui avait été l'un des journaux les plus violemment pris à partie, se chargea de mener l'attaque sous les applaudissements du Corps tout entier. Ce qui a changé? Les rapports de forces. Ils ont tourné partout au désavantage du pouvoir d'État. Dans l'audiovisuel (sauf sur FR3) comme dans la presse écrite : partout la même déroute.

Le jeu dominant de la médiacratie envers l'État, à présent, est du même ordre que celui qu'elle peut engager avec les autres élites – intellectuelles, sportives, économiques, politiques, militaires – qui ne possèdent pas son sol. Le comportement de l'homme d'État? Le grand style n'est pas de manipulation. Cet art est de basse police. Puisque la manipulation est globalement morte et que la servitude ne peut plus être que volontaire, un jeu autrement plus subtil se met en place. Un jeu de séduction pour plier le média à ses intérêts : la connivence.

VI

LA COMPLICITÉ DES ÉLITES : LE PIÈGE ARISTOCRATIQUE

La comète médiatique est un monde étrange. La proximité avec les autres élites naît de la porosité des roches qui forment ce pays. Sur une terre construite en réseaux, chaque médiacrate, du phare à la jetée, des terres basses aux sommets des îles, doit recevoir les informations du large sous peine de mourir. Sous peine, comme on le vit lors de la guerre du Golfe, de vivre dans le simulacre.

Voilà d'ailleurs pourquoi il est délicat d'appeler l'univers médiatique « champ » ou « espace ». Aucune clôture n'est possible. Aucun centre n'est imaginable. Il est même erroné de penser à l'aide de métaphores matérielles cet ensemble de relations gouvernées par la recherche du pouvoir symbolique. La médiacratie règne sur un monde. Ou plutôt, elle est cette architecture de passerelles construite dans l'espace public et reliant les univers entre eux (politique, économique, culturel...). Elle est ce monde pluriel, balayé par les vents, qui a son centre partout et sa circonférence nulle part.

1. LA CONNIVENCE AVEC LES ÉLITES

Cette porosité structurelle appelle les médiacrates à s'installer dans une proximité avec les autres mondes, en particulier avec les autres élites, sous peine de transformer leur média en reflet du rien, du vide, en jeu de miroirs indéfini distillant cet ennui indicible que tout téléspectateur ressent lors des soirées de simulacre, à l'occasion par exemple, de la remise des « 7 d'or ». Un ennui que n'imaginaient pas ceux qui croyaient, par le miracle des techniques, à la venue d'une société interactive fondue dans un immense village planétaire. La réalité est à l'opposé : la construction et le développement d'une pluralité de mondes hiérarchisés, donc d'une pluralité d'élites.

La proximité est dans ce cadre tout autant un mode de reconnaissance qu'un moyen de connaissance. En s'autonomisant, l'élite s'est élevée socialement jusqu'à participer aux classes supérieures. Qu'il paraît loin le temps où les Léon Zitrone et les Michel Drucker étaient payés comme de petits fonctionnaires! Ils devaient affronter le mépris des Grands. Les médiacrates vivent aujourd'hui sur les hauteurs. En engageant des relations d'échange avec les élites des autres mondes, ils les contraignent à reconnaître leur propre puissance.

De leur côté, les autres élites ne peuvent se contenter de leur communication interne, de la publicité, de la propagande, voire de la presse professionnelle. Le « coup du mépris » est devenu impossible : les médiacrates, en augmentant le nombre de passerelles, sont devenus incontournables. Ils ne sont pas seulement des diffuseurs chargés de redistribuer l'information qui leur est donnée (contrairement à une conception dominante en « science de la communication ») mais aussi des acteurs. Ils interviennent sur les espaces, produisant et diffusant des informations qui influencent les consommateurs de produits (politiques, économiques, intellectuels, esthétiques...), les concurrents et les producteurs eux-mêmes. Les élites le savent : si elles ne vont pas aux médiacrates, ceux-ci iront à elles.

Il ne leur reste plus qu'à relever le défi par une stratégie de maîtrise de l'objet et de séduction du médiacrate.

La proximité est donc au cœur de la compréhension des relations entre la médiacratie et les pouvoirs. Et l'élite journalistique se découvre à nous comme le centre des cercles. Elle nous révèle en même temps la sortie définitive du monde moderne. Le sens de la révolution médiacratique.

L'ancienne relation entre les hommes sur l'espace public a été détruite par la puissance nouvelle des médiacrates et l'étendue de leur champ d'intervention. On ne va plus « directement » sur l'espace public pour s'adresser aux habitants. On ne passe plus même par les représentants élus ou désignés. On y accède par de grandes machines contrôlées par des professionnels.

Ce qui indique en même temps un déplacement des pouvoirs symboliques : l'intellectuel classique (type Sartre) comme l'homme politique se trouvent « concurrencés » par un nouveau type d'intellectuel : le grand journaliste. L'attitude d'un Michel Foucault fut peut-être tout simplement la prise de conscience et l'intériorisation poussées au paroxysme de ces nouveaux rapports de forces : l'intellectuel doit devenir « anonyme », être un « n'importe qui », disait-il. Mais d'une certaine façon, ne l'était-il pas déjà devenu?

La proximité dans cet univers pluriel et les changements dans les rapports de forces provoquent naturellement de la part de certaines élites une réaction. Réaction défensive de la part des forces les plus classiques, qui craignent (type Régis Debray) pour l'avenir de la culture, ou qui se drapent (type Alain Finkielkraut) dans le moralisme pour préserver leur position de pouvoir. Réactions offensives de la part des forces les plus dynamiques : la professionnalisation et la connivence.

De la professionnalisation à la société de contrôle

Comment intervenir « de l'extérieur » sur cet univers qui s'est autonomisé? Par la formation d'hommes spécialisés dans la communication.

Rien de bien exceptionnel d'ailleurs lorsque l'on examine notre relation aux activités très professionnalisées. Êtes-vous convoqué par un tribunal? Il vous faut l'appui d'un « homme de loi » qui connaît les textes, les pratiques des tribunaux, la rhétorique; bref, un homme adapté aux comportements légitimes de ce monde et capable d'agir avec habileté et prudence. Toutes choses qui éviteront peut-être un jugement catastrophique.

De même, les élites se sont entourées de professionnels. Voilà qui explique le surgissement de ces directeurs de la communication dans les grandes entreprises au cours des années 80 et la place grandissante prise par les spécialistes des médias dans le monde politique. Ainsi François Bonnemain, ancien journaliste de *France-Soir* et de Radio France, un temps au défunt *Magazine hebdo,* a été choisi par Jacques Chirac durant la cohabitation pour assurer la qualité de sa communication.

À moins d'être un professionnel de la morale, nul ne trouvera à redire à cela. Qui rêverait d'avoir en direct à la télévision un Antoine Riboud ou un Harlem Désir bafouillant, marmonnant de vagues onomatopées...? Qui voudrait d'un article de Régis Debray mal « ficelé »? Personne. Ni le consommateur, ni le producteur, ni le médiacrate...

La concurrence permet bien des jeux. La découverte que le monde médiatique est pluriel n'y est pas pour rien. Voulez-vous avoir l'exclusivité? Alors il faut « payer ». Payer pour les matchs de football comme pour les bonnes feuilles d'un livre, payer en argent sonnant. Payer par une mise en valeur.

Dans ce jeu de professionnels, le médiacrate joue sa

propre partition. Pas vraiment de connivence encore. N'a-t-on pas vu l'épouse de Jean-Pierre Chevènement déménager un portrait de Sadi-Carnot dans le grenier, le temps de l'arrivée des caméras de « Questions à domicile »? « On l'a obligée à le remettre », réplique Pierre-Luc Séguillon. Le canapé de Lionel Jospin, acheté pour l'occasion, est resté mais la volonté des médiacrates n'y est pour rien. Ruse, rapports de forces...

Séduction : un homme de pouvoir, qu'il vienne d'une entreprise ou d'un syndicat, d'un parti politique ou d'une administration, sait aujourd'hui de quoi il retourne : il se maquille. Quand Simone Veil, Paul Quilès, Jacques Attali ou Pierre Juquin apparaissent dans les émissions de Thierry Ardisson, ils se préparent avec leur « staff » (quand ils ont les moyens d'en avoir un) et ils relisent ou réécoutent leurs « classiques ». Quand Jack Lang, Édith Cresson, Charles Hernu, Thierry de Beaucé... s'allongent sur le divan d'Henry Chapier, ils ont mijoté un scénario psychologique.

Simulations : certains hommes politiques en sont arrivés à un tel degré de maîtrise qu'ils utilisent même les médias pour « lancer des ballons d'essai », dit Serge July. Par exemple, quand François Mitterrand s'est rendu à Caracas, « on » a fait courir le bruit qu'il y avait un refroidissement des relations avec Michel Rocard. Plusieurs éditorialistes sont tombés dans le panneau.

Écoutons Michel Polac : « Nous nous sommes faits piéger quelquefois. Ainsi le fameux " syndicat des chômeurs " a été lancé par nous à cause de la force de persuasion d'un invité. Toute la profession a emboîté le pas. » Cela a été un échec. La terre médiacratique est ainsi imbibée de pseudo-informations.

Des simulations aux simulacres, il n'y a qu'un pas. « Un gars fait ses petites phrases en fonction des heures de passage dit T. Ainsi, lors du premier voyage de presse de la campagne de Simone Veil, 5 avions étaient prévus, dont un mis à la disposition des journalistes. Le voyage était prévu de Paris à Toulouse, où Dominique Baudis recevait Simone Veil pour une séance de réconciliation générale, devant les caméras bien entendu. Puis, de Toulouse, nous devions aller à Barcelone. Or notre avion a pris du retard et nous voilà directement à Barcelone. Alors Dominique Baudis et Simone Veil qui s'étaient réconciliés à Toulouse, ont rejoué la scène comme si de rien n'était, pour les caméras. On a eu la même chose avec Michel Noir à Lyon qui a refait intégralement la prestation que nous avions ratée, pour que nous puissions la filmer. »

Avec les simulacres, on entre déjà dans la zone de connivence. Un but : obtenir la « complicité ». On l'obtient d'autant plus facilement que, grisé par l'air des cimes, le médiacrate se figure membre d'une sorte de grande famille qui regrouperait les élites face au monde ordinaire. Conséquence : par sa position centrale sur l'espace public, sur l'espace de communication, en choisissant la connivence, l'élite engage l'humanité dans la voie de la société de contrôle. Le médiacrate devient la plaque tournante d'une aliénation généralisée au bénéfice d'élites soudées autour de lui. Voilà la « société de contrôle ».

Tentation aussi forte pour le grand journaliste que l'envie de stabilité. Si la servitude volontaire a toujours eu autant d'adeptes, si les chefs autoritaires trouvent souvent des soutiens, n'est-ce pas parce que la liberté donne le vertige, que l'instable effraye, que les possibles tourmentent? Humain, trop humain : tel est le médiacrate qui fuit dans la connivence.

Il devient alors une sorte de carrefour personnifié. Au point qu'il est presque impossible de savoir qui est qui : est-ce le journaliste qui parle ou l'être de pouvoir qui parle dans et par le journaliste? Nous allons tenter de voir quelques fragments de cette pragmatique complice.

« Je suis bien élevé »

Nul doute, il y a les journalistes « mal élevés » et ceux qui sont « bien élevés ». Le « bien élevé »? Bernard Rapp l'appelle avec ironie : « L'habitude de ne pas déplaire. » Un exemple : la conférence de presse du président de la République. « C'est un genre littéraire raconte Jean Boissonnat. Sur 400 journalistes, une dizaine de personnes peuvent questionner. Le président de la République est sur son estrade.

Vous posez une question. Si vous n'êtes pas satisfait et que vous désirez le relancer, vous passerez pour quelqu'un de mal élevé. À Washington, dans les salles de prcsse, les journalistes relancent et interrompent. En France, lorsque le président veut s'adresser à l'opinion, il prépare son émission avec Yves Mourousi par exemple, comme le 14 juillet. »

« Être bien élevé » ne va pas sans préférence. Rue de Solferino, au siège du PS, on trouve Anne Sinclair « très bien élevée », mais pas au RPR. C'est le contraire pour Catherine Nay. Mais enfin, l'une et l'autre sont plus que « fréquentables ». Être bien élevé c'est déjà... aimer. Et se faire aimer.

Je t'aime, moi aussi : telle est la communion des âmes. Les « bien élevés » sont les journalistes du « bon goût ». Avec les autres élites, ils font corps. Ils entretiennent cette proximité par des jugements et des mouvements, des déjeuners et des soupers, des habits et des clubs... Ils ont de la tenue. Au sens propre : ils s'habillent chez les grands couturiers. Ils font partie du beau monde, celui qui a été invité le 14 juillet 1989 aux Champs-Élysées, celui qui peut aller aux réceptions à la Tour Eiffel, aux premières de l'Opéra. « Il n'y a pas de raison de ne pas profiter des avantages de la profession et vivre comme des moines », reconnaît L. Ils tiennent à marquer et plus encore à vivre leur ressemblance avec ceux qui sont parvenus aux cimes.

Pour l'amour, quelques médiacrates sont bien dotés. Naissance, études, entourage, amitiés... L'esprit de la dissertation de droit et des concours administratifs rôde : un style « convenable » a taillé le leur. Lente pénétration qui finit par faire son œuvre. Ils ont de bonnes raisons de se persuader d'être polis. Après tout, dit L., « on n'est pas des chiens et ils ne sont pas nos ennemis ». Certes.

Paris sera-t-il donc toujours Paris? Cette manière d'être et de juger montre en tout cas la distance avec la conception consumériste nord-américaine. Là-bas, les citoyens voient un marché où nous imaginons des dieux. Ils font leurs emplettes, comparent les étiquettes, examinent du même œil le politique, l'économique, le social, et l'alimentaire. Pour eux, insensibles aux jeux de l'amour et du hasard, rien qui vaille une sacralisation. Le droit d'irrespect se trouve dans la corbeille du jeune journaliste près d'un ordinateur et d'une charte déontologique.

Le journaliste français, lui, hésite. Il est vite impressionné par le charme de l'homme de pouvoir. Et s'il ne l'est pas, il joue à l'être, craignant le reproche d'insolence. « La connivence fut éclatante, dit Laurent Joffrin, quand quatre journalistes d'élite, il y a peu, se sont trouvés en train d'interviewer le président de la République. Pas une seule question sur les fausses factures, pas une seule sur l'amnistie. »

« Questions à domicile » était de ce point de vue l'émission type où des médiacrates se laissaient enfermer dans les rets de la connivence. Souvenez-vous : les journalistes étaient « invités » chez l'homme politique. Problème : comment se conduit-on chez un hôte? Avec politesse. Même quand les plats sont mauvais, on les mange de bon appétit. Ayant mis la machine en route, les journalistes pouvaient avoir l'illusion de conduire la danse. N'étaient-ils pas la puissance invitante? Mais pour obtenir le succès désiré, les caméras devaient conduire directement du domicile de l'hôte à celui du téléspectateur, laissant une place insignifiante au médiateur. Le piège était dans la conception même de l'émission. Par chance, Pierre-Luc Séguillon puis plus tard Jean-Marie Colombani étaient trop journalistes pour n'être pas un brin dandys. Ils donnaient à ces entretiens, par leurs sourires en coin et leurs questions, ce timbre d'incorrection qui permettait de ne pas les faire sombrer dans la complaisance.

L'invitation est d'ailleurs le genre par excellence qui permet le mieux aux pouvoirs de faire jouer les règles de politesse. C'est pourquoi la déontologie américaine les refuse : le journaliste paye toujours repas et voyages, il refuse les « ménages » et les cadeaux.

Pascal Krop raconte : « Un jour, j'ai fait un article très dur sur le président du Togo Eyadema. Deux émissaires de l'ambassade sont venus me voir pour me proposer un mois doré dans les palaces du pays à condition de ne plus parler des droits de l'homme et autres foutaises. J'ai connu le même scénario après un article sur le président Biya du

Cameroun. J'ai encore refusé. » La politesse est le contre-don imposé. La politesse, c'est-à-dire la complicité.

Le médiacrate « mal élevé » sait les risques pris. « À l'Élysée dit Jean Boissonnat, ils considèrent que je ne suis plus convenable à fréquenter. Je voyais Mitterrand deux fois par an, je ne le vois plus à présent. » Mais le médiacrate autonome sait qu'il y a plus à apprendre sur les propriétaires en déclinant les invitations qu'à entrer dans les chambres à coucher...

« Ils sont compétents »

Quand Voltaire ou Diderot intervenaient, ils étaient armés d'un savoir. Le médiacrate éprouve bien souvent, lui, un complexe. Il sent les autres pouvoirs plus compétents que lui. Et la connivence se noue.

L'élévation du niveau de recrutement (écoles de journalisme, diplômes...) a souvent réduit ce sentiment, mais il demeure chez certains. Quant aux bouleversements idéologiques des années 80, ils ont surtout déplacé l'objet de l'admiration : ce n'est plus seulement le pouvoir d'État qui donne des complexes mais le pouvoir économique.

L'affaiblissement de ce complexe vis-à-vis du pouvoir d'État ne signifie pas d'ailleurs sa disparition. « Quand j'étais porte-parole du gouvernement, raconte Max Gallo, je déjeunais tous les jours avec quatre ou cinq journalistes et je faisais souvent passer mon analyse. J'ai eu une opposition forte au départ car l'idée que la gauche au pouvoir pouvait être compétente n'était pas encore admise. Mais ensuite, le temps passant, j'ai rapidement pu mesurer les dépendances. »

Cette séduction du pouvoir est telle qu'elle n'épargne pas toujours les esprits les plus indépendants. Comme le dit ce (très) proche de François Mitterrand : « L'éditorial de Serge July sur le sommet de Madrid, il faut le décrypter en partie en fonction de ce que l'on a décidé avec Jean-Louis Bianco ou Jacques Attali. On a dit que ce sommet était un succès, Serge July, séduit par nos arguments, a écrit que c'était un succès français. »

La puissance de séduction du discours de la compétence ne va pas sans bonnes raisons objectives. Le savoir des pouvoirs n'est pas une illusion. À leur place, dans leur monde, les élites connaissent souvent mieux et plus que le médiacrate. Et plus ce dernier est incompétent, plus le discours savant le rassure : il permet de trier en hiérarchisant les données; le papier sera plus facile à écrire. Max Gallo rapporte : « Comme porte-parole du gouvernement, j'avais une fonction idéologique. Je donnais des analyses. J'ai rencontré une de mes plus grandes difficultés entre fin 1983 et début 1984. La politique mutait et je devais l'expliquer. C'était d'autant plus difficile qu'il y a deux rythmes de temps entre l'action gouvernementale et les médias. Je m'en sortais en hiérarchisant l'information. »

La subjectivité a un rôle central. Après l'explication, le sentiment d'avoir compris vient réjouir le cœur du médiacrate « connivent ». Il pourra briller sur sa planète. Il est plus à l'aise. Derrière lui : une armée de compétents. Pourquoi ne travaillerait-il pas plutôt sur ses dossiers, direz-vous? Comme vous y allez! Psychologie encore : nous atteignons ici les motifs qui poussèrent à la tombe le beau, le suave Lucien de Rubempré. Souvenons-nous de la prophétie de ses amis dans les *Illusions perdues,* lorsque le héros hésite à se jeter à corps perdu dans le journalisme : « Tu ne résisteras pas à la constante opposition de plaisir et de travail qui se trouve dans la vie des journalistes; et résister, c'est le fond de la vertu. Tu serais si enchanté d'exercer le pouvoir, d'avoir droit de vie et de mort sur les œuvres de la pensée, que tu serais journaliste en deux mois. Être journaliste, c'est passer proconsul dans la république des Lettres. Qui peut tout dire, arrive à tout faire! » Être proconsul dans la république des lettres, mais aussi des arts, des sciences, des techniques, de la politique, de l'économie, produire son éditorial, être présent : une telle activité réservée jadis aux « intellectuels classiques », aux philosophes moralistes, tombe ainsi dans l'escarcelle du journaliste ravi.

Le malheur vient de ce que les compétents ne sont

pas tous d'accord. Raymond Barre, Édouard Balladur ou Pierre Bérégovoy? Ils se déchirent à pleines dents. Le monde est mauvais. Face à ces divergences, comment faire? Où aller? Que dire sans prendre le risque, demain, de se contredire? Il ne reste plus qu'à entrer dans un camp. Quand un théoricien comme David Putnam se fait une joie de revendiquer ses fréquents changements de cap, nos médiacrates une fois embarqués, ne sachant pas naviguer, préfèrent continuer plutôt que chavirer.

Voilà pourquoi Anne Sinclair invite plutôt des proches de l'Élysée. Une complaisance dont elle se défend avec fougue : « Je ne privilégie pas un camp. La vérité, c'est que le pouvoir, en particulier culturel, dans la société civile, est plutôt de gauche. Il m'est arrivé d'inviter Isabelle Huppert sans même savoir qu'elle était de gauche. Je l'ai su, comme souvent, après coup. Alain Minc n'est pas invité en raison de ses opinions mais parce qu'il pose de bonnes questions sur l'Europe. » Invité et réinvité.

Ils sont « compétents », dit ce médiacrate? Méfions-nous. Derrière la référence et son itérativité pourrait se cacher la révérence.

« Je respecte la vie privée »

Il ne faut jamais toucher à la vie privée, disent les respectueux. Nombre de médiacrates, y compris parmi ceux qui sont les plus « souverainistes », prônent une sorte de morale définitive.

Les respectueux soulignent ainsi leur désaccord profond avec la démarche américaine. Que vingt minutes d'un point de presse puissent être là-bas consacrées à savoir si Ronald Reagan se teint ou non les cheveux, voilà qui ne les fait pas sourire. Ils ne veulent pas être confondus avec la presse à scandale : la raison est bonne. Quand Pierre-Luc Séguillon demande à Antoine Waechter s'il porte une perruque, T. l'accuse même d'avoir des « pratiques fascistes »; les irrespectueux n'ont pas bonne presse.

« Antoine Waechter est une sorte de “ notaire ” de l'écologie, se défend Pierre-Luc Séguillon. Il a une démarche étroite, ennuyeuse. Il était arrivé en faisant une tête de six pieds de long. Avant de commencer l'entretien, on diffuse un portrait de lui plutôt sympathique. Et il boude. À aucune question, il n'a répondu de façon spontanée. On lui dit : “ Il paraît que vous ne riez jamais. ” Il fait toujours la même tête. On finit par lui demander s'il porte une chevelure postiche. Il était blanc. Il garde le silence. “ Est-ce que vous pouvez le démontrer? ”, nous répond-il. Guillaume Durand lui répond : “ Ne vous inquiétez pas, on ne va pas tirer dessus. ” Malheureusement, Guillaume a été à peine entendu. » « C'est un peu moi qui ai eu cette idée, précise Guillaume Durand de son côté. On n'avait guère été plus tendres avec Jean-Marie Le Pen. Et avec Poperen alors! Quand l'émission se termine, je lui dis en direct : “ Au revoir ” et puis j'ajoute : “ Oh, à propos, voulez-vous toujours prendre le fauteuil de Pierre Mauroy? ” »

Une argumentation qui ne paraît pas « bonne » aux amis du « respect de la vie privée ». « Si l'on accepte cela, dit P., où va-t-on? Il faut un peu de morale quand même! »

Le paradoxe du respectueux vient de ce que sa morale a bien entendu peu à voir avec l'impératif catégorique. Il veut le respect non parce qu'il ne s'intéresse pas aux hommes de pouvoir mais au contraire parce que leur vie privée est sa constante préoccupation. *France-Soir* publie la photographie de Valéry Giscard d'Estaing en famille, François Mitterrand est vu à la télévision caressant ses chiens, François Léotard fait visiter sa chambre conjugale dans « Questions à domicile », une émission où l'épouse de Michel Rocard est aperçue dans sa cuisine... Chacun s'épanche sur le sort de son père, sa mère, la vie de ses enfants, son mariage, sur ses problèmes les plus intimes, comme on le voit à l'émission d'Henry Chapier, « Le Divan ». Le mot d'ordre « pas touche à la vie privée » n'a de sens que pour le seul médiacrate-bon-citoyen qui découvre que le bien des Grands est celui des républiques.

Les respectueux montreront ainsi le couple présidentiel : la légitimité n'est-elle pas dans le mariage? Qu'importe si, chemin faisant, l'épouse dudit président donne son avis « autorisé » sur tout ce qui bouge, du port du voile dans les établissements scolaires (elle est « pour ») à la « misère du tiers monde » (elle est « contre ») en passant par le Maroc, aggravant chemin faisant une crise internationale. Il est vrai qu'une si auguste famille mérite d'être protégée par un épais silence et quelques procès pour qui ose signaler les placements privés qui créent pour un « tonton » une république de « neveux ».

Un tel « feeling » autorise une distribution sélective des « indulgences ». Pour nos moralistes, certains méritent plus que d'autres le droit au respect de leur « vie privée. » Comme le dit Claude Angéli, inhabituellement surpris à tenter le Bon Dieu : « Pour l'affaire Daniélou? J'ai un ami qui est venu me voir. Il me dit : " Je sais comment est mort le cardinal, une concierge a parlé. " Elle avait su que Daniélou était mort chez " la fille qui recevait des hommes, dans une chambre du haut ". Mais si le prêtre avait été libéral, s'il n'avait pas joué le censeur des bonnes mœurs à tout bout de champ, on n'aurait pas sorti l'information. » Mais on l'a sortie... comme les fesses de l'épouse de Jean-Marie Le Pen (diffusées auparavant par *Play-Boy*), comme les sorties nocturnes de Valéry Giscard d'Estaing, comme le passé de Georges Marchais...

Le respectueux est donc l'intraitable qui sait faire les subtiles différences. Il s'agit de punir les seuls méchants. Mais comment les découvrir? Comme le dit P. : « D'accord pour fouiller dans la vie privée, mais seulement lorsqu'il y a un scandale. » Et comment savoir s'il y a scandale?, si l'homme d'État n'utilise pas sa fonction publique à des fins privées, sans enquêter au préalable sur sa vie privée? Mystère : les voies du respectueux sont impénétrables.

L'amoureux de l'Ordre moral a une conscience malheureuse. Toujours un moment arrive où il doit choisir entre pousser sa logique jusqu'à la complicité ou faire son travail en professionnel. Il viole alors la loi sacrée qu'il avait si ingénieusement posée. « Diamants » de Valéry Giscard d'Estaing, placements de la famille Mitterrand, salaire de Jacques Calvet, passé de Paul Touvier... c'est l'inondation du privé dans l'espace public.

Le respectueux est finalement l'homme du regret. Son silence, à la réflexion, était une erreur. Tous regrettent de s'être tus lors de la maladie de Georges Pompidou. On découvrit, un peu tard, qu'à l'ère atomique, de telles pudeurs présentaient quelques dangers pour ce que l'on croyait protéger : la démocratie. Le regret se transforme quelquefois en ressentiment : quand les scoops sont passés en d'autres mains.

Au moins les respectueux se rassurent-ils : il doit y avoir des « limites » au viol de la vie privée. Sans doute, mais lesquelles? « Il ne faut pas parler de la sexualité », explique P. Le microcosme se réserve ainsi des secrets qui ne circulent que de bouche de druide à oreille de druide. Pour eux, il ne faut pas saisir tout le plaisir qu'il y a à être du côté du Bien pour dire, comme Jacques Derogy, un des papes de l'investigation : « J'ai toujours eu un principe dans mes enquêtes : cherchez la femme (ou l'homme). C'est ainsi par exemple que j'ai pu découvrir Paul Touvier, le chef milicien, et que l'on découvre la plupart des affaires. »

Les irrespectueux définissent les limites selon des principes autres. Des principes professionnels. Par exemple : la fiabilité des sources. « Je ne me sers pas des fiches des Renseignements généraux », dit par exemple Pascal Krop. Anecdote amusante à ce propos : quand Gaston Defferre est arrivé au ministère de l'Intérieur, il a demandé à voir sa fiche complète. Elle énumérait ses aventures féminines pendant toute sa vie. « Je n'ai pourtant jamais été avec ses femmes m'a-t-il dit en riant. Le plus curieux, c'est qu'ils avaient omis celles que j'avais vraiment fréquentées. »

Moyens employés, objet et diffusion des informations ne sont pas soumis à des à priori de la morale ordinaire. Ni à une morale qui cache, souvent inconsciemment, le désir de connivence avec les autres élites. Le principe? La responsabilité journalistique. Autrement dit : la recherche de la vérité, quand il en va des fondements de la vie républicaine. Le respect de la vertu publique appelle une « vertu » qui justifie bien chez le médiacrate, quelques vices privés...

« J'ai des amis très chers »

« Si j'ai un ami très cher, je me tais », dit Alain Ayache. Encore entend-il parler de « véritables amis » et il en a peu dans le microcosme et parmi les élites. Il n'empêche... l'ami « très cher » compte beaucoup. Et, en raison de sa position sociale, le médiacrate nous donne peut-être ici le fragment clé de la connivence avec les autres élites : son désir plus ou moins conscient de participer à une famille, à une communauté. De souder autour de lui les élites, ou certaines d'entre elles pour participer pleinement à leur univers.

Encore faut-il distinguer la simple relation d'échange avec les élites et la connivence. Lorsque Philippe Simonnot affirme dans *Le Monde et le pouvoir* que dans toute relation d'échange, le journaliste se trouve en position de dominé puisqu'il dépend de son informateur, il oublie ce que gagne l'informateur : le fameux échange « don-contre-don » n'est pas nécessairement inégal. Échange de bons procédés : le médiacrate obtient des informations privilégiées que, de son côté, l'informateur chéri voit publiées. Qu'il vienne ensuite réclamer autre chose et il n'obtiendra rien. Le contre-don a déjà été fait : « Même lors de l'affaire du " Rafale " que nous avons suivie, Serge Dassault a téléphoné à Ambroise Roux et à Willy Stricker, mais eux ne m'ont pas transmis, rapporte Yann de l'Écotais. J'ai, bien entendu, des coups de fil du type " Ce n'est pas sympa de faire cela ", mais ces pressions sont dérisoires. » Le dérisoire est à la fois le signe du « prix d'ami » de l'ami et du caractère incongru du surplus demandé.

La connivence commence lorsque la valeur de l'ami rend nécessaire le... dérisoire. Quand le prix ne peut être acquitté par la diffusion d'une information. Jean-Michel Carpentier témoigne : « Quelques mois avant 1986, je déjeune avec un membre du service de presse du CNPF qui me dit : " Si tu veux, tu peux faire des séances de formation dans la cellule audiovidéo des entreprises. " Il me payerait 3 000 F pour deux heures. Je refuse. Il me rappelle le lendemain : " On peut monter jusqu'à 5 000 F. " Je refuse. Le lundi après-midi, je reçois un coup de fil d'un haut responsable du service de presse : " On a des journalistes qu'on estime amis. Tu pourrais en faire partie. J'ai cru savoir que tu avais besoin d'argent. On peut faire un peu d'investissement. " Je lui réponds que cela me gêne. Le lundi qui suit, il me téléphone à nouveau : " J'ai appelé un autre journaliste de TF1, il a accepté. " Il me donne le nom. Je lui réponds : " Si en plus, tu balances le nom de ceux qui font cela! " J'en ai parlé à l'Association des journalistes qui travaille dans ma branche [l'AJIS, Association des journalistes de l'information sociale]. Mais le nombre de journalistes de cette association qui ont refusé ce type de travail se comptent sur les doigts de la main... »

Le « don amical » peut être moins « voyant ». « Il sera très difficile, dit ainsi Christian Dauriac, pour un journaliste régional, de faire un reportage à l'étranger. Il n'aura pas l'argent. Donc : soit il accompagne l'homme politique, soit il se fait payer son déplacement par une entreprise. Par exemple la série de FR3 au printemps 1988 sur l'Afrique du Sud a été payée par un industriel qui était une façade. Et comme par hasard, on y a vu des Noirs heureux. Je me suis fait avoir dix fois par des journalistes qui présentaient des plateaux de façon anodine. Ainsi, en 1985, j'ai eu sur mon plateau François Doubin. L'ensemble était de très bonne qualité d'ailleurs. Mais j'ai appris quelques mois plus tard que le journaliste qui me l'avait proposé avait fait un " média-training " avec lui. »

On le voit, cette amitié se paie en « travestissement ». Ce « vêtement » que l'on ajoute est le contre-don, ce qui comble le manque pour clore ces échanges inégaux. Refuser le contre-don de l'amitié? C'est la guerre. « Quand Pierre Mauroy, comme président de la Fédération mondiale des villes jumelées, est allé à Moscou, rappelle Thierry Pfister, les journalistes étaient invités pour une semaine, tous frais payés. Leurs papiers n'étaient évidemment pas les mêmes que si le journal avait payé le voyage. Les journalistes sont piégés comme cela. À moins de s'appeler Philippe Alexandre, celui qui assassine ne dure jamais bien longtemps. »

Ce travestissement peut conduire à transformer les amis en savonnettes qu'il faut vendre sur le marché. Comme le dit J. du *Nouvel Observateur :* « Il nous arrive évidemment de contribuer à lancer des hommes politiques dont nous savons parfaitement qu'ils sont nuls ou qu'ils sont des marionnettes d'autres hommes politiques. Quand ce sont des représentants des partis, après tout, les mettre en valeur n'est pas forcément une manœuvre. On pourrait s'amuser à relever les fameux tableaux qui consacrent la “ hausse ” ou la “ baisse ” des hommes politiques dans l'*Obs.* Ils sont vérifiés, contrôlés et quelquefois “ améliorés ” dans le détail. C'est ainsi qu'il est très rare qu'un politicien de droite soit en “ hausse ” et, quant aux hommes de gauche en baisse, on ne trouve guère que Laignel, Poperen et Charasse qui n'ont pas beaucoup d'amis dans la maison. Mais c'est surtout dans le domaine culturel que nous avons longtemps été à la traîne. »

Conséquence contradictoire : les ennemis de mes amis très chers sont mes ennemis très chers... Les règlements de comptes sont en effet légion : ils détruisent la belle unité des classes supérieures que désirait au fond de lui le médiacrate connivent. « Aux *Nouvelles littéraires,* raconte Gilles Anquetil, j'avais la page “ Idées ” et on avait pris des habitudes d'indépendance car Jean-François Kahn et Philippe Tesson ne faisaient jamais de pression. Puis Jean-François Kahn s'en va et l'Élysée fait racheter le journal par Ramsay. Jean-Claude Colliard, Max Gallo, Erik Orsenna et Régis Debray surveillent l'opération. Ramsay nous déclare : “ Je vous prends car vous êtes un fonds de commerce. Mais vous êtes nuls. ” C'est à ce moment-là qu'arrivent les *Mémoires* de Raymond Aron. Je dis “ Je fais le papier. ” Tous les jours, Ramsay me téléphone : “ Alors, qu'est-ce que tu en penses de cette ordure d'Aron? ” Aron, c'était pour lui l'ennemi par excellence, l'ennemi de ses amis, donc ce devait être le mien... Je fais 18 feuillets. Je dénonce l'anti-aronisme primaire. Ramsay et Roger Butel hurlent. Je resserre mon papier à 14 feuillets. Ils disent qu'ils sont d'accord. Je vais voir au marbre : il n'y a plus que 6 ou 7 feuillets. Ils ont mis un nouveau titre : “ Pour en finir avec Raymond Aron. ” Je démissionne. Un peu plus tard, Jean Daniel m'appelle. Je lui dis : “ Cette phrase : Mieux vaut avoir tort avec Sartre que raison avec Aron est la phrase la plus bête de notre génération. ” Il me dit : “ Elle est de moi. ” Et... me voilà embauché à *L'Observateur.* » En devenant l'ennemi d'un ennemi très cher, Gilles Anquetil s'était fait des amis...

Alors, l'amitié avec les autres élites, avec les détenteurs d'informations? : « Certes, on peut menacer d'un procès en diffamation, dit Daniel Vernet mais le plus souvent c'est plutôt sous la forme : " Écoutez cher ami, on se connaît depuis si longtemps... ". Cette forme est plus insidieuse, plus dangereuse. On devrait apprendre dans les écoles de journalisme à garder ses distances par rapport à ses sources. »

Il ne s'agirait pas tant dans une déontologie « anticonnivente » de refuser son amitié à des puissants que de ne donner son amitié qu'avec réserve. Un « ami » peut en cacher un autre...

Le décrochement du monde réel

« Le danger dans notre profession, dit Jean Boissonnat est de finir par écrire plus pour nos informateurs que pour nos lecteurs. » Les médiacrates, enfermés dans leurs relations de connivence, persuadés de participer à une sorte de classe des élites, sont déconnectés de la population et bientôt... rejetés.

Il était une fois une ville appelée Marseille. Une fantastique bataille s'engageait pour la succession de Gaston Defferre, l'ancien maire. Elle opposait deux chefs de guerre du même parti (le PS) : Michel Pezet et Robert Vigouroux. Les autres troupes emmenées par Jean-Claude Gaudin (UDF) et Guy Hermier (PCF) comptaient les coups, espérant, avec le Front national, jouer les trouble-fête. Les observateurs parisiens, venus des centres vitaux de la comète médiatique, s'étaient fait une « bonne raison » : Robert Vigouroux, le successeur momentané de Gaston Defferre était perdu, Michel Pezet allait l'emporter dans la bataille interne aux socialistes et un autre allait ramasser la proie.

« Tous les journaux soutenaient Michel Pezet sauf *Le Provençal,* raconte Maurice Szafran. *Libé* et l'*Obs,* jusqu'à quelques jours du vote, le jouaient gagnant. Même *Le Quotidien de Paris* le préférait à Jean-Claude Gaudin. *Le Figaro* penchait bien entendu vers ce dernier mais il était plus tendre pour Michel Pezet que pour Robert Vigouroux. Au niveau des " news ", l'attitude était globalement la même. »

Pourquoi les médiacrates et leurs équipes ne croyaient-ils pas en Robert Vigouroux? Parce qu'il avait « péché » : il ne s'était pas prêté aux jeux habituels. Il n'invitait pas à déjeuner. Il ne demandait pas même un conseil. « Quand j'arrive à Marseille, poursuit Maurice Szafran, je vois tout le monde. J'en arrive à cette conclusion : Michel Pezet ne peut être maire de Marseille. Pour des raisons à la fois personnelles et propres aux alliances sur la ville. Je pense alors que... Jean-Claude Gaudin va l'emporter, allié probablement au Front national. J'ajoutais quand même que Robert Vigouroux était la seule chance de la gauche mais que c'était une chance sur un million. Les télévisions aussi massacraient le maire de Marseille. On a pu voir Jean-Luc Mano affirmer, en substance, le soir de la présentation de la liste Vigouroux : " J'ai assisté au meeting du comble de la nullité politique. " Nous, journalistes, n'avons pas supporté qu'un gars arrive et fasse ses affaires sans nous. »

Les jeux de complicité tendent en effet à « décrocher » la médiacratie du monde réel. En privilégiant les rapports au sommet, un processus étrange se met en marche. Au départ, les relations avec les autres élites sont privilégiées. Puis, à cause de cela même, le discours que ces notables énoncent « à propos de » la réalité devient, en l'absence de dissensus, le discours qui dit la vérité sur la réalité. Il y a alors une double identification. Identification de la médiacratie aux autres élites, identification du discours médiatique aux discours des notables. Phénomène qui serait presque classique, si l'activité du médiacrate et le pouvoir qui en découle n'étaient pas symboliques. Emporté par sa complicité, le médiacrate passe alors de l'identification à la mystification. Il ne voit plus qu'il ne peut donner une information que si quelque chose advient. Tel est le fétichisme de la forme dans le journalisme : le vertige des mots.

La médiacratie se sent alors dotée par la société d'un statut spécial. Elle croit monopoliser la parole vraie, de la louange à la mémoire, du blâme à l'oubli. Le médiacrate croit qu'il peut faire par sa parole, ses images, d'un homme « l'égal d'un roi », comme disait le poète grec Pindare parlant de l'effet produit par les louanges des poètes, « Maîtres de Vérité » de la Grèce archaïque. Qu'il peut faire entrer dans la nuit, loin des sunlights, l'être ou l'événement en l'ignorant superbement. Il se croit investi en quelque sorte par les muses, dont Hésiode disait qu'elles « disent ce qui est, ce qui sera, ce qui fut ».

Particulièrement révélateurs sont les jeux avec le pouvoir politique. Car il est clair aujourd'hui que, par le surgissement du « médiacrate », la séparation que fit Max Weber entre ceux qui font de la politique de façon professionnelle et ceux qui sont seulement intéressés par elle a volé en éclats. Le médiacrate est intéressé de façon professionnelle à ce qui se passe sur la scène politique et, détenteur d'un pouvoir symbolique, on ne peut nier, sans naïveté, qu'il soit acteur. Mais être acteur ne signifie pas être professionnellement engagé dans la course au pouvoir d'État.

Le Rubicon néanmoins est aisément franchissable tant la frontière est poreuse. Comment ne pas être tenté d'user de son pouvoir symbolique pour faire avancer dans la cité ses propres idées? Le processus d'identification-mystification décrit plus haut permet précisément la transformation du médiacrate en homme politique.

L'histoire de Jean-Jacques Servan-Schreiber à *L'Express* est révélatrice. Comme le rapporte Jacques Derogy : « Le virus politique l'a pris en juin 1970; il n'y avait aucune pression sinon la croyance qu'il devait jouer un rôle politique. » On se souvient qu'il se présente comme député à Nancy. Il est élu. En août, le voilà à Bordeaux. En 1971, Claude Imbert et ses amis s'en vont. « Il veut lancer le mouvement réformateur, précise Jacques Derogy. En même temps, il a des velléités d'écologiste. En 1973, il m'appelle : " Vous avez toujours eu envie d'aller à Tahiti, n'est-ce pas? " Comme j'acquiesce, lui me dit : " Alors on y va. On va protester contre les expériences nucléaires. " Me voilà ainsi en juin-juillet 1973 à Tahiti. Le 2 avril 1974, c'est la mort de Pompidou. Ni une ni deux, JJSS prend position pour Valéry Giscard d'Estaing. Le virus le reprend. Françoise Giroud, elle, prend position pour Mitterrand. JJSS me dit : " Avec Valéry Giscard d'Estaing, ce sont nos idées qui arrivent au pouvoir. " Il est bombardé ministre des Réformes. »

Le malheur du médiacrate survient quand il décide,

à la différence d'un Michel Péricard ou d'un Dominique Baudis, d'être encore journaliste : « Quelques jours plus tard, reprend Jacques Derogy, je lui dis : " Est-ce que ce sont vraiment nos idées? Il y a un an, on faisait campagne contre Mururoa. Où en est-on aujourd'hui? " Lui me répond : " Oui, nous n'avons pas changé. " Moi : " Alors, je peux rappeler notre campagne dans un papier? " Il dit qu'il est d'accord. Je fais un papier, intitulé : " Il y a un an, qu'est-ce que l'on faisait? " Il est immédiatement convoqué et viré du gouvernement. Il était un peu traumatisé. D'autant que pendant ce temps, Valéry Giscard d'Estaing a mené une opération de séduction envers Françoise Giroud. Et celle-ci accepte de se laisser embarquer à son tour dans la galère giscardienne. » Mais elle abandonne le journalisme : la nuance est d'importance.

Sanction : le média perd ses marques. L'élite mystifiée dans ses relations de complicité avec les Grands a oublié la valeur d'usage de ses produits, la relation avec les segments du marché. Ainsi, *L'Express* chutera en 1977; il sera vendu à Goldsmith, attaqué à son tour par le virus politique en mai 1981, qui finira par vendre lui aussi.

Précaution : les médiacrates, du *Figaro* au *Nouvel Observateur* ont conservé de ces rechutes une méfiance exacerbée envers les discours engagés des journalistes et leurs intrigues complices : « Nous nous méfions à présent, dit Jacques Roure. Ces gens qui veulent refaire le monde, c'est dangereux. C'est différent des gens du type Aron, simple, sans provocation, qui acceptent le travail de journaliste. *L'Express* fait aujourd'hui des papiers qui peuvent plaire à Bérégovoy en économie et à Giscard en politique. Et c'est cela l'important. »

Cela ne signifie pas baisser ses « couleurs ». Nul ne reprochera à *L'Observateur* d'être engagé à gauche. Par son style propre, chaque marque affiche son positionnement, sa corrélation avec un public. Mais « nous ne devons pas oublier que notre fonction est d'information, dit Claude Weil. L'intolérable serait de dire : je sais quelque chose, mais je ne veux pas le dire parce que ce sont des amis. Que ce soit avec l'affaire Luchaire ou à propos du délit d'initiés, nous avons été irréprochables ».

Au fond, Laurent Joffrin tente de jouer pour l'*Observateur* la partition de Franz-Olivier Giesbert au *Figaro :* préserver le style du journal en abandonnant un engagement trop prononcé qui faisait « tutoyer » la sphère politique et intellectuelle au point de confondre les genres. Au point, comme le dénonce J.-F. Kahn dans son *Esquisse d'une théorie du mensonge,* de taire d'autant plus facilement le vrai qu'on parvient à le dissimuler à ses propres yeux.

Dira-t-on qu'une telle attitude autonome peut coûter cher en amitiés? Certes. Comme le dit Claude Imbert : « Il faut accepter des périodes où les gens vous battent froid. Il ne faut pas préserver ses relations au point de perdre ses valeurs propres. Il faut répondre clairement à cette question : " Est-ce que je veux faire de la politique? " Un journaliste doit répondre " non ". Ce qui ne signifie pas que nous ne puissions être en accord avec des hommes politiques. J'ai joué au golf avec François Mitterrand, j'ai eu des relations privilégiées avec Georges Dayan ou Valéry Giscard d'Estaing. Mais j'ai toujours traversé des périodes très désagréables en ne cédant pas sur l'information. Quand Michel Poniatowski dit de nous " ils ne sont pas mal, mais ils sont impossibles ", c'est bien. La deuxième question à laquelle il faut répondre est : " Ai-je les moyens de mon indépendance? " Un salaire convenable permet d'éviter les angoisses et les tentations. »

Mais ces discours contre la complicité ne sont-ils pas vains? Quels sont les moyens dont les médiacrates disposent pour assurer leur indépendance? Et en admettant que moyens il y ait, puisque l'espace public est occupé, quadrillé sous la direction des médiacrates, cette autonomie ne menacerait-elle pas les fondements mêmes de la démocratie en court-circuitant le jeu des autres élites et en détruisant l'« espace public » lui-même? Au loin, n'est-ce pas la « société de contrôle », au seul service du quatrième pouvoir cette fois, qui se construit?

2. LES MAINS SALES DE LA DÉMOCRATIE

Depuis 1989, les reproches fusent contre les médiacrates. Principal grief des élites : l'irresponsabilité. La guerre du Golfe permit de développer l'offensive. « Si la liberté de la presse est l'honneur des démocraties, elle est parfois aussi le relais des dictatures », déclare Michel Rocard, Premier ministre. En public, ce 20 août 1990, il invite les journalistes à ne pas « servir les intérêts d'une puissance étrangère ». En privé, les pressions sont innombrables et certains succombent. L'attaque est générale. Elle durera six mois. Les membres du gouvernement, qui refusèrent pour la plupart de s'exprimer sur le conflit, ne demandaient pas aux journalistes d'être plus vigilants que jamais quant à la déontologie. Ni même de réfléchir à ce que pouvait être la liberté de la presse dans cette période exceptionnelle qu'est la guerre. Leur rêve : que la presse fût aux ordres. Nostalgie d'une élite évincée. Que Patrick Poivre d'Arvor ramène un scoop mondial, le premier entretien avec Saddam Hussein? Condamnable. Que Guillaume Durand ait mis face à face, dans son journal télévisé, l'ambassadeur d'Irak à Paris, Abdul Razzak al-Hashimi, et la mère d'un otage français? Condamnable. Que soient montrés quatre militaires français en désarroi sous l'égide de Robert Nahmias? Condamnable. Que soient filmées les réactions du « petit peuple » en Jordanie ou en Algérie? Condamnable... Les informations ne devaient pas ou peu passer : jusqu'au

2 février 1991, telle fut la consigne de l'armée française. Yves Sabouret, P-DG de La Cinq et Patrice Duhamel, sont conviés à venir s'expliquer à Matignon le 25 février. L'« arrogance inadmissible » de la direction de TF1, Michèle Cotta en tête, est dénoncée le 26 janvier : n'a-t-elle pas refusé de venir justifier ses choix au pied du pouvoir d'État? Le CSA emboîte le pas des politiques. Dès le 31 août 1990, il en appelle à la « responsabilité » particulière des journalistes. Début 1991 le conflit a atteint son point ultime : les responsables des chaînes seront convoqués à maintes reprises... TF1 diffuse-t-elle durant une minute et demie un reportage sur le moral des troupes où l'on voit de jeunes soldats « qui rêvent davantage d'une bonne douche que d'en découdre », comme le dit Michèle Cotta, au *Figaro?* Jacques Boutet menace : « TF1 n'est pas au-dessus des lois. » Et il faut l'action conjointe des sociétés de rédacteurs de TF1, A2, FR3, et La Cinq, pour que le pouvoir politique baisse un peu le ton. Et pour combien de temps?

Temps de guerre, temps de paix, quel est le rôle des médiacrates en démocratie lorsqu'ils refusent la connivence avec les autres élites? Comment doivent-ils user de leur pouvoir contre le mythe de la classe politico-médiatique?

« Le pouvoir du journaliste ne se fonde pas sur le droit de poser une question, mais sur le droit d'exiger une réponse » écrit Milan Kundera dans *L'Immortalité.* Il a tort. Si Kundera erre, et avec lui ceux qui pensent le journalisme comme une activité passive, c'est qu'il ne voit pas l'essentiel : le pouvoir du médiacrate se concrétise précisément par le droit qu'il s'accorde de donner lui-même... la réponse à sa question.

Un tel pouvoir commence d'abord par le droit de poser des questions car chaque question, comme le notait Bergson, comporte, pour une part au moins, sa réponse; on le vit en 1982 quand, dans *Le Nouvel Observateur,* Franz-Olivier Giesbert appelait le gouvernement à faire moins d'idéologie et à accepter de se poser les problèmes économiques. Et de les poser sans souci de limites. Demander à François Mitterrand quelle est sa responsabilité dans les ventes d'armes à l'Irak, à Valéry Giscard d'Estaing où sont les diamants « offerts » par un tyran, à Saddam Hussein s'il rêve de devenir Nasser, à Jacques Calvet le montant de son salaire, à Mgr Decourtray ce qu'il pense de la contraception, à un médecin les raisons du décès d'un de ses patients... Et d'en poser d'autres encore pour « relancer » ou recentrer la question première. La réponse du pouvoir, elle, peut être mensongère, erronée, limitée.

Il y a un premier piège dans lequel toute analyse non pragmatique du discours est condamnée à tomber. Même dans le cas limite de l'attente d'une réponse précise, qui va juger que celle-ci est satisfaisante? Que cette réponse est *la* réponse? Le médiacrate. Seul, il juge. Il choisit ou non de reprendre la réponse à son propre compte : par des images, des sons, des gestes, des signes écrits. Le jeudi 17 janvier 1991, George Bush, le sourire aux lèvres, indique-t-il à la presse que les choses « vont bien » pour les Alliés face aux Irakiens? Toutes les informations vont-elles dans ce sens? L'euphorie gagne les grandes rédactions qui ont oublié leur travail. Mais deux jours plus tard, les doutes surviennent. Échaudée par l'affaire roumaine, rendue sceptique par ce qu'elle peut (à peine) voir, la grande presse se méfie à nouveau des réponses à ses questions. Comme le notera Jacques Hébert (rédacteur en chef de La Cinq), les journalistes mettent à distance (pas assez) leurs sources d'alimentation principales : militaires, censurées, unilatérales (après le silence de CNN)...

C'est seulement lorsque le médiacrate accepte la réponse – ce qu'il montre par un sourire, un acquiescement... ou tout simplement en acceptant de diffuser l'information comme information sans conditionnel – qu'elle devient *la* réponse. Autrement dit : qu'il trouve la réponse malgré ou par un pouvoir, vraie ou fausse, celle-ci n'existe pas comme réponse avant qu'il n'en ait décidé ainsi.

Un second piège, tout à fait opposé au précédent, guette. Quelquefois, ceux qui étudient les médias n'aperçoivent que le processus dernier du travail journalistique : la décision d'informer ou de passer sous silence. Derrière cette apparente toute-puissance du médiacrate de pouvoir être la Mémoire et la Justice, se cache l'oubli de la procédure qui a conduit à émettre le jugement final. Croire qu'il suffit de dire pour faire, que le médiacrate délimite, par ses dires et grâce à sa fonction sociale, la réalité, c'est prendre le journaliste pour un mage de la Grèce archaïque. Le médiacrate lui-même se laisse quelquefois griser par de tels songes magico-religieux. Il croit ainsi qu'il lui suffisait de proclamer la crise des partis politiques, la rénovation, pour que celles-ci soient vraies ; qu'il suffit d'inviter quelques philosophes qui passent bien à la télé pour qu'ils soient consacrés devant l'éternel. Il tombe sous le coup de cette formule de Stendhal : « À Paris, la mode tient lieu de vérité »..., alors qu'il lui faudrait chercher la vérité de la mode.

Le retour de Tintin

La posture indépendantiste du médiacrate n'est pas à mi-chemin de ces deux pièges. Elle est ailleurs. Poser soi-même les questions et faire les réponses contraint à accepter la laïcisation de ses actes, à prendre au sérieux l'existence d'un espace public et, plus encore, à affronter ce jeu ouvert par les démocrates grecs, celui de la recherche de la vérité au profit du bien public. Un jeu qui impose au médiacrate, fils d'Hermès, une condition : se doter de mains pour peser, soupeser et découvrir le vraisemblable.

C'est bien pourquoi, de la Roumanie au Golfe, de Paris à Saint-Pierre-et-Miquelon, la médiacratie a besoin de ses Tintins. Une rencontre nécessaire et hasardeuse comme celle qui permit à Michel Polac et Frédéric Gilbert de se trouver.

Au début des années 80, Frédéric Gilbert en a assez de jouer la complicité avec les notables dans *Ouest-France.* Assez des nuits sereines, sinon câlines. « J'étais alors chargé par *Ouest-France* de faire une page entière, celle qui concernait Vitré, dans l'édition qui portait sur la région, dit-il. J'avais 20 ans, j'étais pigiste, cela me passionnait. Les patrons se sont décidés à m'embaucher. J'ai eu une réunion avec la direction. Pour être clair, c'était clair : " Monsieur Gilbert, vous avez sûrement des opinions politiques, mais je ne veux pas le savoir. Ni même le deviner. Les élus ont toujours raison. " Le journal se teintait selon l'environnement et le résultat des élections. Il fonctionnait à l'autocensure. Le problème quand tu es localier, c'est que tu es en permanence en contact avec les élites locales. Tu connais vite les personnes qui comptent. Les gens avaient mon adresse. Le soir, ils m'amenaient les communiqués. Le matin, tu te lèves à 8 heures et ce n'est pas la peine de se précipiter sur la radio. Le soir, tu fais les réunions d'associations, c'est une bonne école à... 20 ans. Quant tu as fait cela, tu es préparé pour faire le Conseil des ministres. »

Naît alors le sentiment de faire partie d'une « classe », unie, petite et généreuse, « politico-économico-intellectualo...médiatique ». À moins que soudain la tentation du journalisme autonome ne vous prenne.

Tel est le virus qui saisit Frédéric Gilbert : « Voilà qu'arrive sur Vitré une affaire de fausses factures partie de Marseille. J'apprends par la gendarmerie qu'une entreprise de Vitré est impliquée. Je fais mon enquête. Puis je prépare un papier. Immédiatement, j'ai un coup de téléphone du secrétaire de rédaction : " Je ne peux pas passer cela. " Et l'article ne passe pas. Le lendemain matin, j'écoute la radio. Il commence à en être question. Un type de l'AFP me téléphone même pour obtenir des renseignements. Je les lui donne. La direction, puisque tout le monde en parlait, téléphone en me disant : " Le papier, on le passe demain. " Je me rendais parfaitement compte que jamais, dans *Ouest-France,* je ne sortirais de scoop. »

Quelle différence avec une presse de province qui décide de s'autocentrer! Avec l'affaire Luchaire telle qu'elle a été traitée par *La Presse de la Manche,* par exemple. Quand Daniel Jubert, installé à Cherbourg, est « troublé » en observant la rotation des bateaux, quand il aperçoit l'étrange ballet des conteneurs scellés, il va voir la direction du port. Il fouine et il finit par découvrir le pot aux roses : les marchandises partent pour l'Iran malgré l'interdiction officielle. L'affaire Luchaire était partie.

Avec cinq « permanents », Frédéric Gilbert crée donc son propre journal en 1982, *L'Événement magazine.* Mais deux ans plus tard, la parution cesse. C'est alors que notre Tintin va devoir trouver médiacrate à sa pointure. C'est-à-dire un grand journaliste déterminé à se doter de moyens pour poser des questions et imposer ses réponses.

« Je suis monté à Paris. Michel Polac cherchait à embaucher. J'ai téléphoné. Dans la semaine qui suivit, j'ai eu un rendez-vous. Je suis allé le voir à la Société française de production aux Buttes-Chaumont. On a discuté 25 minutes de Dostoïevski. " J'aime bien travailler en général avec ceux qui aiment Dostoïevski me dit-il, je t'embauche demain comme journaliste. " Je travaille alors sur les enquêtes. Quelle différence! On avait carte blanche. Une liberté de travail absolue. Les sujets étaient décidés en comité de rédaction sur proposition des journalistes. Michel Polac a une sorte de *feeling.* Nous faisions une pré-enquête et il décidait s'il était urgent ou non de poursuivre par une enquête. Il était toujours possible de le convaincre. Et en plus, il nous soutenait, malgré les pressions, les menaces et les procès. »

Obtenir ce « droit de réponse » impose bien la rencontre entre Tintin et le médiacrate. Ce moment où meurt la tentation de développer une « société de contrôle ». Ce moment où, contre certains discours qui visent à opposer le journalisme d'« opinion » et d'« information », l'opinion se donne les conditions pour devenir... informative.

Le maître et son assistant

Enquêter? « Cela fait partie du processus de désacralisation des pouvoirs », dit Jean-Marie Colombani. Et les îlots de résistance à la montée en ligne des Tintins sont de moins en moins nombreux. Les réticences paraissent à tous signe d'archaïsme, ne serait-ce que dans la mesure où les Tintins sont de plus en plus diplômés. Les médiacrates ont créé des « cellules » ou des services d'enquête quand ils n'ont pas plus simplement intégré les reporters dans les services. Un bouleversement favorisé, comme nous l'avons vu, par les écoles du journalisme.

L'alliance est au cœur du processus d'autonomie. C'est aussi pourquoi les autres élites attaquent quelquefois cette jonction. « J'ai eu un jour, raconte Christian Dauriac, un coup de fil du CNPF me disant : “ Le petit L. est bien. Votre prédécesseur l’avait mis au placard, vous devriez le faire sortir. ” À l’époque du ministère Charles Hernu, on m’a dit : “ Mettez tel journaliste sur la Défense si vous voulez avoir des scoops. Mais vous êtes libre bien entendu de choisir qui vous voulez. ” Je n’ai jamais voulu céder. Et pour assurer mon indépendance, j’avais mes “ baroudeurs tournants ”. Ils avaient ma confiance. Et ils ne restaient jamais assez longtemps dans les mêmes cercles pour que soient créés des liens de complicité. »

On dira que cette alliance est loin d’être achevée. C’est vrai. Qu’elle connaît des flux et des reflux. Peut-être. L’arrivée en force des Tintins dans les années 80 a en tout cas estompé le clivage entre deux presses : celle dite d’« opinion », qui privilégie le commentaire et celle dite d’« information ». Même les secteurs les plus rétifs à cette alliance, comme les services étrangers, sont aujourd’hui touchés.

Derrière cette montée en puissance des Tintins se cachent un jeu d’intérêts, une complémentarité de fonctions. Les reporters apportent la matière dont se nourrissent la ruche médiatique et surtout leurs reines. Car il ne s’agit pas tant, en réalité, de détruire le commentaire du médiacrate que de l’éclairer – voire, plus cyniquement, de le justifier.

Armé et protégé par ses hommes, le chef de guerre peut ensuite poser ses questions au monde et énoncer ses sentences, par ses commentaires ou ses images, par son style.

Qui décide de l’hypothèse de départ de l’enquête, de l’angle? Comme le dit Bertrand Le Gendre du *Monde :* « Le rédacteur en chef nous passe des commandes et, comme reporters, nous sommes un peu les brigades volantes. Même si nous proposons aussi très souvent des sujets. » Tout média a un « esprit », un cadre par lequel sont appréhendées les hypothèses. Ceux qui n’aiment pas la partition sont priés d’aller voir d’autres orchestres. Qui donne son accord pour le financement de la recherche? Pour la publication? Le médiacrate encore et toujours. Autant dire que le médiacrate est au départ comme à l’arrivée.

Indéniablement, le jeu des Tintins est sous haute

surveillance. Les tensions sont courantes. « Je n'aime pas tellement que l'on donne le mérite de l'information à celui qui parle alors que celui qui a pris tous les risques, et quelquefois celui de sa vie, c'est le cameraman », dit Alain Darchy, grand reporter à TF1.

À l'inverse, le jeu du médiacrate est sans surveillance. Il vit à la jonction des relations internes – entre journalistes cueilleurs d'informations – et externes – avec les autres pouvoirs et ses consommateurs. Sa cabane est dans l'entre-deux-mers. Si le reporter, assistant du médiacrate, est une interface, le médiacrate est l'interface des interfaces. Par le contrôle des commentaires, il est celui qui marque et remarque.

Dans ce cadre, pour permettre le développement d'un pouvoir autonome du médiacrate, le Tintin doit apporter l'information. Pour cela, il lui faut s'approcher des informateurs, en particulier des élites. C'est la règle de proximité. Et pour ne pas sombrer dans la complicité, il lui faut se salir les mains. Le journalisme est cette fantastique école philosophique qui découvre que l'univers humain est pluriel et que chaque monde qui le compose est traversé par des tensions.

Ainsi dans le monde politique, comme le dit Maurice Szafran : « Raymond Barre, François Mitterrand, Jacques Chirac, Valéry Giscard d'Estaing, François Léotard, Laurent Fabius... ont des entourages. En leur sein, il y a des gens qui sont adversaires. Ils se flinguent. C'est par là que nous trouvons des sources d'information. En réalité, par exemple dans le PS, il y a souvent de telles batailles internes que l'on croule sous les informations. Le vrai problème : ne pas se faire manipuler. Si Charles Pasqua dit qu'il ne veut plus de l'influence d'Édouard Balladur, tu passes l'information. S'il dit que Balladur exerce " trop " d'influence, tu peux écrire : il exerce trop d'influence " selon " Pasqua. S'il dit : " Édouard Balladur n'a plus d'influence sur Jacques Chirac ", là on doit enquêter. »

Comme le précise Edwy Plenel : « Je n'aime pas le soupçon de manipulation. À la limite, il n'y a pas d'informations sans manipulation et pas seulement dans nos " affaires ". La conférence de presse de François Mitterrand est une manipulation. Le B A-BA consiste à recouper. Telle est une grande partie de notre activité, lorsque l'on sort des “ affaires ”. »

Le jeu est d'autant plus « sale » qu'il conduit à utiliser les passions humaines, à considérer les hommes comme des moyens (au service de la vérité). La sexualité elle-même devient l'objet d'une attention soutenue. Jacques Derogy raconte : « Ainsi lors de l'affaire du Carrefour du développement, avec Jean-Marie Pontaut nous avons remarqué : “ Ce Chalier est un homme à femmes, cherchons la femme. ” Par chance, on la retrouve à Rambouillet. Cette fille me dit : “ Vous, je vous ai déjà vu quelque part, à la télé non? ” On fait connaissance. Elle finit par admettre qu'il est au Brésil, qu'elle est en relation téléphonique avec lui. Plus tard, elle est arrêtée. Avant de revenir en France, Chalier passe par la Suisse pour tout nous raconter. Jean-Marie Pontaut fait un scoop pour *Le Point,* car moi je venais de quitter *L'Express.* Il a eu un prix de l'investigation pour cela. » Silence, duplicité, mensonge... Kant doit se retourner dans sa tombe : les adeptes de l'« impératif catégorique » n'ont jamais vu monde aussi loin de leurs préoccupations.

Le jeu impose aussi de fréquenter assidûment la pègre ou la police. « Il faut accepter de côtoyer tous les milieux, par exemple la police poursuit Jacques Derogy. Il faut savoir avec eux faire donnant-donnant. S'ils proposent : “ Je vous dis cela mais vous ne le répétez pas ”, il faut l'accepter pour ne pas brûler ses sources. »

Se salir les mains? Cela signifie aussi monter des « combines » dans lesquelles la Morale universelle ne peut trouver son compte : « Il y a des moments où l'on fait des trucs formidables dit Jacques Derogy. Par exemple, lors de l'affaire Touvier. Un résistant lyonnais vient me voir, début 1972. Il me déclare : “ Paul Touvier, vous savez qui c'est? Lisez l'histoire de la milice. ” Je n'avais jamais entendu parler de ce type. J'obtiens secrètement le rapport d'enquête grâce à un policier, ancien résistant. Je finis par situer ce personnage sous le nom de Paul Berthet, dans la maison de son père aux Charmettes, près de la maison de Jean-Jacques Rousseau. Je téléphone à *L'Express* et je leur dis : “ Envoyez-moi un photographe. ” Je vais chez le fleuriste et je fais porter des glaïeuls au domicile du pseudo-Berthet. Une tête apparaît à la porte. J'indique à mon photographe : " Vas-y, c'est lui ! " Une semaine après, je sors l'information. Georges Pompidou est obligé de bouger. Il y a 200 articles au moins dans la presse. »

Se salir les mains, cela peut aussi vouloir dire violer le droit positif : « Une autre fois, j'ai protégé une clandestinité, raconte Jacques Derogy. J'ai traqué Fernand Pouillon, compromis dans le krach du Comptoir national du logement, qui était en cavale. Je voulais connaître sa version, car on connaissait seulement celle de l'accusation. Après des mois, je suis parvenu à le joindre. L'entretien, conservé six mois dans mon tiroir, est publié. Il fait la une de *L'Express*. Je suis appelé à l'audience du tribunal pour confirmer les propos publiés. Je refuse de dire où j'ai rencontré Fernand Pouillon. Je me suis rangé derrière le secret professionnel qu'on ne nous reconnaît pas. Au milieu du procès, en mai 1963, il réapparaît de façon spectaculaire. Le papier avait préparé un retournement de l'opinion. Il s'en est tiré à bon compte avant d'être finalement réhabilité. » Il n'est pas possible d'être un amoureux de la morale puritaine sur la planète médiatique.

Le médiacrate le sait : en laissant ses Tintins agir ainsi, il n'est pas seulement spectateur. Il est acteur. Il privilégie les forces intéressées à la circulation de l'information. Telle est peut-être la forme la plus perverse de ce jeu des « mains sales ».

Comment pourrait-il refuser l'horizon manipulatoire qui est le sien? Lorsque l'affaire *Greenpeace* est révélée et propulsée par *Le Monde,* Edwy Plenel, Bertrand Le Gendre et Georges Marion peuvent raisonnablement penser que Laurent Fabius s'en emparerait contre Charles Hernu. À un point d'ailleurs qu'ils imaginent mal. Une enquête du côté d'un « très proche » de l'ancien ministre de la Défense permet d'avancer une hypothèse sur la mise à l'écart de Charles Hernu : « Charles, dit P., à la suite des révélations de la presse, était néanmoins persuadé que sa démission ne serait pas acceptée. Il l'a envoyée par son cabinet, en suivant la procédure habituelle. Celle-ci devait arriver chez François Mitterrand et ce dernier devait lui renouveler sa confiance. C'était le scénario auquel il croyait. Or, un membre du cabinet était un homme de Laurent Fabius. Quand il voit arriver la lettre de démission, il prévient ce dernier. Pour court-circuiter la manœuvre, Laurent Fabius annonce à la presse la démission de Charles et dit qu'il l'accepte. Les journalistes popularisent l'information. Il n'était plus possible à François Mitterrand de revenir en arrière. Charles Hernu en a voulu jusqu'à la fin à Laurent Fabius. Et sa veuve n'a jamais pardonné non plus ».

Se salir les mains ou ne pas en avoir : le médiacrate n'a pas le choix. Pour chaque monde il y a une éthique. Dans le monde journalistique, elle s'appelle « recherche de la vérité ».

L'illusion positiviste

Le vrai? Le médiacrate le sait : il ne se découvre pas aisément. Il n'est guerre possible de se laisser aller aux illusions positivistes du milieu. Ah, l'expérience! L'expérience directe, celle que je touche, celle que je sens! Comme saint Thomas, les trois journalistes de la CNN, Bernard Shaw, John Holliman et Peter Arnett regardent fixement le ciel de Bagdad aux premiers jours de la guerre du Golfe, que croient-ils voir? Tout : un événement historique, le début d'une guerre éclair, une attaque massive et décisive. Que voient-ils? Peu de chose : des éclairs de tirs de DCA, quelques gerbes de feu, un peu de fumée. Que comprennent-ils? Rien. Le mythe du Hollywood-journaliste qui a fait une fulgurante percée dans la première moitié des années 80 venait une nouvelle fois de frapper. Contre lui, le médiacrate se découvre à la fois comme intercesseur, censeur et créateur.

La Roumanie avait déjà montré de quoi il retournait. Elle fut l'occasion pour les médias de faire partir des « reporters ». Sus aux faits! Plusieurs centaines de journalistes cherchèrent ainsi la clé du champ de tir (celui des « massacres »). Un médiacrate de RTL raconte : « En un sens, l'affaire roumaine m'a ravi. Quand tu penses à tous ces journalistes qui se sont fait rouler dans la farine! Ils n'ont rien compris. Il ne suffit pas de voir pour comprendre. Le premier journal qui a amené une véritable information de fond a été *Le Nouvel Obs;* mais il a fallu que le reporter reste sur place plus de trois semaines. » Le reporter, amoureux des faits, plaque ainsi bien souvent sur les événements le ouï-dire des rues et ses vagues souvenirs. Les trois journalistes français présents à Timisoara virent 36 cadavres, de leurs yeux bien ouverts. Malgré leurs doutes, comment auraient-ils pu mettre en question l'information donnée par l'AFP de 4 632 tués durant les émeutes des 17 et 19 décembre 1989 et des 7 614 fusillés par la police de Ceausescu? Une telle précision comptable! Et il fallait autre chose que l'appel aux sens pour penser que ces 36 corps étaient une preuve des mensonges distillés par le nouveau pouvoir; des gens décédés de mort naturelle exhumés d'une fosse commune. Conséquence du positivisme : c'est le stade zéro de la critique.

Ainsi, la pseudo-piste bulgare « accablante », après la tentative d'assassinat du pape le 13 mai 1981, fit d'un homme (Antonov) le bouc émissaire d'une Europe qui aime les boucs émissaires. Jour après jour, on assista à la poursuite, jusqu'au grand moment du pardon. De même, on vit le lynchage médiatique, en octobre 1988, de cinq responsables d'un camp scout de Villerville qui auraient assassiné et violé dans des conditions atroces la petite Delphine Bouley. Le reporter, caché derrière son miroir sans tain – son média et son « droit au fait » –, invisible et insaisissable, mettait pièce sur pièce dans la machine pour continuer à voir et à faire voir. Que dire enfin du traitement de l'« affaire de Carpentras » où nombre de médiacrates décidèrent de jouer la carte « anti-Le Pen » sans même savoir de quoi il retournait, donnant d'ailleurs ainsi à leur « ennemi » de nouveaux atouts pour aller à la conquête du pouvoir?

La « logique » journalistique du reportage ne ramène donc pas nécessairement du savoir. Mais tandis que le bavardage du commentateur vise surtout à dissimuler son incompétence, le reportage positiviste tend, par son pseudo-rapport au « fait », à simuler le vraisemblable.

Guillaume Durand se mordit les doigts d'avoir oublié la nécessité de contrôler ses enquêteurs lorsqu'il annonça à la France abasourdie que la fille de Bernadette Lafont n'était pas décédée et qu'il en avait la preuve : « J'étais dans l'obligation de faire confiance au reporter qui avait mené l'enquête. Je ne pouvais pas aller contre la hiérarchie qui m'a soutenu que cette information était vraie, le tout à cinq minutes du journal. Quand j'ai appris la vérité, cela a été un coup dur pour moi. Mais je devais assumer cette erreur publiquement. J'ai accepté de dire que j'étais responsable. » Il est vrai, à sa décharge, que *Le Quotidien de Paris* avait enterré Serge Dassault avant l'heure, que *Le Monde* avait tué Monica Vitti, que Dominique Pouchin, de *Libération,* avait fait réécrire, à tort, la copie de son correspondant en Roumanie pour la conformer aux dépêches reçues à Paris, sans parler du *Figaro* qui a fait sa une annonçant la chute de bombes chimiques sur Israël pendant la guerre du Golfe...

Vite, trop vite : la concurrence dans le milieu pousse à donner son avis et à accorder sa confiance à des reportages dignes de soupçon. La plus grave « accusation »? Avoir laissé une page blanche, un silence télévisuel, un bafouillage radiophonique. Il faut faire signe et poser sa signature : « Le maximum de butin dans le minimum de temps! », s'écrie Bernard Pivot dans la revue *Débat.* Ion Iliescu, président du Conseil de salut national de Roumanie, peut organiser la séduction, engager le processus de connivence avec ceux des journalistes qui viennent le « voir ». Car il faut le voir pour le croire. Et on vient le voir pour devancer le confrère, pour sortir l'information en premier.

Et puis, si l'enquête appelle la vigilance du médiacrate, c'est qu'elle est toujours accompagnée de commentaires. Les positivistes oublient que le reportage n'est jamais une histoire sans parole. Demandons son avis à ce réalisateur de TF1 : « Les techniques de prises de vue produisent toujours du sens. Il suffit d'éclairer d'une certaine manière un visage, faire une certaine coupe. » L'image envoie des millions d'informations qui sont déjà du commentaire. On a ainsi présenté sur la Roumanie à la télévision les procès expéditifs dans la rue : qui ne voit que « cela parle »? Sans omettre ces propos en marge qui connotent sans prendre de gants. Lors du procès des époux Ceausescu, amusons-nous à supprimer les commentaires du plateau et du traducteur : les accusés deviennent les victimes trop humaines d'une meute fascisante qui ne prouve aucune de ses accusations, ne laisse pas l'accusé répondre aux accusations (notamment sur Timisoara), donne un « avocat » marron aux « inculpés », viole les droits élémentaires de la défense, accuse l'épouse et le mari au même titre... En vérité, derrière le culte du fait, se cache une fonction de contrôle et de pouvoir qui, pour être efficace, ne veut pas dire son nom. Le médiacrate qui joue l'autonomie le sait. Il le sait plus encore à la télévision que dans l'écrit. Jean-François Revel n'engage que lui. Sa signature dit son texte. Jean-Claude Bourret dit le texte d'une équipe : qu'un seul de ses reporters erre et le voilà soudain tenu pour responsable; il ne peut se laisser aller à l'illusion positiviste.

À l'opposé de ce culte, il y a la recherche du vraisemblable. Celle qui conduit au reportage d'information créateur. Tel fut le travail de ce reporter qui nous livra l'image de ce Chinois debout, seul, en pleine répression, devant un char. Ou plutôt l'image d'un Chinois qui a devant lui, autour de lui, de multiples lignes de fuite. Mais le personnage filmé ne fuit pas. Le reporter joue la beauté de la résistance de l'homme libre contre la machine à tuer. Il nous dit que le Chinois s'offre sa ritournelle existentielle.

Et lui, le reporter, s'offre une autre ritournelle : nous renvoyer par son art à la réalité. Car, branchée sur ce Chinois réel, la réalité n'existe plus qu'à travers cette interprétation qui l'enserre. Jamais le paysage de la place Tian an Men ne sera plus le même. Fort de ses connaissances et de ses sentiments, le reporter a trouvé le sens de cette dernière phase de la lutte pour le réveil de la Chine. Aujourd'hui encore, l'Histoire et la science politique lui donnent raison.

L'avantage du reportage n'est donc pas dans cette sorte d'idéologie positiviste qui prétend induire des faits la vérité. Il n'est pas davantage dans une opposition systématique aux pouvoirs. Il est dans cette fonction de recherche placée sous haute surveillance.

Haute surveillance? le médiacrate n'est pas dupe. Il surveille d'en bas son Tintin. Il le laisse rarement partir sans hypothèse et toujours dans un cadre général – une « ligne », disent certains – plus ou moins implicite. Il ne s'agit jamais de rapporter seulement des « images », des sons, des signes écrits, mais des propositions mises en images, en sons, en signes écrits. Des propositions qui seront, si elles ne sont pas falsifiées par l'expérience, déclarées vraisemblables. L'application d'une telle méthode ne permet pas d'atteindre la vérité avec certitude. Ainsi, à propos du *Rainbow-Warrior,* il restera un doute jusqu'au bout : Charles Hernu avait-il une responsabilité réelle dans l'action? Son ordre a-t-il été parfaitement compris? A-t-il couvert par amitié, solidarité, esprit de parti... celui qui est le véritable initiateur de l'affaire? Pour répondre avec une certitude absolue, il faudrait connaître toutes, absolument toutes les données et celles-ci sont en nombre infini. Le monde que nous vivons est celui de l'ambiguïté; jamais critique du dogmatisme ne fut aussi nettement formulée par une activité sociale. Cela signifie-t-il que nous soyons condamnés au scepticisme absolu? Le but est bien de ramener des propositions vraisemblables. N'y parvient-on pas? On réessaie, jusqu'à ce que Touvier soit trouvé. Alors, lorsque l'enquête a permis d'arriver à une certitude quasi absolue, l'enquête et les commentaires cessent... On passe à autre chose.

Le médiacrate surveille aussi d'en haut. De sa place plus élevée dans la hiérarchie journalistique, il peut redresser l'information reçue. Ce ne sont pas ceux qui sont allés à Auckland qui ont ramassé le plus d'informations. Les « informateurs » bien placés dans les zones de pouvoir, les membres des cabinets ou des états-majors, les François Mitterrand ou les Jacques Chirac, les François Périgot... ou leurs ennemis, donnent souvent, au cours de déjeuners ou de soirées mondaines, les clés que certains reporters tentent en vain de trouver au pré.

Contre la connivence, il faut aller aux « faits » disent nombre de journalistes. Certes. Mais des faits contrôlés par le double jeu du médiacrate : perceptif, puisqu'il oriente, par son propre vécu, le style de l'enquêteur et le contenu de son travail; rationnel-conceptuel, puisque le médiacrate conduit l'enquêteur à se salir les mains suivant un « angle », dans un cadre et une logique qui sont siens pour falsifier ou rendre vraisemblables des hypothèses... Le médiacrate est bien l'homme du double jeu. Au moins lorsqu'il accepte de jouer la recherche de la vérité jusqu'au bout, jusqu'à la destruction des relations de complicité avec les autres pouvoirs.

Intérêt et vérité

Emmanuel Kant se demandait si un seul acte a jamais été accompli dans le monde par respect pour la loi morale. On peut se demander, de même, si l'activité de recherche de la vérité a un jour quelque part eu sa raison d'être en elle-même. En tout cas, si le médiacrate recherche la vérité, c'est qu'il y trouve son intérêt; l'augmentation de sa puissance contre les autres élites.

Il est possible que l'histoire de Janet Cooke, auteur d'un papier retentissant dans le *Washington Post* du 28 septembre 1981, nous donne la clé de l'attitude médiacratique. À condition que l'on refuse l'interprétation, un tantinet féerique, habituellement donnée. Le héros de Janet Cooke? Jimmy, un junkie de huit ans dont elle conte la déchéance dans un reportage. Elle reçoit pour cela le Prix Pulitzer, la plus haute distinction journalistique. Les larmes d'une Amérique qui croit aux larmes coulent. Puis, on s'aperçoit que tout cela est pure invention. Conséquence : la direction du *Washington Post* contraint sa journaliste talentueuse à démissionner. Elle avait menti...

Bien. Combien de fois les médiacrates interrogés m'ont-ils conté cette histoire, un brin envieux du système américain? Est-ce l'« image de marque » du média qui explique le licenciement ou le non-respect d'une « déontologie » dont se gaussent nombre de médias américains? La journaliste ne mettait-elle pas plus simplement en cause la « crédibilité » d'un produit auprès de ses acheteurs, en particulier auprès des élites, à la fois consommatrices et productrices d'information? Ne peut-on raisonnablement penser qu'une

Janet Cooke serait licenciée aujourd'hui de la même manière au *Monde?*

Il est possible à cet égard que les journalistes eux-mêmes ne se soient pas aperçus de la rapidité avec laquelle leur monde avait évolué. Rappelez-vous : en 1976, Philippe Simonnot, spécialiste des questions pétrolières au *Monde* est renvoyé pour avoir couvert le vol de documents. Il importe peu de savoir si des pressions gouvernementales avaient précédé la mesure. Seule la légitimation donnée à l'acte nous intéresse ici : pas même une information mensongère, pas même le vol d'une information, mais la couverture d'un vol qui menaçait l'image de marque du *Monde* auprès des lecteurs et surtout des autres pouvoirs et donc... les ventes du journal.

Que l'intérêt, à l'inverse, donne des ailes à l'investigation et la voilà propulsée au premier rang. Comment interpréter autrement cet entretien avec Bertrand Le Gendre *(Le Monde) :* « On doit penser à sa crédibilité. Même quand on est sûr de soi. Ainsi pendant l'affaire *Greenpeace,* Edwy Plenel et moi étions convaincus d'avoir raison, mais tous les journalistes du *Monde* ne l'étaient pas. Il fallait discuter. Nous avons reçu des informations, nous les avons corroborées, et nous nous sommes lancés dans des enquêtes difficiles grâce à un “ tuyau ”. La machine s'est mise en route. Des gens proches du pouvoir se sont rendu compte qu'à continuer de mentir, le pouvoir courait à la catastrophe. Nous avons probablement été manipulés mais quel journaliste ne l'est pas? Nous ne sommes pas allés en Nouvelle-Zélande et nous avons eu raison. Pendant que *Libé* s'exténuait à reconstituer l'itinéraire, on s'est aperçus que la solution était à Paris. On peut dire qu'on a été des Rouletabille. C'était intéressant pour le journal. Ses ventes ont remonté. »

Les ventes ont-elles « remonté »? Intéressant. Intéressé. D'Edwy Plenel à Georges Marion, nul journaliste du *Monde* n'hésiterait aujourd'hui à divulguer un document authentifié volé par d'autres, s'il en allait du Bien public. La direction applaudirait. Autre temps, autres mœurs.

Puisque les vices privés font les vertus publiques, comment s'étonner si le TF1-de-Bouygues propulse reportages et émissions tandis que le service public s'est, jusqu'au début 1990, enfoncé dans une commercialisation à courte vue? Cette chaîne privée acquérait une image de marque sérieuse, indépendante, professionnelle, de qualité : voilà qui a de la valeur. « Ce sont les gens qui soi-disant n'ont pas de principe et qui fonctionnent seulement sur le pognon qui font proliférer les enquêtes » dit S. À moins qu'ils n'aient effectivement pas de principe (au sens de la morale puritaine); une absence qui permet à l'intérêt de jouer à fond deux cartes : la professionnalisation et la recherche de la part du marché la plus grande possible. Le paradis journalistique est pavé de mauvaises intentions.

Faire intervenir le public, ses demandes (ou exigences) pour expliquer le goût pour la vérité et l'importance de plus en plus grande accordée à l'honnêteté intellectuelle dans le microcosme, ne suffit pas. « Vertu » républicaine et déontologie paraissent souvent bien impuissantes. Lors d'une affaire comme celle des ventes d'armes à l'Irak, ce fut le silence quasi général dans la presse – à l'exception du *Canard enchaîné* – et nul n'a été sanctionné. Ni même accusé.

Ce goût pour la vérité paraît d'autant plus affiné qu'il est stimulé par la concurrence entre médias pour la conquête du marché. Une concurrence qui contraint à une course à l'information dont la forme spectaculaire est la recherche du scoop. Tant pis si, par l'action des Tintins du *Monde,* la cellule de l'Élysée tombe. L'important est que les quotidiens concurrents soient « battus ». L'Élysée, par dépit, « boudera »-t-il *Le Monde* au profit de *Libé?* Voilà un argument de vente pour le premier.

Cette dynamique grandissante de l'intérêt explique que « L'Heure de vérité » de François-Henri de Virieu, après avoir été repoussée à une heure tardive, se retrouve aujourd'hui en « prime time » sur A2, que « La Marche du siècle » de Jean-Marie Cavada soit devenue pour FR3 un bien précieux. La concurrence contraint les chaînes publiques à rivaliser avec TF1, avec leurs meilleurs médiacrates, dans la quête de la vérité; voilà pourquoi Paul Amar et Claude Sérillon sont sortis de leurs réduits. Elle aiguise tout autant l'appétit de La Cinq : Guillaume Durand pourra occuper la scène des heures entières lors du conflit du Golfe et Jean-Claude Bourret sera maître en son pays.

Idéalement, en République, on peut postuler l'infaillibilité d'une telle dynamique concurrentielle alimentée par la « vertu » des citoyens et la déontologie journalistique. Certes, dans la réalité, cette concordance n'est jamais réalisée. Une seule raison suffirait à expliquer cela : le public n'apprécie pas toujours qu'on détruise ses idoles. Il a soif d'informations mais aussi de sensations. Voilà qui trouble des jeux qui promettaient d'être si purs... Mais la connivence alors n'est plus entre les médiacrates et les élites mais entre les journalistes et leurs publics. La différence est de taille. Force est de constater néanmoins que l'exigence de vérité du public se renforce. Les moralistes, toujours prompts à dénoncer *a priori* la constitution d'une classe politico-médiatique, auraient dû y regarder de plus près. Ce que la morale n'est jamais parvenue à poser, l'intérêt, de plus en plus sûrement, l'impose.

3. LES MAGICIENS DE L'OPINION PUBLIQUE

La Morale, voilà pourtant, paraît-il, « le problème ». Les journalistes, médiacrates en tête, en manqueraient. L'appel à leur sens de la responsabilité est le plus couru des jeux. La dénonciation de leur irresponsabilité, la plus populaire des lamentations. De l'affaire Villemain où les médias auraient « tourné la tête » du juge Lambert (comme le pensait Bernard Veillée-Lavallée) à celle de Roumanie, l'attaque est toujours la même. La présence de Patrick Poivre d'Arvor en Irak, lors du conflit du Golfe, et son entretien avec Saddam Hussein provoquèrent une sainte alliance : hommes politiques, CSA et quelques jaloux crièrent au diable sinon à l'anti-Français.

L'appel à cette éthique de la responsabilité, au nom de la Morale, ressemble pourtant curieusement à un paravent derrière lequel les accusateurs cachent des passions moins nobles. Responsabilité et Morale universelle se conjuguent en effet fort mal ensemble. Un ministre des Affaires étrangères en relation avec un État pour obtenir la libération des otages, ruse, dissimule, ment, troque des hommes contre des biens. Voilà pourquoi Jacques Delors, au moment des tractations pour la libération des Français détenus en Irak préféra garder le silence, malgré les pressantes questions des journalistes. L'homme politique a en charge l'État, peut-être le Bien public, jamais la Morale.

Le débat ne porte donc pas sur la Morale, mais bien

sur l'éthique de la responsabilité. Doit-elle s'imposer aux médiacrates? « Nous n'avons pas d'éthique de la responsabilité », affirme sans hésitation Claude Weil *(Le Nouvel Observateur)*. Les autres élites acquiescent : sous couvert de défendre le droit à l'information, les médiacrates ruineraient quelquefois l'esprit de nos Républiques.

Ne le dissimulons pas : ce problème est réel. La morale de la prudence chez les Grecs n'allait pas sans un véritable sens des intérêts généraux de la Cité. Croit-on que la révélation des manœuvres politiciennes, des mensonges, des trahisons, des pertes en temps de guerre, préserve notre République? Oublie-t-on que, déçus ou aigris, beaucoup de Français rêvent encore d'une belle totalité sans marges, sans fissures, sans tensions? Qu'à chaque dénonciation des scandales liés au financement des partis politiques, des citoyens rejoignent les wagons populistes? « C'est vrai, la démagogie est un danger », dit Michel Polac qui fut l'un des grands accusés avec « Droit de réponse ». « Mais on a tenté d'éviter cela, ajoute-t-il. À partir du moment où les solutions ne sont pas données par les politiques, on est bien obligés de passer par-dessus eux. Cela fait le jeu d'une sorte de poujadisme. Et il est vrai que, dans notre audience, nous avions pas mal de gens qui votaient Front national. Mais, en dialoguant, nous parvenions à en écarter beaucoup de cette démagogie. » « Je ne suis pas là pour empêcher la démocratie de fonctionner précise Edwy Plenel, mais nous on est les fous du roi avec une dimension d'irresponsabilité. »

Le monde médiacratique? « Un milieu fabuleux », dit Thierry Pfister. « Fabuleux »? Tiens, tiens : et si tout cela avait quelque chose à voir en effet avec une fable? Si, derrière l'opposition entre le jeu journalistique indépendant et le pouvoir incarnant les intérêts généraux de la cité se cachait une lutte pour la représentation légitime de l'opinion publique?

Le médiacrate ressemble à ces hommes des derniers temps de la magie grecque qui avaient prononcé leur adieu à la parole magico-religieuse pour se lancer dans la recherche du vrai. Les débats contradictoires pour connaître la vérité étaient avancés, la philosophie et les sciences n'étaient pas loin. Avec eux : la construction d'un espace public et la démocratie. Le médiacrate est le magicien de nos sociétés laïques.

Le médiacrate est le magicien sans magie de nos sociétés laïques. Mais attention : jamais aucune société n'a pu se passer de fondement. Tout groupe a besoin, pour faire fructifier sa croyance en sa propre existence, d'une séparation avec ce qui le fonde, d'un lieu et d'un lien mythiques. En appeler à une nouvelle laïcité culturelle, qui surgirait de l'acceptation de l'absence de fondation « transcendante » de notre culture, est vain. Le médiacrate n'a pas construit son empire sur du sable.

Dans nos sociétés, ce lieu de fondation s'appelle l'Opinion publique. Les médiacrates, dans une touchante unanimité, l'indiquent : l'Opinion publique est l'objet du culte. Un lien qui est transcendantal : l'opinion publique est cette référence fondatrice constante qui apparaît dans les actes de notre réalité plurielle et que nul journaliste, nul homme politique, nul sociologue ne peuvent désigner dans l'expérience.

Voilà pourquoi, d'une certaine façon, elle existe. Nombre de sociologues se gaussent de cette réalité en notant que sondages, élections, références n'ont jamais pu la « saisir ». Ils révèlent la sophistication croissante des technologies sociales qui visent à dissimuler les rapports de forces : les journalistes seraient aux premières loges de ce grand jeu démagogique qui fait croire à l'existence d'une opinion publique. Ils se trompent.

Dès que l'on déclare que l'Opinion publique est un imaginaire social, on doit ajouter : « donc elle existe ». Cet imaginaire est né sur l'ouverture d'une scène : l'espace public. Un imaginaire au nom duquel les médiacrates agissent et usent de leur pouvoir symbolique.

Les incarnations de l'opinion publique

Comment en est-on arrivé à une telle position? Le long processus a commencé à être pensé, sous sa forme moderne, par Marsile de Padoue (*Le Défenseur de la paix,* 1324).

Avec lui, pour la première fois, la société civile devient une association d'individus ordonnée en vue d'une fin laïque, « le bien vivre ». L'Opinion publique naît de la libération de l'espace public, des forces qui l'avaient privatisé jusqu'ici : en particulier, les prêtres et les seigneurs. Elle va se développer par l'arrachement de la « puissance » à Dieu, une puissance qui sera attribuée plusieurs siècles plus tard à l'État lui-même.

Ce double mouvement ouvre la voie à une révolution dont la grande figure est John Locke. Contre toute la tradition de la souveraineté illimitée, ce philosophe invente une conception du monde dans laquelle, pour la première fois, l'association libre de citoyens précède la construction de l'État. Le pouvoir tient sa légitimité du seul consentement, lui-même organisé par discussion préalable : « Nul ne saurait détenir le pouvoir d'imposer à celle-ci (la société) des lois, sauf de son propre accord et en vertu de l'habilitation qu'elle a donnée. » C'est bien pourquoi aussi John Locke est le premier théoricien à généraliser le « droit de résistance », dont la presse sera bientôt un des supports.

Pour être passé à côté de cette filiation anglo-saxonne et française (Voltaire aussi bien que les encyclopédistes), en un mot libérale, nombre de théoriciens aujourd'hui tentent, par d'étonnantes acrobaties, de faire naître l'espace public moderne dans le terreau germanique. Indéfendable : la grande tradition de la philosophie allemande a précisément nié l'existence d'une opinion publique concrète, réellement (fût-ce mythiquement) existante, indépendante de l'État, s'exprimant de façon plurielle. Cette tradition a toujours considéré avec méfiance le relativisme voire le scepticisme qui étaient assis derrière l'esprit de tolérance, matrice du respect que l'on doit aux opinions émises dans l'espace public. C'est bien pourquoi, au nom de la Morale et d'un idéal d'espace public lisse, isomorphe, occupé par des individus rationnels qu'ils veulent potentiellement consensuels, les lointains disciples modernes en viennent aujourd'hui à condamner *a priori* la presse et son élite.

Le mythe de l'Opinion publique naît donc en Angleterre durant ce XVIIe siècle, de l'idée d'un accord possible des volontés individuelles, aptes à s'élever au-dessus des intérêts particuliers, non seulement pour un bon gouvernement mais aussi pour qu'existent des relations harmonieuses dans la société civile. Un idéal. De ce point de vue, on ne peut tout à fait suivre Francis Balle, un de nos meilleurs spécialistes des médias. Bien qu'il ait vu l'origine lockienne de l'« opinion publique », bien qu'il ait montré comment celle-ci était l'arbitre des vices et des vertus, il n'a pas perçu l'inégale dignité des lois divines, des lois de l'État et des lois de l'opinion : les lois de l'État ont toujours une portée moindre; celles de Dieu, difficilement connaissables, appellent la tolérance. Les lois de l'Opinion sont donc premières, indépassables et cela définitivement. Mais, trouvées (produites) au cours des débats, elles n'ont en même temps aucune prétention à l'incarnation de la Vérité sous quelque forme que ce soit. On ne dira jamais assez, contre tous les pourfendeurs du scepticisme, combien cette philosophie, d'une façon implicite, est la matrice théorique de nos démocraties.

L'Opinion publique dans ce cadre remplace Dieu comme fondement non seulement de l'État mais aussi de toutes les relations publiques entre les hommes; ce qui justifie déjà que la liberté d'expression ne puisse jamais être limitée, sinon « exceptionnellement » par l'État puisqu'elle n'appartient pas à son champ d'intervention. Les seules limites, nous y reviendrons, sont liées au respect des droits individuels eux-mêmes : diffamation, injure, faits prescrits ou amnistiés... Elles sont en rapport également avec ce que l'Opinion publique a défini comme étant les bonnes mœurs.

Sur ces fondements va s'opérer un bouleversement des rapports au sein de la communauté intellectuelle. Au début du XVIIIe siècle, l'Opinion publique avait été incarnée dans ces personnages étranges, ni bourgeois, ni aristocrates : les hommes de lettres. Ce qui inquiétait Grimm en 1759 : « Il y a tout à perdre pour l'homme de génie à dissiper son temps dans l'oisiveté de nos cercles. » D'un même mouvement, ces « grands prêtres de l'émotivité laïque » (Mona Ozouf) s'étaient constitués en corporation fluide qui jouait selon le principe d'égalité avec les autres élites. Certes, la presse existait depuis que Théophraste Renaudot avait obtenu du roi de France, en 1631, de diffuser *La Gazette*. Mais avant la Révolution française, elle n'occupait qu'une petite partie de l'espace public. Elle n'était qu'un élément parmi ceux qui permettaient la circulation de l'information. Bien après les assemblées de fidèles dans les églises, les discussions de salon ou de marché.

La République élargit l'espace public en développant la citoyenneté et en mettant « au milieu » (comme disaient les Grecs), c'est-à-dire en débat, toutes les affaires générales de la Cité, sans domaines réservés. La presse apparaît à tous non plus seulement comme un élément de diffusion mais de discussion. D'où, le 26 août 1789, le vote de l'article 11 de la Déclaration des droits de l'homme et du citoyen : « La libre communication des pensées et des opinions est un droit les plus précieux de l'homme : tout citoyen peut donc parler, écrire, imprimer librement, sauf à répondre de l'abus de cette liberté dans les cas déterminés par la loi. » Article qui avait été présenté à peu près dans ces termes par le duc de la Rochefoucauld d'Enville pour garantir la liberté de la presse. Celle-ci était supposée avoir mis à bas le fanatisme et le despotisme et elle devait permettre d'assurer le développement de la République. Les derniers mots du texte ne vont pas néanmoins sans poser quelques questions : le débat est rude entre ceux qui voudraient voir reconnue la liberté sans limite (comme Robespierre), à l'américaine, et ceux, parmi le clergé notamment, qui craignent la « liberté indéfinie de la presse » (comme l'évêque d'Amiens, Louis Charles de Machault). La solution trouvée montre, malgré ses limites quand on la compare au Premier Amendement de la Constitution américaine, le chemin nouveau pris.

Que l'on ait mis au centre de cet article non le rôle des hommes de lettres mais celui de la presse montre assez qu'elle était le légitime dépositaire de l'Opinion publique dans l'esprit des républicains. La corporation des gens de lettres dut, dès cette époque, s'adapter à la circulation des idées, menacée de disparaître si elle ne s'intégrait pas dans des médias plus larges. La presse était d'ores et déjà, potentiellement, en charge de la République. Cela n'alla pas sans une volonté toute lockienne de rendre l'Opinion publique plus rationnelle. Ce qui, pour une part, explique le développement de la scolarisation : cheminement tâtonnant vers l'universel, par des compromis entre citoyens cultivés.

Sur cet espace public élargi, le pouvoir symbolique était resté en grande partie entre les mains des gens de lettres et, dans une moindre mesure après le Premier Empire, des politiques, qui continuaient à parler au nom de l'Opinion publique de façon confortable. Mais le développement de la scolarisation déplaça le centre du pouvoir symbolique vers les universités et fusionna les élites culturelles dans une catégorie éclatée, plus large : les intellectuels (l'excellent ouvrage de Régis Debray, *Le Pouvoir intellectuel en France,* raconte bien cet épisode). L'affaire Dreyfus marquant vraiment ce passage. Pendant ce temps, les journalistes, forts de leur position dans une machinerie de diffusion en plein développement, commencent à prendre une place plus grande à partir du lancement par Émile de Girardin de *La Presse* (1836) et, surtout, du *Petit Journal* par Moïse Millaud en 1863. Mais il fallait avoir les intuitions de Balzac pour percevoir que par cette gigantesque machinerie qui quadrillait l'espace public, surgissaient des professionnels qui allaient bientôt revendiquer une tout autre place que celle de portier de la communication.

La catégorie des « intellectuels » réagit comme elle le put à la naissance de cette catégorie un peu floue des journalistes et au développement de leur pouvoir symbolique qu'elle percevait surtout à travers la critique. À l'aide des revues, comme la *NRF* dont le n° 2 prétendait « lutter contre le journalisme », elle organise un combat d'arrière-garde. Combat déjà perdu : nous sommes en 1909 et *Le Petit Parisien* diffuse à 1 500 000 exemplaires. *Le Journal, Le Matin,* et *Le Petit Journal* diffusent à plus de 1 000 000 d'exemplaires. Ils possèdent des dizaines de rédacteurs. S'ils ne monopolisent pas encore le pouvoir symbolique, par les éditoriaux, les commentaires de l'actualité de tous les espaces, ils affirment déjà leur prééminence.

En apparence, le pouvoir symbolique appartient encore

d'abord aux intellectuels « classiques », écrivains plus qu'universitaires. S'ils ne sont plus seuls à pouvoir parler au nom de l'Opinion, ils restent néanmoins ceux qui « savent ». Comment expliquer un tel décalage entre la réalité et l'imaginaire social? Sans doute faut-il se référer au surgissement des grandes idéologies du siècle. D'une certaine façon, la fonction de l'intellectuel est artificiellement prolongée. C'est le moment des « ismes » : marxisme, marxisme-léninisme, trotskisme, fascisme, nazisme, maoïsme. Dans la mesure où ces idéologies avaient pour vocation de parler au nom de l'intérêt bien compris de l'Opinion publique et avaient une vision de l'organisation de l'espace public, les intellectuels jouèrent un rôle apparemment central.

En vérité, leur déclin était déjà arrivé. Pour la plupart, leur importance était proportionnelle au rôle de justification *a posteriori* des idéologies. Les chefs de parti et les directeurs des rédactions ne les laissent écrire qu'à cette seule condition.

Les rapports de forces n'étaient pas tels pourtant que les grands intellectuels, ceux qui étaient reconnus par leurs pairs, ne puissent aller vers cette grande presse qui prend de plus en plus dans ses mailles l'espace public, lançant les débats, les diffusant et les tranchant. « Aller vers » : preuve que la révolution médiacratique n'avait pas encore eu lieu. Les deux figures emblématiques de cette période, celles qui en annoncent la fin en même temps, sont celles de Raymond Aron et de Jean-Paul Sartre. Il y aura avant. Il y aura après. Ils avaient tous deux obtenu, en raison de la qualité de leurs œuvres, une renommée nationale et internationale. Leur légitimité venait indéniablement des milieux aptes à juger de la « compétence ». On constatera en même temps, et ce ne peut être un hasard, qu'ils furent tous deux parfaitement lucides sur les nouveaux rapports de forces dans le champ intellectuel. Le journalisme les attira, au point pour Raymond Aron de refuser longtemps un poste d'universitaire, pour Jean-Paul Sartre de quitter l'Éducation nationale, de se consacrer à des écrits et de participer à la création de journaux – dont *Libération*.

La révolution médiacratique s'achève quand ce ne sont

plus les « intellectuels » ou les autres élites qui usent de la presse pour aller sur l'espace public mais lorsque ce sont les médiacrates qui seuls décident de la conduite des débats. C'est-à-dire lorsque le médiacrate décide qu'il a seul compétence pour parler au nom de l'Opinion publique ou – ce qui revient au même – pour décider qui doit parler sur l'opinion publique. Un processus accéléré par la technicisation croissante, l'échec des « idéologies » et l'abandon de certaines de ses prérogatives par le Parlement. Cette révolution vient d'aboutir sous nos yeux.

Reféodaliser l'espace public

Les accusations proviennent de la perception plus ou moins confuse des dangers inouïs que recèle la puissance ainsi acquise par la transformation du grand journaliste en « médiacrate ». Effet pervers de la posture autorisée par la démocratie : la tentation est grande pour l'élite de se mettre au centre, de se déplacer comme Juge, Législateur et exécuteur au nom de l'Opinion publique. Bref : de privatiser, de reféodaliser l'espace public.

La féodalisation la plus spectaculaire est apparue, comme l'on pouvait s'y attendre, dans le rapport aux intellectuels « classiques », ceux qui sont, théoriquement, détenteurs d'un « savoir ». Les médiacrates n'acceptent pas tous, comme Bernard Rapp ou Bernard Pivot, d'être à l'écoute des mondes intellectuels, de porter le tablier d'instituteur de l'Opinion publique, de se faire intercesseur et non censeur. Conséquence : une quinzaine d'intellectuels, toujours les mêmes, sont aujourd'hui sanctifiés à travers des émissions comme « 7 sur 7 ». Alain Minc est plus connu aujourd'hui que Jean-François Lyotard, Jean-Pierre Vernant, Gilles Deleuze, Jean-Pierre Faye et tous les historiens de l'École des *Annales* réunis. Avoir l'équivalent d'une thèse d'État n'est plus un atout, c'est un handicap : l'intellectuel est suspecté de ne savoir ni écrire ni parler, sinon d'être d'une tristesse à mourir d'ennui. S'appeler Raymond Boudon ou Pierre Bourdieu? C'est déjà avouer que l'on n'osera pas donner son mot sur tout ce qui bouge sous l'antimédiatique prétexte que l'on ne sait pas. Le critère n'est plus la reconnaissance par les pairs, par la communauté intellectuelle française ou internationale. À propos du choix d'André Comte-Sponville à son émission « Droit de réponse », Michel Polac déclare : « J'ai aimé son premier livre. Je l'ai invité parce que j'aime sa philosophie. Et je l'ai réinvité parce qu'il est bon pédagogue. Il passe bien. » Certes. Mais lorsque le même intellectuel sera battu, alors qu'il se présentait pour un poste de maître de conférences à l'Université de Paris I, poste de « philosophie antique », *Libération* publiera une petite notule, non signée cela va de soi, dénonçant le scandale. Le misérable qui avait eu l'outrecuidance de se présenter et d'être admis contre lui, avait seulement passé 10 ans pour soutenir une thèse sur Épicure et les épicuriens, saluée par tous les spécialistes comme une œuvre remarquable, publiée depuis en deux volumes aux éditions Vrin.

Il n'avait pas compris l'avantage qu'il y a à écrire un petit ouvrage à l'adresse des classes terminales, compréhensible par le microcosme médiacratique. Il « passe bien » : l'affaire est entendue.

Cette logique explique que sur les sujets d'actualité, les spectateurs, auditeurs et lecteurs ont droit à la caravane des officiels, de Bernard-Henri Lévy à Alain Finkielkraut : l'« affaire de Carpentras », le foulard à l'école, l'euthanasie, les mouvements étudiants, la biologie, l'anthropologie, voire la façon de conduire les affaires en astrophysique : ils « passent bien ». À l'impossible, au nom de la morale, ils ne sont pas tenus. Leur intime conviction suffit là où d'autres se perdent dans des connaissances par définition « trop » précises. Comme l'écrivait le terrible Balzac : « La conscience, mon cher, est un de ces bâtons que chacun prend pour battre son voisin, et dont il ne se sert jamais pour lui. »

Ce dérèglement conduit à reprivatiser l'espace public. Les intellectuels classiques qui ont accédé aux souhaits de mise en spectacle sont eux-mêmes, pour leur propre survie, contraints de participer aux clans médiatiques et de troquer leurs espoirs de reconnaissance contre une veste de courtisan. Tel Michel Field, ils jouent une fois par semaine, avec Christophe Dechavanne, le rôle de bouffon du roi : cet agrégé de philosophie reçoit tartes à la crème et trivialités et n'hésite pas à lancer sur le marché des produits publicitaires. Comment agir autrement? La plupart de ces intellectuels ne peuvent attendre une reconnaissance de la part des communautés de savants. Il suffirait qu'ils veuillent s'encanailler dans des recherches sérieuses pour qu'il leur soit dit adieu. Ils le savent. Ils ont choisi.

La reféodalisation s'accentue d'autant plus que, par réaction, nombre d'intellectuels classiques refusent ou, plus souvent, ne peuvent plus intervenir dans l'espace public. C'est le syndrome Michel Foucault, qui avait décidé de n'être plus qu'un « n'importe qui » afin de ne pas se mêler à la foule des courtisans du médiacrate-roi. C'est le syndrome Jacques Derrida, qui, lors de l'affaire du Golfe, jugea qu'il n'avait ni compétence ni envie d'intervenir au milieu des acrobates de l'intelligentsia.

Comment les médiacrates pourraient-ils ne pas être attirés par ce statut de seigneur de l'espace public? Ne constatent-ils pas qu'ils décident du qui, du quoi, du comment? « Propriétaires » de l'espace public, voix de l'Opinion, ne sont-ils pas courtisés par les plus grands qui organisent leurs interventions publiques pour leur plaire?

Lorsqu'ils refusent la connivence, les médiacrates préfèrent jouer leur liberté au service du débat public de qualité. Ils se font intercesseurs et non censeurs. L'héritage religieux dans ce cas prend tout son sens. Il prépare l'ouverture des consciences à l'écoute de ce nouveau dieu : Opinion publique. Les textes de ce dieu? Ils existent. De multiples Moïses les ont posés dans des chartes de déontologie et vrillés dans les consciences. Ils appellent à respecter une loi morale : la recherche de la vérité dans la préservation de la pluralité sur l'espace public.

Dans un univers où perdre son temps est traqué (certains ont même trouvé judicieux naguère de créer un ministère du Temps libre), où le poste de télévision vient jusque dans nos demeures pour rêver à notre place, où les moyens de transport ont tant rapproché les hommes et les lieux qu'on ne sait où sont les lieux et s'il y a encore des hommes, où jamais le « comblement » n'a été aussi loin poussé, l'humanité a produit de tels Moïses pour retrouver la réalité. Pour reconquérir, face à cette mise en abîme de la structure du réel, même pour un instant – celui du journal télévisé par exemple – la vérité et ses aspérités.

Le médiacrate autonome est alors celui auquel l'Opinion publique confie le pouvoir de rappeler l'existence collective et sa séparation d'avec son fondement, les liens entre les individus et leurs tensions, la situation contingente de l'homme dans le monde et sa posture d'être souffrant. Il est l'enfant d'Hermès, le messager des dieux.

Le débat démocratique

Sur ce terrain de l'expression collective, le médiacrate trouve un concurrent : le personnel politique professionnalisé, parlementaires en tête : je détiens seul, lui dit-il, la légitimité. Et il dénonce le subterfuge du médiacrate qui prétend parler au nom de l'opinion publique « alors qu'il n'est même pas élu ». Cette accusation contre le médiacrate vient d'un quiproquo : la démocratie serait le contrôle du peuple sur ses élus, le bienfait des décisions prises par la majorité en vertu de la séparation des pouvoirs. Illusions oublieuses des trois conditions d'existence d'une véritable démocratie : un pouvoir permettant le débat, un pouvoir correctif de la démocratie, un pouvoir de résistance qui préserve les droits individuels. Illusions qui cachent la légitimité de ce quatrième pouvoir... quand il ne cède pas à la connivence.

À quelles conditions le débat démocratique est-il possible? Contrairement à l'interprétation largement dominante dans nos conceptions modernes du monde, il n'y a pas d'un côté – celui de la réalité – un seul monde et d'un autre côté – celui de la logique ou de l'entendement divin – une infinité de mondes possibles. Il y a réellement une pluralité de mondes existants. Chaque individu appartient à plusieurs de ces mondes réels. C'est bien pourquoi, pour reprendre l'exemple célèbre de Leibniz, il y a bien des mondes réels où Adam n'a pas péché : celui de la passion amoureuse, de la vie privée, de la sexualité... Il y a des mondes dans lesquels le « péché » d'Adam n'a pas de sens : ceux de l'art, de la technique, de la science. Il y a un monde où le « péché d'Adam » est un bien, le monde politique : sans ce « péché », jamais l'homme n'aurait pu construire ces espaces-temps artificiels, jamais il n'aurait pu exercer sa propre puissance, sa liberté (qui peut ainsi faire l'objet d'un jugement)... C'est seulement dans l'un de ces mondes qu'il est possible de parler de « péché ». Le médiacrate est l'être qui réalise, par sa propre activité, la « relation d'accessibilité » entre ces mondes. Il incarne ce monde de passerelles qui se tient au centre de l'espace public. Et sans lequel celui-ci ne serait plus qu'un songe dans une société d'individus spécialisés, condamnés à ne plus communiquer entre eux et à se vivre de façon schizophrénique.

Un pouvoir correctif? Correctif en premier lieu de l'expression électorale. En laissant de côté tout ce que la désignation des élus doit aux directions d'appareil, en passant sous silence les techniques qui permettent une très grande souplesse des élus vis-à-vis de leurs mandants, force est de constater que le principe même de l'élection conduit à admettre, dès le départ, la nécessité de trouver d'autres voies qu'électorales pour assurer la prise en compte des différents points de vue. En admettant même que le citoyen vote en connaissance de cause (lecture du programme, connaissance des hommes...), il reste que la possibilité d'être en accord total avec l'ensemble des projets de l'élu et celle de bien prévoir ses futures variations est hautement improbable. Dès lors, comment « dire » le mécontentement voire les interrogations de la cité, du groupe ou de l'individu lorsque le moment vient? Devait-on accepter les 110 propositions énoncées par Mitterrand en 1981 sous prétexte que 100 nous plaisaient? Plus encore, n'a-t-on pas le droit de changer d'avis? Cette politique menée en été 1981, qui avait ses faveurs, le citoyen n'a-t-il pas le droit ensuite de penser qu'elle conduit au désastre? Faut-il descendre systématiquement dans la rue? Faire grève? Préparer une insurrection? Une révolution? Ces procédés sont coûteux. Trop coûteux.

Mais un tel pouvoir correctif qui vaut dans la politique

comme dans l'économie (les entreprises notamment), les sciences (dans les conflits entre scientifiques, est-ce la majorité qui a « raison »?), dans toutes les activités sociales en vérité, ne suffit pas à assurer l'épanouissement démocratique. Admettons même que par miracle (il en faudrait plusieurs), un pouvoir politique suive constamment sur tous les sujets les vœux de la majorité de ses citoyens, qui protégera la minorité? La minorité de la minorité? A-t-on juridiquement tort parce que l'on est politiquement minoritaire? Ceux qui firent le procès à François-Henri de Virieu (« L'Heure de vérité ») pour avoir invité Jean-Marie Le Pen (ou Georges Marchais), et cela au nom de la démocratie, appelaient à détruire ainsi les fondements de ce qu'ils prétendaient défendre. Qui protégera enfin les droits individuels? Si le Parlement décide de textes iniques? Dira-t-on que la « séparation des pouvoirs » suffit? Comment faire lorsque la majorité présidentielle coïncide avec la majorité parlementaire? Dira-t-on qu'il reste le « pouvoir » judiciaire? Où est-il? Je ne vois en France qu'une « autorité judiciaire ». Me répondra-t-on que les choses changent, que le Conseil constitutionnel prend plus de poids, que le Conseil d'État devient, comme la Cour de Cassation, plus indépendant? Permettez à un sceptique de n'être guère plus rassuré. Qui va me garantir contre les décisions sans recours d'un Conseil d'État souvent archaïque? Qui me préservera demain des états d'âme d'une Cour de Cassation « positiviste » ou d'un Conseil constitutionnel truffé de gérontes nommés sur décision politique, qui savent bien que leur passage est de courte durée et qui tiennent à finir paisiblement leur vie? Face à la modernité démocratique, il ne s'agit pas d'aller en deçà mais au-delà, vers l'« ultra-modernité ». Non pas d'aller ailleurs (vers la « post-modernité ») mais plus loin. Ameuter les consciences, secouer les conformismes, crier au fou. Les médiacrates sont bien le moyen privilégié d'un droit « ultra-moderne » de résistance. Leur liberté assure la mienne.

On le voit, qualifier le quatrième pouvoir de « contre-pouvoir » est une façon restrictive de l'approcher. En vérité, les médiacrates ont une influence réelle sur les élites et leurs clientèles dans la mesure où, par leur posture, ils parviennent à troubler les jeux des différents mondes qui sont à proximité : mondes des entreprises, des associations, mondes politiques, intellectuels... Inviter Henri Krasucki plutôt qu'un dirigeant de la CFDT à propos de la politique gouvernementale n'est pas sans produire des effets. Donner le point de vue du patronat de la presse dans un conflit avec les ouvriers du Livre porte à conséquence. Cette « influence » est réelle. Elle s'exerce principalement par le biais de la transformation de ce qui advient en « événements » médiatiques.

Le danger immédiat, à ce propos, est de prendre le monde médiatique pour un sous-ensemble du « champ politique » comme le fait Patrick Champagne dans son ouvrage, de fort belle qualité, *Faire l'opinion.* Et comme le croient quelques médiacrates. « S'il croit exercer un pouvoir, le journaliste devient vite mégalo souligne Claude Angéli du *Canard enchaîné.* Une maladie fréquente dans notre profession, aussi fréquente que le style " moi je pense que " qui fleurit un peu partout. » Une maladie transmissible : on la retrouve dans nombre d'écrits « savants » sur les médias. La formule de Claude Angéli, un brin provocatrice, vise en tout cas à mettre en garde contre les excès qui pourraient résulter de cette réalité de l'influence. S'ils touchent les âmes, les moyens d'action médiacratiques n'autorisent pourtant pas les journalistes à s'incorporer à l'espace politique... sous peine de ruiner l'indépendance journalistique; on reconnaît là le « rôle déontologique », déjà souligné, du *Canard enchaîné.*

Le danger contraire est aussi courant. Si le style du médiacrate ne parvient pas à être efficace sur l'espace public, les événements ne seront pas pris en compte dans le monde concerné. L'événement se météorise. On le vit bien en 1978 quand les ambassades et le Quai d'Orsay collectèrent des procurations en blanc pour assurer la victoire de la majorité de l'époque : *Le Canard enchaîné* et quelques autres journaux ne parvinrent pas à transformer cette information en « affaire d'État ». Conséquences de cette faiblesse : dans le monde politique, les élites concurrentes ne peuvent hisser cet événement à la hauteur d'un « scandale » et la population alertée ne se mobilise pas.

Bref : il n'y aura aucun « Watergate ». L'événement se dérobe.

Que *Le Monde* ait sorti l'« affaire du *Rainbow-Warrior* » en page intérieure ou qu'il l'ait traitée dans une « notule », et l'affaire aurait « filé ». En hissant l'article d'Edwy Plenel et de Bertrand Le Gendre en première page, l'« advenu » devient une information qui fait « événement ».

La dynamique de l'influence sur l'espace public ne peut suivre la théorie du « flux à deux temps » d'Elihu Katz : les messages envoyés par les médias atteindraient d'abord des leaders d'opinion qui transmettraient à leur tour les informations autour d'eux, dans leurs cercles d'influence. Impossible également de suivre Patrick Champagne qui écrit : l'« action politique de type symbolique n'agit que sur ceux qui la reconnaissent... Les " revues de presse " n'agissent jamais que sur les agents qui les fabriquent et les lisent, notamment tous les agents du champ politico-journalistique et la plupart des " décideurs " qui disposent de services spécialisés pour les consulter quotidiennement ».

L'enquête permet d'éviter ces écueils et de voir ce que signifie la complexité des réseaux d'influence. Il y a des mouvements qui vont des segments sociaux aux médias (« branchés » sur ces segments), puis de ceux-ci aux professionnels politiques : quand Michel Rocard, Premier ministre, intervient sur une « affaire de football », ce n'est pas parce qu'il est passionné de foot (il préfère, et de loin, la voile) mais parce que les médiacrates ont, notamment par leurs revues de presse, relayé leurs confrères spécialisés dans les questions sportives, eux-mêmes « branchés » sur les associations et les spectateurs-lecteurs ulcérés par un arbitrage jugé inique. Cette mobilisation déclencha un signal d'alarme et une réponse car les adeptes du foot sont légion... de votants.

À l'inverse, lorsque Charles Hernu et le gouvernement de Laurent Fabius sont contraints de répondre sur le *Rainbow-Warrior,* ce n'est pas parce qu'ils sont lecteurs du *Monde* mais parce que toute la presse, à travers des expositions stylistiquement particulières mais au contenu général identique, a mobilisé les opinions publiques. Ce qui, en retour, a mobilisé en partie le personnel politique. Il peut aussi arriver qu'un événement créé par les médiacrates soit considéré comme un non-événement par la sphère autonome politique. Ainsi, lorsque le pouvoir politique se rend compte que *Le Canard enchaîné,* dont il est pourtant un lecteur assidu, n'entraîne pas ses confrères sur les ventes d'armes à l'Irak, il se tait.

Il peut encore arriver qu'un événement créé par les médias, relayé par le personnel politique, ne trouve pas d'écho dans l'opinion : ce fut le cas lorsque la majeure partie de la presse se fit l'écho des pratiques « curieuses » de Jacques Médecin, maire de Nice... qui resta soutenu après sa fuite par l'immense majorité des citoyens de sa ville.

Il faut aller plus loin : il existe des transversales qui rendent plus contingente la circulation de l'information. Il suffit de se souvenir que sur la planète médiatique elle-même, il existe des flux particuliers, d'immenses masses d'air qui transportent l'information de cité en cité. Tels les saumons, les « événements » remontent le courant de popularité, allant plutôt des médias écrits aux médias télévisuels, suivant les règles d'influence du microcosme. Ainsi, parce que l'information sur le *Rainbow-Warrior* se trouvait dans *Le Monde* – et en première page – la presse audiovisuelle l'a répercutée. Les habitants de la planète médiatique (consommateurs, producteurs, diffuseurs) ont été mobilisés. Le reste de la presse écrite a alors repris l'information. Une dynamique s'est créée, alimentant une logique de concurrence propre au monde politique. Chaque monde de l'univers social, suivant les logiques propres est entré dans cette grande danse, créant une situation de pré-crise.

Les circulations d'air peuvent entraîner les flux informatifs, les freiner, les annihiler... Ainsi, sur la planète politique, les professionnels ont tendance, comme la plupart des élites des autres planètes, à privilégier l'écrit plutôt que la télévision, *Le Monde* et *Le Figaro* plutôt que *Le Parisien libéré.* C'est pourquoi, tout bien pesé, en raison de ces flux, et non d'une soumission à un ordre extérieur, « ce sont les journalistes de presse écrite qui ont le plus de pouvoir, dit Sylvain Gouz. Ce sont eux qui disent qui a perdu, qui a gagné dans les débats, par exemple dans le débat Fabius-Chirac. Ils accélèrent même les processus. Nous, en raison du poids de l'image, nous devons simplifier ce qu'ils disent. Il n'est pas facile d'être compris par exemple sur l'indice des prix ».

On est loin de l'idée de certains sociologues selon laquelle les médias construisent l'événement suivant une pluralité qui renverrait à la pluralité des intérêts dans la cité. Les individus s'exposeraient aux médias selon une préférence qui renverrait déjà à un positionnement préétabli. L'« événement » serait donc toujours insignifiant. Il ne changerait rien dans l'univers. Aux partisans de cette théorie, on pourrait répondre : que voilà un monde étrange. Car en allant aux médias qui l'arrangent, le consommateur veut minimiser ses risques. Mais il en prend tout de même. Que le socialiste préfère lire *Le Monde* ne l'empêchera pas de « souffrir » quand il apprendra, soudain, en achetant son journal, la « neutralisation » du *Rainbow-Warrior* par ses « amis ». Au fond, aucun modèle prenant pour fondement le choix rationnel du consommateur ne parviendra à expliquer pourquoi un individu supposé chercher la confirmation de ses choix chercherait à s'informer. L'information présente cette caractéristique désagréable pour qui veut être rassuré d'être nouvelle et donc potentiellement déstabilisatrice. L'homme devrait plutôt fermer son poste de télévision, murer ses fenêtres et regarder fixement le ciel étoilé... sur une affiche.

On est loin aussi de l'idée selon laquelle l'influence du médiacrate est réellement nulle ou faible parce qu'au fond il chercherait à faire plaisir à son client.

L'autonomie permet aux médias de percer les façades. Ont-ils subi l'influence de groupes de pression lors de l'effondrement du régime de Ceausescu en Roumanie, une influence démultipliée par le goût du spectacle qui l'emporta sur celui du vraisemblable? Les médias font une autocritique générale, presse écrite en tête, dénonçant leur propre précipitation, montrant comment ils ont été victimes de la manipulation. Et lorsqu'au printemps 1990, des « informateurs roumains » prétendront qu'il y a des dizaines de clones de Ceausescu et que le dictateur n'est pas mort, ils trouveront pour leur répondre le rire sceptique de Bernard Poulet, chef du service étranger à *L'Événement du jeudi,* déjà circonspect en décembre. On ne les y reprendrait plus.

On les y reprendra bien entendu, la guerre du Golfe le montre, mais seule l'intention compte ici... Jacques Chirac et Charles Pasqua se serrent-ils la main? Laurent Fabius devient-il l'allié de Michel Rocard un instant? Le médiacrate envoie ses journalistes, au nom d'une légitimité qu'il tient de son propre milieu. Il décidera de ce qu'il fera surgir comme événement en le propulsant comme information.

Le médiacrate prend-il ainsi le risque de mécontenter ses consommateurs? Certes. Mais n'y a-t-il pas de plaisir à se voir malmené? Les consommateurs d'information, de plus en plus nombreux (en raison du poids de la télévision), recherchent-ils dans l'actualité seulement ce qui convient à la défense de leurs intérêts particuliers? Qui dit même qu'ils ne souhaitent pas secrètement faire tomber leurs idoles? Voire que vous les agressiez eux-mêmes, un peu comme certaines « bandes » de quartier, pour qu'ils puissent obtenir la reconnaissance dont ils manquent? Plus encore : dans ce conflit sans cesse renaissant entre le désir d'être informé et celui d'être ému, le médiacrate ne peut-il faire pencher la balance du bon côté?

La morale du quatrième pouvoir

Les médiacrates doivent-ils respecter les intellectuels parce que l'on doit soulever son chapeau devant le savoir? Les chefs d'entreprise parce qu'ils ont la charge des investissements qui font la richesse d'une nation? Les élus parce que la démocratie veut que l'on respecte les représentants du peuple?

La tentation respectueuse compte quelques adeptes. C'est d'ailleurs pour résister à cette tentation que certains journalistes comme Hervé Brusini (A2) en appellent au « devoir d'irrespect ». Son fondement théorique? Les médias seraient des appareils condamnés à produire du dressage au bénéfice des dominants. « Les médias sont un appareil qui distribue de la discipline », affirme Hervé Brusini. Une théorie assez proche de la conception de Louis Althusser : les médias comme appareils d'État. On constate pourtant que, à la différence de la conception précédente, pas un médiacrate sur Paris ne peut vivre pareille théorie « agressive ». Pourquoi? Parce que la proximité deviendrait impossible. Conséquence : les sources d'information, pour la plupart, seraient coupées.

Au fond, ces deux visions pèchent par le même biais : le moralisme. Le courtisan pense qu'il doit moralement son respect – donc sa soumission – au Grand. Le révolté qu'il doit moralement son insoumission – donc son irrespect. Effets pervers : dans le premier cas, le journaliste soumis a des mains par procuration, il n'a plus vraiment le pouvoir, et comme cette idée est insupportable à vivre, il joue le pouvoir, il le simule; dans le second cas, sous prétexte de garder les mains propres, on voudrait ne pas jouer mais comme on joue quand même, on se trouve dans la situation du garçon de café de Jean-Paul Sartre : dans le simulacre et la mauvaise foi.

Ni simulation, ni simulacre, le jeu autonome du médiacrate autonome conduit à une tout autre éthique. Les médiacrates doivent répondre à un double défi : le refus de la complicité et l'obtention des informations. Qu'il y ait connivence et les voilà mis sur orbite d'un autre pouvoir que le leur : ils sont journalistes mais non « médiacrates » puisqu'ils n'ont plus le « cratos ». Qu'ils refusent les relations de « proximité » et les voilà sans informations : ils ne sont même plus journalistes, tout au plus idéologues spécialisés dans le commentaire.

N'être ni courtisan ni don Quichotte, telle est l'aporie. Le médiacrate tient une solution : non pas le devoir, mais le droit à l'irrespect. La différence est de taille : un droit ne s'exerce que lorsque l'individu qui le possède le juge nécessaire. Et le médiacrate « non connivent » ne décide de son usage qu'en fonction de son véritable devoir : la recherche de la vérité.

Quelle est la morale qui peut fonder en raison ce

droit? Dira-t-on qu'il s'agit d'une morale universelle qui prétend mettre en avant le respect que l'on devrait aux êtres raisonnables eux-mêmes? On se paie ici de mots. Par ses questions, ses traquenards, ses dissimulations, le ton de ses déclarations, les enquêtes de ses Tintins..., le médiacrate tente de percer la vérité. Une fois ce travail accompli, il lui reste à tenter de faire partager les connaissances, voire le jugement qu'il porte, aux consommateurs, en jouant de la séduction. C'est bien pourquoi *Le Canard enchaîné* s'acharna « irrespectueusement » (et de façon quelquefois humoristique) sur la vie privée de Jacques Médecin, alors maire de Nice. Inutile de souligner dans ces conditions qu'il n'est pas possible d'universaliser la maxime de l'action du médiacrate.

La morale fondatrice est celle de la prudence. Cette éthique appelle non de bons sentiments – cela peut même disqualifier – mais d'abord une bonne intelligence du monde. Une intelligence orientée vers la recherche du vrai. Comment ne pas se courber devant les hommes du Service Central de Protection contre les rayonnements ionisants du ministre de la Santé dans l'affaire du nuage de Tchernobyl lorsque l'on ne possède aucune connaissance technique ou scientifique? Le nuage radioactif ne devait pas passer sur la France, les enfants pouvaient jouer dans les cours de récréation, boire du lait... les journalistes devaient être « responsables » et ne pas affoler les populations pour rien. Silence de nombre de journalistes. Mensonge. Et tout cela pourquoi? Pour afficher, au nom de la responsabilité, la pire des irresponsabilités : le nuage est passé sur la France et l'a radioactivement marquée.

Elle commande ensuite le courage : on ne se donne pas si facilement la possibilité d'être irrespectueux lorsque l'on sait la contingence du monde et la puissance des autres élites; les effets de l'attaque sont toujours imprévisibles pour l'autre et plus encore pour soi-même : qui sait par exemple si les actionnaires ne vont pas réagir avec violence, jusqu'à obtenir le licenciement?

Elle exige enfin ce quelque chose qui vient du « corps » aurait dit Roland Barthes : le style. On le vit ainsi d'une « Heure de vérité ». Lorsque le chef du Front national se leva devant les caméras pour saluer durant une minute les « victimes du Goulag », il put penser l'emporter à la cosaque, un peu à la façon d'un Valéry Giscard d'Estaing qui était venu, au cours d'une émission de « Questions à domicile », près d'Anne Sinclair pour l'embrasser. Albert du Roy cassa le simulacre en restant assis et en indiquant qu'il continuerait à poser des questions. La minute ne sera pas tenue : le ridicule menaçait Jean-Marie Le Pen. Le pari d'Albert du Roy était gagné. Mais il n'avait pas eu le temps de délibérer : son style avait agi.

Pourquoi le style apparaît-il immédiatement comme un élément déterminant? Parce que ce ne sont pas seulement des thèses qui s'affrontent mais des pratiques de séduction. La médiatisation de l'ensemble des scènes n'a pas créé plus de transparence, contrairement à une idée reçue. Bien au contraire. Elle appelle les élites à jouer avec l'art de persuader. Conséquence : le journaliste qui refuse la complicité est contraint de contourner les techniques de séduction pour chercher la vérité. Pour cela, une seule solution : jouer lui aussi de l'art de persuader, ce que le style seul couronne.

Dans le cadre de cette morale, le « droit d'irrespect » n'est pas forcément utilisé mais il est toujours là, prêt à s'exercer. Esprit critique en alerte, brandissant son splendide sourire hypocrite, voilà le calviniste Alain Duhamel posant à Georges Marchais la plus « assassine » des questions (sur ses activités pendant la guerre). Ne lui jetez pas la pierre : la vérité est à ce prix. Être renard et lion, comme le disait Machiavel, ou ne pas être, telle est la question.

Tricheurs? Oui, les médiacrates le sont, car pour répondre à leurs propres règles, ils violent celles qui ont cours sur les autres espaces de jeux. Voleurs? Oui, car ils jouent des contradictions propres aux autres régions sociales pour obtenir des informations qu'ils n'auraient pas autrement. La « transparence »? Elle est le but, mais elle s'obtient par l'opacité. Écoutons Jean-Marie Colombani : « La dimension spectaculaire de notre travail avec " Questions à domicile " est une donnée. On ne peut faire comme si cela n'existait pas. »

Dan Rather ou Sam Donaldson ont fait leur carrière

aux États-Unis sur cette éthique. Quand Dan Rather sur CBS traite Richard Nixon de « tricheur » à propos du Viêtnam, lorsque, début 1988, face à George Bush alors candidat républicain à la Maison Blanche, il a huit minutes d'échanges violents sur l'« Irangate », n'hésitant pas à interrompre Bush d'un violent « répondez à mes questions », on se prend à rêver de ce que serait un journaliste français un peu moins poli, respectueux, qui connaîtrait un peu mieux ses dossiers. Bref, d'une médiacratie qui achèverait son processus d'autonomie.

C'est cela même, cette responsabilité sociale envers la Vérité, ce manque de modération dans la recherche, l'insolence que proclamait Voltaire. N'est pas insolent qui veut.

Cette responsabilité appelle une limitation. Qui peut la poser? Dira-t-on, que c'est là le rôle des élites issues des élections? L'absurdité d'une telle proposition apparaît dès qu'on l'énonce. Si la liberté de la presse a bien surgi de la nécessité d'organiser un droit de résistance, comment ceux-là mêmes qui sont visés pourraient-ils poser des limites à ce qui les vise? Si la presse est bien cette structure qui enserre, dans la pluralité, l'espace public pour permettre aux individus de débattre à propos du bien public, comment admettre qu'une élite n'exprimant pas l'opinion publique, puisse, d'une façon quelconque, limiter autoritairement le débat? Enfin, si la position des médiacrates est bien « au-dessus » de tous les mondes existants, une position de communication, comment admettre qu'une élite d'un seul de ces mondes – fût-ce celle qui règne dans le monde politique – puisse prétendre réguler cet ensemble de passerelles dans lequel elle est prise? C'est bien pourquoi toute volonté de transformer les médias en propagande dans un monde industriel développé est nécessairement un échec.

Le quatrième pouvoir tient sa puissance de l'Opinion publique, sous réserve qu'il en use dans le sens de la recherche de la vérité de ce « droit de tout être humain à une information objective » dont parlait le pape Jean XXIII dans son Encyclique *Pacem in terris*. Les républicains postulent en effet qu'elle coïncide toujours à long terme avec le bien public et donc avec l'intérêt bien compris de l'opinion. C'est pourquoi la presse n'a pas seulement le droit d'aller contre l'avis de la majorité; lors des accords de Munich par exemple, elle en avait le devoir. Cette puissance lui est conférée également pour la défense des minorités et des droits individuels, sans laquelle, à moyen terme, il n'y aurait plus d'Opinion publique. Dès lors, paradoxalement, les seules limites acceptables pour la presse de la part du Parlement sont celles qui sont au fondement de son propre pouvoir. Celles qu'elles proclameraient si son rôle était de faire les lois.

Que trouvons-nous d'ailleurs au fondement de toutes les limitations légales légitimes? La préservation des fondements de la liberté d'expression elle-même. Si, parmi d'autres, deux grandes limites sont acceptées en temps de paix par les Républiques libérales, la diffamation et l'injure, c'est que celles-ci vont contre cette liberté. Toutes deux, en effet, sont la production de discours mensongers ou non prouvés. Discours diffusés comme des informations alors qu'ils n'en sont pas. Bien plus, ils visent des personnes parfaitement définies de telle sorte qu'ils empêchent ces personnes de participer au débat à part entière – le diffamé verra ses futurs propos ou actes « réinterprétés » dans les mondes où il circule. Dès lors, les médiacrates qui ont pour fonction d'occuper les passerelles entre les mondes pour organiser leur communication sur l'espace public, non seulement ne répondent pas à l'impératif de circulation des informations mais surtout se donnent le droit d'exclure certains individus du débat, broyant du même coup leur réalité comme individu, personne et citoyen : leur liberté d'expression est niée, les relations d'échange dans la société civile sont menacées, leur participation à part entière au débat public est interdite. Trois viols des textes sacrés qui sont à l'origine de la légitimité du pouvoir médiacratique lui-même, chargé précisément de préserver l'individu, la personne privée et le citoyen. C'est la lettre de cachet revue et corrigée à l'ère des médias.

À ce type de limitation s'ajoutent en temps de paix, des autocensures. La « responsabilité particulière » à laquelle le CSA appelle les médiacrates le 31 août 1990? Ils sont légitimement les seuls à la définir. Une seule règle : la conscience du médiacrate. Une règle légitime dans la seule mesure où elle vise, en tâtonnant, à préserver les droits individuels et la « vertu » républicaine. « Lorsque Jean-Pierre Moscardo enregistre les conversations téléphoniques pour *Globe* sans l'accord de ceux qui parlent, dit Claude Angéli du *Canard*, nous ne sommes pas d'accord. En pleine affaire des diamants, Bokassa nous a téléphoné. Je dis : " Qui est à l'appareil, le fils ? " Il me répond : " Non, le Bokassa d'Afrique. " Je lui demande : " Voulez-vous que je vous enregistre ? " Il me répond : " Oui. " Je descends à l'étage en dessous. Je l'enregistre avec trois copains. Je lui demande d'envoyer une lettre de confirmation. À l'inverse, il nous est arrivé de publier des documents volés dans des entreprises. Là, c'est un réflexe de citoyen. Si l'on publie, c'est qu'il y a quelque chose de civique. Il ne s'agit pas de " voler " nous-mêmes des documents. »

Responsabilité ou irresponsabilité ? Le médiacrate autonome pourchasse en conscience les manquements à la « vertu » républicaine sans laquelle toute République n'est qu'un songe : telles sont les motivations de toute limitation légitime.

Loin de rendre caduque une telle morale, la guerre en montre la nécessité. « Totalement irresponsable », avait tonné le général Germanos, chef du SIRPA, après le reportage de TF1 sur le moral des troupes françaises à Dahran en pleine guerre du Golfe . « Doublement condamnable », avait surenchéri le CSA avec l'aval de Matignon. Aucun trucage, pourtant. Les soldats avaient parlé vrai. Le général Schmitt, quant à lui, s'en était pris à l'AFP ; d'autres officiers à La Cinq. Feu partout ! Le journalisme, dès que parle la poudre, devient brûlant. La libre information est-elle soluble dans la guerre ?

Constat : cette question n'a de sens qu'en démocratie. Pour les dictatures, l'affaire est entendue. La guerre ne change rien à la nature des activités journalistiques ou supposées telles, puisque les régimes totalitaires sont toujours en état de quasi-guerre. Rechercher l'information ? Absurde. Le pouvoir préfère organiser en continu la mise en condition des « masses », ce que Serge Tchakhotine appelait en 1939 « le viol des foules par la propagande ».

L'Irak de Saddam Hussein, favorisée par d'aucuns particularismes culturels régionaux, a appliqué cette règle avec une brutalité sans précédent.

Pour toutes les dictatures, il s'agit d'obtenir la participation unanime des individus aux menées du pouvoir; donc de transformer la complexité du réel en credo, de canaliser les pulsions agressives contre l'ennemi extérieur ou « de classe ». Des slogans mobilisateurs visent à supprimer tout débat qui pourrait nuancer le projet. Saddam Hussein a très bien maîtrisé cette technique, de l'appel (soudain) à la guerre sainte à la défense (soudaine) de la cause palestinienne, dans la « victoire » comme dans la débâcle.

Un filtrage systématique comme le montre le théoricien Jean-Marie Domenach permet d'escamoter les informations nuisibles parce que contradictoires, et de grossir celles qui vont dans le sens de la Cause. Par exemple, c'étaient toujours des enfants, des femmes et des vieillards que tuaient les raids alliés; jamais des soldats.

Une orchestration savante permet de viser tous les publics avec la même salve, à la façon des lance-roquettes multiples, mais aussi de « personnaliser » chaque projectile selon le goût du destinataire. Il en fallait – et il y en eut – pour les militaires « laïcs », pour les religieux radicaux, pour les anti-impérialistes, pour les pan-Arabes, pour les maniaques de l'antisionisme, etc. Et aussi, bien sûr, pour l'opinion sensible des démocraties. À chacun son miel!

Par contagion, cette unanimité fait plus que rassurer l'opinion intérieure : elle la fabrique de toute pièce. Pas de déserteurs, pas de Kurdes, pas de contestation, pas de « vrais » Arabes dans la coalition impie. Les communiqués de victoire tonitruaient au moment même où l'armée s'effondrait. Dans l'univers halluciné de Saddam Hussein, nulle place pour le doute.

De droite ou de gauche, d'autres totalitarismes avaient élaboré les règles de la propagande intégrale. « Les journaux doivent devenir les organes des différentes organisations du parti », disait Lénine en 1906, onze ans avant la révolution bolchevique. En 1923, Staline lui fait écho : « La presse est l'instrument qui noue le lien avec les masses ouvrières. »

Les journalistes ont donc une lourde « responsabilité » : ils sont des militants dans la guerre nationale et internationale.

Même doctrine « à droite ». Goebbels proclama en son temps la responsabilité des journalistes dans la guerre sainte pour l'« espace vital ». Hitler exigeait qu'on ouvrît les fenêtres des maisons lors de ses discours, afin que sa voix parvienne aux passants dans la rue. Pour les journalistes promus propagandistes, censure et autocensure sont le pain quotidien de l'action politico-militaire.

Et les démocraties? Pour elles, au contraire, la guerre est « exceptionnelle » et ne saurait justifier – en droit – aucune propagande généralisée; sous peine de violer leur propre identité. La liberté des journalistes n'est pas un luxe de riche. Les habitants de la Virginie, lorsqu'ils proclament en 1776 dans leur *Bill of Rights* que la presse est « l'un des plus puissants remparts de la liberté », ne se contentent pas d'énoncer une « liberté formelle » comme diront deux siècles plus tard les communistes. Il en va de même pour les Français qui déclarent, dans la Déclaration des droits de l'homme et du citoyen, que « la libre communication de ses pensées et de ses opinions est un des droits les plus précieux de l'homme ». Ils énoncent simplement les conditions de l'existence de la République : un nouveau type de rapport entre gouvernés et gouvernants.

En démocratie, les décisions d'État sont référées à l'« opinion publique ». Ni l'autorité, ni Dieu ne suffisent à valider une loi. La violence est évacuée au bénéfice de la libre discussion entre citoyens. À la presse d'être l'intermédiaire qui permet à cette opinion publique d'exister (autant que possible) et de débattre en connaissance de cause, avec pour finalité l'intérêt général.

La presse est aussi, rappelons-le, le bastion du droit de résistance. Dans la tradition républicaine, la liberté de l'information est ce qui permet de résister au Prince, voire à la majorité. Fondée sur la discussion, la République admet en effet la fragilité de ses lois. La Vérité absolue n'est pas de ce monde. La presse protège alors les minorités et les droits individuels contre toute menace qui pourrait surgir de la loi.

Il est admis néanmoins que les lois peuvent limiter,

après accord, cette liberté. La presse n'est évidemment pas autorisée à violer, par exemple en diffamant, les droits individuels qu'elle incarne. Certains, se réclamant notamment de l'encyclique *Pacem in terris* (1963) du pape Jean XXIII, ont voulu renforcer le contrôle en stigmatisant la prétendue irresponsabilité des médias et les méfaits de la loi du marché. L'information devait être plus « objective ». Tant que l'on se contente d'en appeler à la conscience morale des journalistes, il n'y a pas péril. Sinon, c'est le droit à l'information qui est menacé. Pourtant, dans certaines circonstances, les démocrates admettent que la liberté de la presse soit exceptionnellement limitée. La guerre est un de ces cas.

Dans les conflits modernes, avec leur caractère total et hautement technique, l'information est plus que jamais une arme. Pour la mettre en œuvre, les dictatures et les démocraties, indéniablement, ne sont pas à égalité. La propagande univoque des premières leur permet d'attaquer les défenses des secondes, de prodiguer vérité et mensonge selon le seul principe qu'elles connaissent : l'exaltation de leur propre puissance. Les sons et les images « offerts » par Saddam Hussein n'ont pas eu pour mission d'informer, mais de pincer le nerf des démocraties : leur opinion publique. Avec ses mensonges à tête chercheuse, le dictateur visait le renforcement de la communion intérieure, le retournement des opinions à l'Ouest, le soutien des « masses arabo-musulmanes »...

À l'inverse, le principe de transparence des démocraties laisse voir leurs faiblesses. Montrer des manifestations pacifistes, c'est admettre des failles dans le consensus; indiquer aux téléspectateurs, souvent avec indignation, que les films provenant des Alliés sont censurés, cela jette un doute sur les informations favorables; rappeler, par exemple, les bavures des États-Unis au Panama, cela ne conforte guère la vertu du fameux « ordre international »; comme les reportages sur les manifestations pro-Saddam au Maghreb poussent certains à l'opportunisme, au nom de l'amitié franco-arabe.

Faudrait-il donc qu'en temps de guerre, nos reporters et plus encore nos médiacrates, se convertissent à la propagande? Nombre d'hommes politiques, d'intellectuels, voire de journalistes, pensent que c'est inéluctable. Ils ont tort.

Le mensonge, en démocratie, a objectivement des effets pervers. Comment mobiliser une opinion supposée libre, en l'intoxiquant? Les multiples dérapages des porte-parole militaires alliés ont sans aucun doute fait du mal. Les messages de l'ennemi devenaient, du coup, plus crédibles. Les journalistes et leur public se sentent pris au piège. Sanction : les rumeurs se déchaînent et la justification politique de la guerre en pâtit.

C'est que les Républiques, à la différence des tyrannies, sont fondées sur la « vertu » au sens de Montesquieu. On ne fait pas la guerre « contre » ou « malgré » l'opinion publique mais parce que celle-ci, par le truchement de ses représentants élus, l'a voulue. Craint-on qu'elle ne le veuille plus? Cela signifie que l'on a peur des règles démocratiques, et c'est grave. Le pari des Lumières et de la tolérance ne se marchande pas. Un Gilles Perrault a tort ou raison de proclamer son désaccord, mais nul ne peut lui en contester le droit. Et puis, songeons à l'après-guerre : que reste-t-il de la « vertu » de nos démocraties, quand l'information a été transformée en propagande?

Le moral de certaines troupes françaises aurait été « mauvais »? Il n'était pas scandaleux que cela fût dit. Cette information pouvait pousser l'arrière à se soucier davantage du bien-être de l'avant. À force de flatter l'irresponsabilité des citoyens – la hiérarchie militaire y est assez souvent disposée –, on lézarde le ciment éthique qui, plus que les canons, est la force des démocraties; celle qui nous a permis de l'emporter enfin sur les totalitarismes fasciste et communiste.

Certes, en temps de guerre, l'information connaît des limites dont la République peut s'accommoder. Les mouvements militaires doivent rester cachés. Croit-on sérieusement que les rédactions soient rebelles à cette sorte de censure? Que l'opinion ne sanctionnerait pas durement, en changeant de chaîne ou de journal, les médias dont l'irresponsabilité mercantile enverrait à la mort nos soldats-citoyens? Ou ceux qui, comme le demandait *L'Humanité,* étaleraient des cadavres en gros plan? Il n'est pas besoin de loi ni de règlement pour trouver, là-dessus, un accord.

Inversement, si l'information purgée de toute propagande est crédible, le contraste avec le cynisme totalitaire d'en face saute aux yeux. Il suffit d'un sourire ironique du présentateur, d'un sous-titre, d'un commentaire acide, pour que le bourrage de crâne du dictateur apparaisse au grand jour. Qui était dupe, lorsque Saddam Hussein caressait les cheveux d'un enfant otage?

Oui, quand vient la guerre, l'information est une arme. Mais l'information libre et raisonnable est l'arme des démocraties. « Les libertés sont des résistances », disait Benjamin Constant. La guerre ne rend pas la formule caduque.

À la différence des Grecs, nous ne concevons pas la Cité comme une communauté mais comme une société. Autrement dit, nous ne concevons pas les citoyens comme membres d'un Tout, organes d'un corps général, mais comme des sujets librement associés, égaux et libres en droits. Le tout ne vaut pas mieux que sa partie, il n'en est pas même la somme, il est seulement le quasi-contrat qui relie la pluralité de ses membres. La prudence grecque permettait dans les démocraties de considérer l'intérêt général en faisant abstraction des droits individuels. La cité moderne ne le peut. La prudence impose donc pour les mêmes raisons, que soit préservé en priorité ce qui fait – comme fondement, principe organisateur et finalité – la cité démocratique moderne : l'individu « citoyennisé ». La Grande-Bretagne avec son black-out lors de la guerre des Malouines, les États-Unis avec leur contrôle lorsqu'ils ont envahi la Grenade montrent seulement qu'ils n'ont pas encore atteint la sagesse. L'« ultra-modernité » sera ce moment où l'Occident, bouclant son chemin, fera retour à ses origines.

Droit de résistance, création d'événements, défense du vraisemblable : on dirait que nous sommes à la fin d'un grand cercle, celui qui naquit à Athènes. C'est bien pourquoi, ne serait-ce que confusément, tous les républicains ressentent cette vérité : la liberté de la presse n'est pas un élément qui vient s'ajouter aux autres libertés. Sans elle, il n'y a ni espace public, ni publicité, ni surveillance des pouvoirs, ni soutien ou accusation, ni dialogue. Liberté de la presse? Elle est donc tout simplement l'un des noms de... la République.

Dira-t-on que la démocratie pluraliste est ainsi rendue fragile? Cela est vrai. Mais n'est-elle pas le second système politique construit par l'humanité, après la démocratie athénienne, dont l'épanouissement appelle la fragilité? Ajoute-t-on que les Républiques peuvent être ébranlées par l'accroissement d'un quatrième pouvoir autonome? On erre. Une République ne peut se meurtrir de voir interdire le cumul des pouvoirs entre les mains d'une « classe » ou d'une caste. Craint-on enfin que la République ne périsse sous les coups de l'activité de ce pouvoir? Alors tant mieux. Si elle sombre quand se consolide son fondement, c'est qu'elle était déjà morte. Ne survivait qu'un simulacre, autrement dit : une tyrannie...

VII

LE RÈGNE DE L'OPINION : LE PIÈGE DÉMAGOGIQUE

1. LES POUVOIRS DU MÉDIACRATE

L'affaire du Golfe rend plus terrifiante la vérité que la Roumanie nous révélait. Le 11 février 1991, PPDA est à Riyad pour TF1. Alors qu'il est à l'antenne, un scud irakien est intercepté. Images. Il commente. Rien à lui reprocher. 20 h 47 : Maurice Olivari, dans une autre ville d'Arabie Saoudite, prend l'antenne à son tour. Étrange et rare, ce journaliste s'excuse. De quoi? De ne pouvoir « offrir » à son tour au téléspectateur les images d'un missile survolant le ciel. « Offrir » : pas moins. « Offrir » le vol d'un engin de mort en direct, en vrai direct. Que c'est beau, que c'est grand! Une guerre pour les journalistes à la vitesse de la lumière. L'un des envoyés spéciaux les plus prudents durant cette guerre, l'un des plus professionnels, venait de sombrer dans la tentation spectaculaire... en direct.

Inutile de distinguer le comportement de la presse écrite et audiovisuelle. Au début de l'engagement allié, la fièvre emporta le pays médiatique sans exception. Pour tous, il s'agissait d'aller vite, très vite. Quelquefois trop vite : dans cette course, télévisions, radios, écrits trébuchèrent plus d'une fois. Les envoyés spéciaux dans le Golfe émettaient-ils des doutes sur la qualité des informations reçues et envoyées via satellite ou téléphone? Annonçaient-ils qu'ils n'avaient rien à dire ou à écrire? Qu'ils étaient condamnés à lire les photocopies du rapport de cinq pages produits par les 71 reporters des pools de presse américains, généreusement distribuées dans les casiers numérotés au centre de presse de l'hôtel international de Dahran? Rédacteurs en chefs, directeurs, éditorialistes passaient outre. Maurice Olivari et tous ses confrères « devaient » intervenir. « Parlez, dites quelque chose, rapportez ce que vous entendez, ce que vous voyez » : la chaîne d'information américaine CNN avait donné le ton. Jamais l'autonomie et la responsabilité des médiacrates n'apparurent aussi clairement. Pour le meilleur et pour le pire.

Le meilleur? Au nom de l'opinion, les médiacrates voulurent chercher l'information. Malgré les difficultés techniques, malgré la volonté des politiques, Français, Anglais ou Américains, d'empêcher le travail d'information (au nom de la sécurité et du secret militaire). Et finalement, sur l'état d'esprit des peuples dans le monde, en particulier du Maghreb, sur les moyens de la guerre, sur les positions de fond des belligérants... jamais nous ne fûmes aussi bien informés. Cent fois mieux que lors de la guerre d'Algérie. Mille fois mieux que lors du conflit des Malouines ou de l'intervention américaine à la Grenade. L'entretien de PPDA avec Saddam Hussein ne fut pas un accident, mais le moment où le métier de journalisme acquérait ses lettres de noblesse. Jean Daniel qui prit position avec Matignon contre son confrère avait oublié un détail. Le spectacle offert par PPDA éclairait l'opinion publique sur l'essentiel : elle pouvait juger de l'ennemi dans cette guerre, sans crainte d'être trompée : ce que Saddam disait, nul ne l'avait inventé. Dans une République, n'est-il pas naturel que les citoyens sachent contre qui et pourquoi leur armée se bat? Qu'on leur expose les points de vue opposés, alors qu'un État leur demande de risquer, au nom du droit ou de la dignité, leur propre vie? Jean Daniel et quelques autres, au nom de la « Morale », craignaient-ils par un tel spectacle le retournement de l'opinion publique? C'est de la démocratie dont ils se méfiaient. Or les sondages montrèrent qu'ils avaient tort. Plus encore que les médiacrates – quelquefois apeurés par la pression des pacifistes –, plus encore que les politiques – souvent hésitants, on a même vu le ministre de la Défense démissionner en pleine guerre... –, les citoyens soutinrent massivement l'effort armé. Persuadés qu'il leur en coûterait cher, en richesses et en vies humaines, écoutant les propos des opposants largement répercutés par toute la presse, ils le firent en conscience. Les incrustations « images passées par la censure irakienne », les commentaires des présentateurs, les encadrés des journaux... permirent en général de tenir à distance la propagande. Les sondages le montrèrent : l'opinion comprit que tout n'était pas dicible, que les manques ne provenaient pas de la volonté de ces journalistes qui passaient nuit et jour à récolter l'information. Lorsque 15 envoyés spéciaux furent portés disparus quelques jours, au début du mois de mars 1991, elle n'en fut pas surprise. On peut accuser les journalistes de bien des maux, dénoncer les misères morales sous les splendeurs mondaines, cette guerre montra une nouvelle fois que, seuls, ils acceptent d'aller se faire tuer en première ligne pour servir l'opinion.

Servir l'opinion? Le pire vient aussi de là. L'homme n'a pas seulement un goût inné de la vérité. Comme lui, l'opinion est duale : d'un côté elle veut être informée, de l'autre, elle cherche les sensations les plus extrêmes. Les exclamations enthousiastes des pilotes après les premiers largages de bombes au-dessus de l'Irak indiquaient déjà de quoi il retournait. Si les médiacrates furent aussi réceptifs aux sirènes des militaires durant une semaine, s'ils « passaient » de « belles images » d'explosions, si les « news » titraient sur la guerre, photos à l'appui (les prisonniers n'étant pas même mosaïqués), c'est qu'il y avait de l'autre côté du miroir une audience, une attente, des yeux, des oreilles, des corps à l'affût pour voir et pour entendre, pour jouir de l'attraction. Jouir du massacre en direct sur Bagdad comme ils avaient joui quelques mois auparavant de la mise à mort des Ceausescu dans l'affaire roumaine. S'enivrer de la vision des décombres de maisons d'habitation comme ils avaient exulté à la vue du charnier de Timisoara. « Des images, des photos! », tel était l'appel des publics. Entendons : « Du sang, du sang! »

Les acteurs ne sont pas les derniers à vouloir jouer leur partition dans ces spectacles à haute charge émotive. Qui ne se souvient de la « trêve des journaux » à Beyrouth? Ce moment où tous les clans cessaient le feu pour lire avec avidité les journaux qui disaient leurs exploits de la veille. Tout le monde sent bien l'importance qu'il y a à repérer le moment où agir peut être utilisé pour la boîte à images. Comment oublier que le colonel nigérian Azikwe organisait en 1969 les exécutions à l'intention des envoyés spéciaux « pressés d'obtenir des images »? C'était alors une attitude exceptionnelle. Aujourd'hui, c'est la règle. Les hommes politiques français qui ne sont pas aussi dénués de bon sens qu'on le dit parfois ne s'y trompent guère : ils calculent en général merveilleusement bien leurs moindres paroles et gestes en fonction... des actualités télévisées.

Le monde de l'après-Seconde Guerre mondiale s'est achevé. La nouveauté en France vient de ce que l'on ne ment plus. Et surtout pas par idéologie. Il est fini le temps où *Le Figaro* trouvait des vertus à l'Afrique du Sud, encore sous le coup de l'apartheid. Fini le temps où *Le Monde* trouvait superbes les défilés des Khmers rouges en 1975 à Phnom Penh. Fini le temps, en 1979, où *Libération* était enthousiaste devant la révolution islamique de l'ayatollah Khomeiny. Le mensonge, cet acte volontaire de la conscience journalistique destiné à accréditer des thèses que l'on croit contraires au vrai, n'est plus guère employé qu'aux marges. La dissimulation, la bonne vieille dissimulation a quasiment disparu.

Et pourtant, le monde journalistique n'est pas entré dans une ère froide de recherche de la vérité, d'investigation, de commentaires collant à elle, d'exposition contrôlée. Malgré une Charte des devoirs des journalistes (juillet 1918) complétée le 15 janvier 1938, malgré la Déclaration des devoirs et des droits des journalistes adoptée au niveau européen (25 novembre 1971), malgré l'Association pour une lecture de la presse créée en 1976, des événements de la place Tian an Men à la guerre du Golfe, les dérèglements paraissent même s'être amplifiés. On ne ment plus, on simule.

Certains, pour justifier ces jeux de simulation du vrai où l'on présente des images censurées, piégées, ces leurres informatifs qui tentaient de tenir éveillées les foules jusqu'au petit matin, invoquent l'erreur due aux difficultés du travail journalistique lui-même. En particulier en temps de guerre.

L'idée est séduisante. L'impératif de brièveté suscite quelques formules raccourcies dégagées de leur contexte et souvent plus explicites. L'inclination vers l'anticipation ménage quelques surprises et attise les rumeurs. La vitesse explique certains emballements... Autant de raisons qui pourraient être apportées pour justifier la publication par *Libération,* en décembre 1986, du faux journal d'une classe en grève, la diffusion de faux carnets de Hitler par *Paris Match* en mai 1983, l'annonce de la mort de la fille de Bernadette Lafont (La Cinq), de Monica Vitti *(Le Monde)*...

Mais rien de tout cela n'explique l'essentiel. La confusion des moralistes vient d'ailleurs de ce qu'ils n'ont pas vu que l'errance de certains médiacrates en ces premiers mois de 1991 provenait non de leur souci de manipuler le spectateur, mais au contraire de satisfaire son désir. La rédaction en chef de TF1 fut inconsolable ce jour où l'envoyé spécial à Riyad ne répondait plus. Les rédactions de la presse écrite se désespéraient de n'avoir aucune nouvelle sur la « réalité » de guerre, de cette guerre qui se faisait par le ciel et le renseignement militaire, sous le contrôle du Pentagone et des militaires français. Si certains médiacrates furent quelquefois conduits, contre toute vigilance éthique, à diffuser, à impulser voire à réaliser eux-mêmes des émissions chimériques, la raison se cache bien là.

Dans ce jeu d'échos des désirs, ils se trouvent en étrange posture. Si l'avion furtif F 111 est conçu en fonction de sa représentation à distance afin d'être quasiment invisible sur les radars, que dire des médiacrates sinon qu'ils furent les anti-F 111 de la guerre? Durant les premiers jours de l'intervention des Alliés, ils découvrent en même temps que les spectateurs les images en direct d'un simulacre de représentation guerrière. Et ils s'aperçoivent bientôt que, sans le vouloir, ils ont le... rôle principal. Par leur présence, ils remplissent seuls l'image d'une vie non artificielle, d'une temporalité non truquée. Avec leurs cartes d'état-major, leurs discours, leurs corps, pour répondre à la concurrence, ils accréditent involontairement l'illusion que tout cela est vrai, alors qu'eux-mêmes, passé les premières journées, en doutent.

Ils étaient pris dans les rets du plus superbe des « divertissements » qu'on n'osa jamais imaginer de tourner : le spectacle d'une guerre, en vrai, en direct... Jouissance : au loin, des chars, des avions, des fusées, des éclairs dans le ciel et le secret espoir que le bruitage sera à la hauteur du jeu, bruit de moteurs vrombissant, de missiles explosant, des corps suffocants.

La guerre, un divertissement? Cessons l'hypocrisie et admettons-le : les foules attendaient ce ballet mortuaire. Des cirques de Rome, où les belles applaudissaient devant la féerie des esclaves se faisant déchirer à pleines dents par les fauves, à la place de Grève, où se bousculaient les Parisiens et les provinciaux excités par l'odeur des exécutions capitales, de nos rêves à nos films, la bête sommeille toujours en nous. Nous sommes si peu civilisés qu'un simple vent passant sur un stade belge suffit à rallumer la flamme : vite, le citoyen de nos Républiques court vers son poste, ces images, il veut les voir.

Comment les médiacrates pourraient-ils ne pas obtempérer, face à cette fantastique pression des sondages, des indices d'écoute, des publics rencontrés? Comment pourraient-ils ne pas croire que leur vocation est de distribuer du plaisir, de répondre à l'attente de leurs consommateurs?

La véritable question du conformisme est là, non dans une posture idéologique de soutien à des « centristes » ou à des « libéraux », non dans un refus des grandes idéologies qui ont produit ces années de plomb, mais dans cette façon que le médiacrate a de ne pas pouvoir ou de ne pas vouloir affronter son public. L'affaire du Golfe se contente de pousser au paroxysme un travers que chacun pouvait constater à tout moment du débat public.

C'est pourquoi le cœur du débat de février 1991, en pleine guerre du Golfe, n'était pas le secret – souvent abusif – et la manipulation – quelquefois réelle – du pouvoir politique ou des autorités militaires. Pas même l'opposition, largement fantasmagorique, entre la presse écrite et l'audiovisuel. Pas même l'incompétence, parfois avérée, des enquêteurs sur le terrain. Simplement le conflit entre deux impératifs : engager des jeux de connivence avec le public ou jouer l'information, la recherche de la vérité, quitte à ne pas passer d'images, à avouer qu'on ne sait pas grand-chose, à casser le simulacre et à passer à une autre actualité. D'un côté la démagogie, un populisme des temps nouveaux; de l'autre, l'autonomie des journalistes. La misère contre la grandeur.

Insistons sur la nature du problème. Certains intellectuels ont feint de déplacer la question vers une réflexion sur la technique elle-même. Paul Virilio est allé le plus loin dans cette direction. Au nom de la vérité, il dénonce dans ses écrits la mutation dans nos rapports au temps qui naît des techniques modernes, notamment des ondes électromagnétiques. Il n'y aurait plus de démocratie possible à l'ère du temps réel. La télévision en particulier, comme le montrerait son rôle dans la guerre du Golfe, nous ferait vivre dans une fiction intégrale.

Faut-il rappeler qu'en vérité, le direct est né avec les ondes hertziennes et non avec les ondes électromagnétiques? Que la course à l'immédiateté, au spectacle, ne date pas d'aujourd'hui? Les reporters d'Europe 1 qui, en 1968, suivaient les manifestations, usaient souvent du direct ou du quasi-direct, avec le téléphone et le magnétophone. La puissance de la télévision ne transforme pas qualitativement le problème : elle le pousse seulement au paroxysme en transportant des images. Images? voilà qui explique peut-être certaines réactions épidermiques. Le CSA, en février 1991, dénonce l'information télévisée « avide d'images » et reprend un témoignage diffusé par *Télérama* (à propos de la série de Tony Lainé et Daniel Karlin, « L'Amour en France ») : « L'image, constatons-le une fois de plus, est trop forte par rapport à l'écrit. Quand on y ajoute la parole, cela donne l'exhibitionnisme pour l'émetteur et le voyeurisme pour le récepteur. Il me semble que la télévision a remplacé le psychiatre, qui avait lui-même remplacé le confesseur. » Tout est dit sur l'incompréhension de ce qu'est le journalisme télévisé. L'image est décrétée non informative, condamnée par son appartenance au monde des corps, elle renvoie à la concupiscence.

Si on délaisse les écrits de nos nouveaux Bossuet, force

est de constater que même lors de ce simulacre que nous offrit CNN et, à sa suite, les télévisions et radios françaises, le journaliste était bien là, qui médiatisait les rapports entre l'image et le spectateur. Jamais ce dernier n'est seul face à la réalité comme le croit Paul Virilio qui oublie le rôle central du journaliste, son rôle de médiateur. Le simulacre a pu avoir lieu seulement parce que le médiacrate y a participé. Avant même que celui-ci ne mette en garde les consommateurs contre les dangers d'une croyance trop vive en la validité des sons et des images, le cameraman et les autres journalistes de CNN à Bagdad filmaient ces visages et non ces autres, ce côté de la ville et non celui-là. Et la hiérarchie avait décidé de laisser passer ces images. Le « live » est toujours le produit d'une médiation : il suffit d'ailleurs d'un mot du médiacrate pour que la diffusion soit arrêtée. Paul Virilio s'est laissé prendre au piège du discours que les journalistes tiennent sur eux-mêmes : même lorsqu'ils offrent du direct, cette offrande a été pesée, discutée par les directions des rédactions. L'oublieraient-elles que la discussion, en raison du coût de diffusion sinon d'achat des images, suffirait pour que la délibération s'impose. Si l'on entend par « direct » l'information elle-même, on erre. C'est un faux direct, un faux immédiat. Les médiacrates indépendants préviennent. Une incrustation annoncera qu'il s'agit d'images censurées. L'image manipulée par les Services d'information et de relations des armées ou l'image dénotative du cameraman sans influence : voilà qui sera différencié. Et les médiacrates décideront ensuite, en fonction de ce qu'ils reçoivent, de continuer ou non la diffusion.

Soulignons ici ce que de telles accusations révèlent comme frustrations sociales face au développement de ce quatrième pouvoir. Et surtout, ce qu'elles révèlent d'incompréhension du véritable bouleversement produit sous nos yeux par la guerre du Golfe. Pour la première fois, la radio était écrasée par une télévision qui venait de répondre, techniquement et professionnellement, au défi du direct en temps de crise; les journalistes, passé ces premiers jours où ils faisaient de la radio à la télévision, ont commencé à apprendre, en marchant, en trébuchant, à incorporer la dimension informative à la dimension spectaculaire à la vitesse de la lumière. Pour la première fois aussi, la presse écrite fut concurrencée par la télévision sur le terrain de l'analyse; journaux et magazines télévisés allaient très vite à l'essentiel. On découvrit que Christine Ockrent ne disait pas « moins » que les quotidiens mais autrement. On redécouvrit que Jean-Marie Cavada apportait autant que les dossiers des « news ». Le monde de l'image globalement dominait. Et il n'était pas le Mal.

Si cette guerre du Golfe n'avait pas conduit à un règlement de comptes général, de tels bouleversements dans les rapports de forces au sein de la presse et ses conséquences auraient pu être publiquement discutés. En abandonnant certaines accusations archaïques, la grande question pour les journalistes que cette hégémonie télévisuelle pousse au paroxysme serait apparue : celle des rapports entre le médiacrate et l'opinion.

En voulant répondre à l'appel du public pour lutter contre la grande connivence, celle de son milieu, celle qui le noue avec son propriétaire ou celle qui le lie avec les autres élites, le médiacrate avait donc tort de se croire arrivé au port. Le voilà d'un seul coup, dans sa recherche de la liberté et sa quête de la vérité, emporté en pleine mer, renvoyé à la réalité. Son frêle esquif rencontre à présent une tempête à nulle autre pareille. Toutes les connivences convergent en effet en ce point, dans cette rencontre avec le désir du public.

D'abord la connivence avec les autres élites. Voulez-vous des images, des bruits ou des mots pour réaliser une belle mise en scène? Qu'à cela ne tienne : celles que nous contrôlons, nous vous les donnons. Course automobile ou guerre du Golfe, le principe est le même : en échange de ce don amical, il vous sera demandé seulement un peu de complicité. Vous ne voulez pas? Tant pis : plus d'alimentation de la machine à spectacle. Les concurrents en profiteront.

Alors intervient la seconde forme de connivence. Le propriétaire s'émeut : vous n'avez pas réussi à obtenir la nourriture spectaculaire? Moins d'audience, moins de clients, moins de profit : la sanction menace. Surtout lorsque le voisin a « réussi ».

La connivence dans le microcosme achève d'attiser le désir. Les autres le font, pourquoi pas vous? La peur de se tromper, d'errer vous retient-elle? N'ayez crainte : le clan vous protégera avec toute la mauvaise foi nécessaire, le microcosme couvrira avec la puissance qu'il faut vis-à-vis de l'extérieur et surtout, vous pourrez – signe de votre appartenance au corps – participer au débat entre médiacrates. « Comme on s'est fait berner lors du charnier de Timisoara! Comment cela est-il possible? » Quelques mois plus tard : « Comme on est manipulés par les Irakiens et les Alliés dans la guerre du Golfe! Comment cela est-il possible? »

Cette connivence avec le public est peut-être la plus pernicieuse de toutes les formes de complicité. La plus dangereuse aussi.

Disons-le sans détour : peut-être est-il déjà trop tard. Trop tard pour résister à la volonté de « transmutation du réel en spectacle » dénoncée par Jean Cazeneuve. À la tentation du vide qui est en vérité celle de la mort. À la tendance, inscrite par les médias dans nos salles à manger et nos cuisines, de nous faire passer dans l'ère de la « zéro-dimensionnalité » : celle où l'homme, perdant sa pluralité, est réduit à n'être qu'un point, un pur désir animal, une figure sans dimension visée par le spectacle. Trop tard pour que l'on puisse s'opposer à la logique de la machine médiatique.

En quatre mouvements, elle joue la grande partition du spectacle pour le spectacle.

Elle commence dans la perte de substance de l'espace public. Avec elle, les rapports gouvernants-gouvernés sont transformés. Les intérêts communs ne sont plus discutés, argumentés. Faut-il choisir entre Michel Rocard et Jacques Chirac, Michel Noir ou Jean-Marie Le Pen pour la présidence de la République? Le « look » va l'emporter : celui-ci est trop petit, celui-là n'a pas un beau sourire, celui-ci est sympathique, celui-là ne l'est pas. Qu'importe l'argumentation. Le citoyen existe tout au plus comme un sondé entre deux bulletins dans l'urne. L'interactivité de la machine ne permet-elle pas, comme on le voit à « L'Heure de vérité », de rétablir l'équilibre? Pour une véritable interactivité, il faut un préalable : l'égalité. Le jeu questions-réponses est le plus vieux du monde. Il place l'invité en position d'oracle. Plus encore : les dieux sont coupés du social, ils ne répondent qu'à une question par questionneur. Si, et tout se jouera là, le journaliste n'intervient pas, qu'importe la réponse, l'interrogé pourra passer au questionneur suivant en toute quiétude voire avec allégresse. La subtilité de François-Henri deVirieu vient de ce qu'il n'est pas dupe. Ce ne sont pas les téléspectateurs qui mènent la danse, mais les journalistes.

La machine médiatique laissée à elle-même tend aussi à court-circuiter les réseaux de l'existence. Ce n'est pas seulement le citoyen en moi qui est menacé mais la personne privée, celle qui échange des biens, des mots, des cadeaux, des politesses... Arrivé chez soi, plus même question de relations de voisinage : le spectacle attend. La télévision allumée, la porte de l'entrée est bouclée. La guerre du Golfe montra à quel point les relations intersubjectives sont non seulement distendues mais détruites. Y a-t-il des menaces d'attentat? Dans la plus petite bourgade, l'étranger qui passe, le voisin même deviennent suspects. Qu'importe la réalité : la « téléréalité » est là. Réjouissante ou suffocante. Et la vie suivra.

Ne nous étonnons pas de voir qu'une telle logique spectaculaire prolonge les vivants pour en faire des simulacres : le sujet est atteint dans son intégrité, transformé en objet. 70 % des gens sont satisfaits de la prestation de Raymond Barre? Le voilà satisfait. Le choléra au Pérou frappe des dizaines de milliers de personnes mais intéresse moins la télévision que la guerre du Golfe? C'est que l'intérêt est réellement moindre. La capacité de jugement de ce qui est bien ou mal, vrai ou faux, juste ou injuste est laissée aux serveurs de la machine à spectacle. Cramponné au rire de Christophe Dechavanne, la soirée fut « bonne ». Attiré par le énième mauvais téléfilm made in USA, la soirée fut « sauvée » par un zapping ou un magnétoscope efficace.

Aboutissement de tout ce processus : cette logique

tente de mixer les individus. Un but : constituer l'homme « zéro-dimensionnel ». Cet homme qui, si on écoute bien les bruits de fond, des manifestations pour NRJ aux revendications des enfants pour les dessins animés japonais, revendique d'ailleurs déjà ses « droits ». L'univers subjectif de chacun, ces différentes strates léguées par notre histoire personnelle qui forment notre singularité, est réduit par l'appel à un désir semblable. Je ne suis plus Pierre, instituteur, pianiste à mes moments perdus, tennisman médiocre mais fervent, à l'enfance heureuse, amoureux d'une belle, marqué par la perte d'un proche, porté aux rivages lointains... Je suis un spectateur sans visage ciblé par le programme qui flatte le désir animal en moi, ce pur point sans longueur ni largeur ni profondeur, ce point commun à tous les autres désirs animaux. Pour lui : le sourire sans histoire de l'animateur, les cadavres sans mémoire de la guerre, les téléfilms avec leurs charrettes de viols, d'assassinats, de massacres en tout genre... Le sommeil avant le sommeil. Un sommeil qui n'appelle pas de réveil.

Est-il trop tard? Rien n'est peut-être encore tout à fait joué. Pour qu'une telle logique l'emporte, elle doit gagner sur l'espace public lui-même, c'est-à-dire sur l'espace de communication aujourd'hui occupé par les médiacrates. Autant dire que la clé de l'avenir est en grande partie entre leurs mains. C'est bien pourquoi les moralistes sont passés à côté de l'essentiel. Rien ne se jouera contre les médiacrates ou même sans eux. Sonner le tocsin : tel est le sens de ce livre.

Le journaliste contre l'animateur

Connivence avec la machine médiatique, réponse positive donnée au principe de plaisir qui meut le public? Par cette connivence, le journaliste se transforme en animateur.

« Je suis un communicateur, proclame Patrick Sabatier dans *Le Nouvel Observateur* du 24 mai 1989. Il n'y a plus de barrière formelle entre journalisme et animation. J'ai fait une école de journalisme. Ma carte de presse je peux l'avoir demain... Animateur ou journaliste, ce débat est démodé. »

Peut-être a-t-il raison. Comment ne pas être tenté de rejoindre le camp des cyniques ou d'aller cultiver son jardin quand le même Patrick Sabatier peut interviewer l'avocat Vergès? Quand l'on voit Christophe Dechavanne interroger des hommes politiques ou des intellectuels? Quand l'on assiste à des faux directs lors de la guerre du Golfe? À des mises en scène de journalistes qui ne tiennent qu'à une chose : se mettre en scène entre deux scud et trois Jaguar? Un drôle de jeu pour une vraie guerre. Jeu de l'insignifiance. Jeu du beau spectacle en toutes saisons. Jeu de la surenchère même lorsque les merveilleux flashs argentés des missiles Patriote qui font sourire de béatitude certains médiacrates annoncent que ce sont des enfants qui meurent sous les bombes, des êtres vivants qui hurlent, qui souffrent. Fût-elle juste, qui a dit qu'une guerre pouvait pour autant être « belle » et gaie »? L'animateur?

Alors même si c'est démodé, je parie plutôt que jamais débat ne fut aussi actuel. Qu'il dessine deux voies qui peuvent engager l'avenir non seulement d'une profession mais d'une société.

La première est celle de l'animation. Elle consiste à se mettre, volontairement ou involontairement – par la méconnaissance du jeu politique par exemple – au service des pouvoirs et des médias. La seconde s'organise à partir du monde journalistique, selon son code. Nous l'appellerons, contre la voie animatrice, la voie journalistique.

L'animateur, qu'il s'appelle Jean-Pierre Foucault, Patrick Sabatier, Christophe Dechavanne, est le cousin germain du publicitaire. L'itinéraire d'un Jean-Luc Delarue est symptomatique : il commence par une école de publicité puis il est concepteur-rédacteur à l'agence DDB avant de faire l'émission « Média et pub » sur une radio libre, Radio Arc-en-Ciel. Il y rencontre Olivier Dorangeon, fils de publicitaire, qui a lui aussi un itinéraire de publicitaire. Avec lui, il anime un jeu sur TV6. Puis c'est Europe 1 et Canal plus. Directeur du « Top 50 », il est finalement devenu l'un des outils de fidélisation de Canal plus.

Pour ces « fils de pub », il s'agit d'animer, au sens

propre : mettre une âme. Et s'il faut ainsi mettre une âme, c'est que ce quelque chose ou quelqu'un n'en a pas assez pour se mouvoir de lui-même. Quand Henri Sannier est photographié devant une voiture et que cette image est reprise en première page d'un magazine automobile, il ajoute à un objet une âme. Son âme. Au sourire un peu crispé de l'homme politique invité, Patrick Sabatier ajoute, dents immaculées en avant, son propre sourire : il enrichit d'un supplément d'âme cette machine politique qui a l'intelligence mais qui ne parvient pas jusqu'à nous, qui ne nous séduit pas.

L'animateur vit ainsi – et ce travail est incontestablement éprouvant – dans un corps par procuration son souci passionnel du spectacle. Narcissisme? Non. Contrairement à une idée reçue, à la différence de l'enfant qui affronte son miroir, il n'affronte rien. Il est lui-même la glace. Mais une glace sans tain. Et tout son malheur vient de là.

Car pour les élites, l'animateur est transparent. Comme chez Proust, le pouvoir courtisé, le pouvoir envié, celui auprès duquel on veut se hisser, joue au Legrandin : leurs regards le transpercent ayant pour seul objet le public. Et ce dernier ne voit en lui qu'un miroir dans lequel il se projette. Une fois le spectacle terminé, lorsque les lumières s'éteignent, les animateurs sont renvoyés à leur vie par procuration. Tel est leur désespoir.

Certes, il arrive que le médiacrate se laisse prendre au piège de l'animation. Telle est la raison de leur misère extrême au milieu des lambris dorés. Ne leur jetons pas la pierre. Se voir refuser les portes des palais, couper les sources d'informations, refuser des fins de mois plus faciles... cela ne fait guère plaisir. Et puis surtout, est-on bien certain que le public apprécie à leur juste valeur les propositions vraisemblables... surtout lorsqu'elles conduisent à faire tomber les idoles? La démagogie est plus souvent un refuge qu'un véritable choix.

Car si les grands journalistes sont les plus fragiles, les plus prompts à ce populisme des temps nouveaux, c'est qu'ils sont aussi très réceptifs aux demandes de leur public. Ce n'est pas tant l'air des cimes qui tourne la tête que la peur de l'abîme.

Séduits par le pouvoir, pétris de morale ou incapables,

faute d'avoir travaillé assez les dossiers, de poser les questions qui permettent de pister la vérité, craignant plus que tout de tomber en avouant leur incompétence, ils se soumettent aux desiderata du public en jouant à fond l'« ordre machinique », la mise en spectacle.

Il n'est donc pas étonnant de voir Anne Sinclair interroger François Mitterrand en mars 1990 en acquiesçant en direct, en soulignant d'un sourire, d'un mouvement gracieux de la tête, la validité du propos. Caressée dans le sens du poil, elle ronronna au coin du feu princier. Plus d'un journaliste aurait voulu crier : « Anne, sœur Anne, ne vois-tu donc rien venir? » Une semaine plus tard, avec Valéry Giscard d'Estaing, la courtisane montrera pourtant un visage fermé – ou plus ferme – de ses jours d'inani(ma)tion. Autant dire qu'au possible, elle ne se sentait pas tenue.

Encore ne s'agit-il chez Anne Sinclair que d'un excès. Pour Yves Mourousi, c'est une règle. Il mit en scène, le 28 avril 1985 (« Ça nous intéresse, Monsieur le Président »), un de ses plus grands spectacles : avec François Mitterrand, pour François Mitterrand, à la demande de François Mitterrand. Un président qui a mal apprécié le désavantage qu'il y avait à se faire animer. Car, malgré sa connaissance toute professionnelle des règles du champ politique et du champ médiatique, malgré sa volonté de détourner les secondes au profit des premières, qui fut dupe du jeu d'Yves Mourousi?

Difficile de ne pas sombrer. D'un côté le plaisir de plaire, de l'autre les risques de la vérité. La raison est bonne. Elle suffit. Dans ce calcul à court terme, favorisé par les règles de proximité, nos médiacrates en perdent leur latin, c'est-à-dire la langue de leur propre pouvoir.

Mais il y a plus grave encore : emportés par leur propre élan, ils ne peuvent guère se permettre d'état d'âme. Et pourtant, le jour viendra où leur image-ajout, leur image-repère ne passera plus sur l'écran. Moment d'effroi... Une âme tant de fois prêtée ne prête pas à rire.

Celui que la vérité intéresse se posera en tout cas une question toute simple, si simple que l'on oublie d'y répondre : informer, est-ce animer?

In-former signifie, on le sait, mettre en forme. Sans ce travail de la forme, il n'y a que matière brute, de l'« advènement » – ce qui surgit dans l'Être –, pas même de l'événement. Pour qu'il y ait événement, il faut que le journaliste intervienne et décide de la nouveauté et de l'importance relative de ce qui est advenu. C'est seulement lorsque cet événement sera mis en forme que l'on pourra parler d'information.

Mais ce travail n'est pas seulement travail de la forme, il est travail sur la forme. Sinon, le journaliste se retrouve avec une matière in-formée mais mise en forme par d'autres que lui. Par l'homme politique par exemple. Car tel est le paradoxe de cette « animation » : sous le fallacieux prétexte de répondre aux « demandes » du public, l'animateur se voit bien souvent contraint à jouer la connivence avec les élites... lorsque celles-ci sont populaires bien entendu – sinon, malheur à eux! – ou lorsqu'elles attirent du monde.

Il faut à cet égard faire un sort aux thèses de ceux qui, avec Anne Sinclair, prétendent que le citoyen est capable de juger seul, au-delà de l'apparence, de la véracité des différents discours. Situation confortable qui permet de jouer l'écrin pour les élites. Au fond, le rôle du journaliste serait de permettre que les sommets développent le mieux possible leurs positions et propositions. Il ne resterait plus au citoyen parfaitement éclairé qu'à choisir. Qui peut sérieusement croire que les élites laissées à elles-mêmes ne parviennent pas à réaliser ce que François de Closets appelle « la grande manip »? Lorsque Julien Dray lance SOS Racisme contre la réforme Devaquet grâce à son utilisation des médias, peu se rendent compte dans l'opinion publique de la manipulation qui remonte à l'Élysée par Bianco interposé. Que le journaliste reste coi, en position d'animateur, et il autorise la manipulation. Lorsque François-Henri de Virieu reste muet devant Jean-Marie Le Pen, qui prétend à la télévision, en mai 1990, qu'aucun de ses dires ou de ses actes ne pouvait prêter le flanc à l'accusation de racisme ou d'antisémitisme, agit-il en journaliste ou en animateur? Ne devait-il pas travailler sur la forme de l'information donnée par son invité? Celle-ci n'imposait-elle pas de questionner et de rappeler les condamnations dont Jean-Marie Le Pen avait été l'objet?

Lorsque le ministre Lionel Jospin, en mai 1990, lors de l'émission d'Alain Jérôme (A2), affirmera contre Michel Noir que les journalistes « ne sont pas des combattants », il a tout à fait tort. Ils ne sont pas des combattants politiques mais, lorsqu'ils acceptent de n'être pas avalés par le spectacle, ils combattent effectivement puisqu'ils investissent le pouvoir symbolique de nommer.

En vérité, ni organe à l'électroencéphalogramme plat, ni publicitaire, le médiacrate peut difficilement se flatter de voir les hommes de pouvoir heureux de prévoir le doux traitement qui leur sera infligé. Croit-on que tous les hommes politiques américains soient enchantés après leur passage devant un Dan Rather? Que nos élites soient peu rassurées devant un Guillaume Durand, n'est-ce pas cela qui est rassurant?

Une telle errance est, plus qu'une volonté de manipuler les foules, le fruit d'une aspiration des journalistes par ce que nous appelons ici « la machine médiacratique ». Paul Virilio, qui confond journalisme et animation, a montré comment le développement des techniques conduisait à une crise générale de la représentation en privilégiant le direct, l'instantané, l'interaction (même si c'est une simulation d'interaction). Il est vrai que par ses multiples formes d'animation, la télévision produit un spectacle des faits plutôt qu'un éclairage des lieux où se passent des événements. Mais ne juge-t-il pas l'ensemble des médias à l'aune de la télévision et celle-ci à l'aune de l'animation? Certes, le propre de cette dernière, c'est la « télé-réalité ». « La Roue de la fortune » en dit la vérité : avec elle, le monde tourne sur lui-même, rien ne se passe vraiment. C'est bien là qu'il n'y a pas de perception de l'avant et de l'après. Du pur tirage au sort dans un monde dé-réalisé. Bref : il n'y a plus d'événement.

Seulement voilà : sans événement, il n'y a plus de journalisme non plus. Dans cette société que tente d'imposer l'animation, où l'homme n'est plus qu'un lieu de passage, des flux du walkman à la lumière télévisée de la salle à manger, il n'y a nulle place où le médiacrate pourrait passer et repasser. Le journalisme n'est pas une mise sur orbite autour de la terre. Il est le monde des hommes sur terre étudiant l'orbite de la terre. Le médiacrate n'est pas le compagnon de l'animateur. Il est son ennemi le plus intime.

Si l'animation connaît son paroxysme à la télévision, nul ne peut s'étonner de voir que le conflit avec le journalisme y atteint son paroxysme. Symptôme : naguère, une émission sur Charles de Gaulle de Jean Lacouture fut diffusée avec une demi-heure de retard. Pourquoi? « Car les variétés ont un pouvoir suffisant pour empêcher nos émissions », dit T. (encore ulcéré). On a fait attendre de Gaulle dans l'antichambre de Sabatier... Et avec de Gaulle, le journalisme.

Que le journalisme commence par une prise de conscience de sa distance avec toute forme de publicité, Thierry Ardisson l'exprime bien : « Je suis arrivé à Paris venant de Montpellier. J'ai travaillé dans la publicité et j'y ai pris conscience de la trivialité du boulot de publicitaire. Plus tard je m'en suis souvenu lorsque je me suis lancé dans le journalisme : il fallait surtout ne pas confondre journalisme et publicité. Jusqu'en 1976, pendant sept ans, j'ai vécu une moitié de mon existence dans la publicité et l'autre dans l'écriture. J'ai découvert la presse en réalisant un journal : " Façades ". J'ai inventé un système : " les articles clés en mains ". J'étais indépendant. Je ne cherchais pas à faire plaisir. J'en ai écrit une centaine pour *Les Nouvelles Littéraires, Play Boy, Paris-Hebdo, Elle...* En même temps, sans confusion des rôles, j'ai monté mon agence de publicité. Je voulais faire " l'hebdo des savanes ". Cela a duré quatre mois. L'expérience s'est arrêtée pour cause de scandale. Dans le style " Monaco, monacul, monafric ". Filipacchi me dit : " Tu attaques tout le monde, ce n'est plus possible. " Je suis parti à TF1. Après 1985-1986, je suis devenu producteur-concepteur. Je n'hésite pas à attaquer les patrons de ma chaîne quand ils me déplaisent, même si cela doit me coûter la diffusion de mes émissions. »

Cette prise de conscience conduit en effet au conflit avec la logique spectaculaire et ses partisans. On le vit lorsque Silvio Berlusconi arriva sur La Cinq. « Pour lui, dit T., médiacrate de La Cinq, il fallait d'abord que la chaîne ait la puissance avant de pouvoir espérer produire de vraies émissions d'investigation. Il veut gagner de l'argent comme un industriel. Silvio Berlusconi aujourd'hui encore ne comprend pas qu'on ne lui laisse pas carte blanche pour ce projet fric. Il a mal admis que François Mitterrand donne le pouvoir à Catherine Tasca. Robert Hersant a eu une attitude assez différente sur notre chaîne. Lui est venu avec la volonté de construire une quatrième rédaction télévisée en France. Même s'il a déprogrammé certaines émissions d'enquête. La différence? C'est un patron de presse. Si Silvio Berlusconi l'avait emporté, on peut sérieusement se demander ce que seraient devenus les journalistes. Le fait que Hachette prenne la relève de Robert Hersant nous rassure plutôt, même s'il y a des changements dans la direction. Le journalisme ne sera pas nettoyé au profit de l'animation ou des téléfilms. »

Pour certains patrons comme Silvio Berlusconi, les animateurs sont toujours les bienvenus. Les jeux et les variétés permettent de combler avec de fortes espérances d'audience les moments où il n'y a pas de « grands » films. Les Jacques Antoine, Pierre Bellemare et autres Guy Lux... avec leurs « roue de la fortune », leurs « juste prix », leurs programmes « made in USA » sont le nerf de sa course aux bénéfices... Une logique qui conduit à privilégier films, séries américaines (qui coûtent nettement moins cher que les séries européennes, étant déjà amorties sur le marché américain avant de nous parvenir) et animation.

Jeu qui n'est pas propre à la télévision. Comme le remarque Guy Sorman : « *Le Figaro-magazine* c'est un grand spectacle quelquefois. Un peu comme Philippe Bouvard ou Yves Mourousi. Par moments, on est entre le show et le journalisme. » Il existe d'ailleurs 550 titres de journaux sans journalistes déjà. Un journal comme *Aujourd'hui Paris* est distribué à un million d'exemplaires par des réseaux comme « Carillon », derrière lequel on trouve *Ouest-France* qui distribue 9 millions d'exemplaires. Le réseau Comareg, alias Havas, a distribué 11 millions d'exemplaires de ce type de journaux dont l'objectif est la publicité. Et *France-Soir* risque bien d'être diffusé demain gratuitement comme un prospectus.

Dans cette lutte au couteau entre la logique spectaculaire et la logique journalistique, le médiacrate est-il contraint de baisser sa garde? Si la position la plus proche de l'animation est celle de présentateur – « il passe les plats » comme dit Bruno Masure –, c'est aussi par ce biais que la résistance s'est organisée, que l'autonomie a été affichée.

Comme le dit Jean-Claude Narcy : « Je me suis battu, tout comme PPDA, pour que la présentation ne soit pas seulement une " vitrine ". Nous voulions être une " âme rédactionnelle ". Maintenant nous sommes devenus, pour beaucoup, rédacteurs en chef. Cela fait d'ailleurs aussi l'affaire de la hiérarchie. Il n'y a plus d'ambiguïté sur les produits et la responsabilité. Sur A2, Christine Ockrent a prôné la même chose que moi. » Tous les témoignages concordent : la lutte a bien eu lieu.

Elle fut véritablement engagée à partir de la fin des années 60, lorsque la puissance symbolique conférée par la notoriété du présentateur apparut à tous en pleine clarté. Le rapport des forces évolua en faveur des journalistes en 1975, quand Roger Gicquel décida de n'être pas seulement une voix mise sur des dépêches, mais de faire un véritable journal avec des troupes. Cela signifiait que l'équipe sous sa direction était chargée d'aller chercher la matière et de la mettre en forme. Le téléprompteur lui-même fut utilisé par les médiacrates comme un atout dans cette guerre. Comme le note Jean-Claude Narcy : « Il permet d'écrire un texte en bon français. Contre les approximations, il permet de respecter le téléspectateur. Et puis, quand il y a 30 informations, comment les retenir toutes? » Grâce à cette technique – on ne dira jamais assez la difficulté que représente l'exercice qui consiste à faire tenir en quelques mots la substance de l'information –, le journaliste pouvait n'être pas remplacé par le comédien et lui-même n'était pas contraint de ne jouer qu'un rôle. Il ne s'agissait plus seulement de réciter sa leçon, mais de la comprendre.

Même s'il reste aujourd'hui des ambiguïtés entre la direction de la rédaction, la rédaction en chef et la présentation, le combat de Roger Gicquel a été définitivement gagné au début des années 80. La légitimité impose que seuls des journalistes, et le plus souvent des médiacrates, puissent être présentateurs.

Victoire symptomatique d'un mouvement de fond : l'ensemble du journalisme télévisé s'est dégagé de l'animation. Comme le pense Hervé Algalarrondo *(Le Nouvel Observateur)* : « C'est la fin du journalisme passif de compte rendu. Il y a à la télévision une nouvelle race de journalistes plus proches du journalisme d'investigation de l'écrit que du journalisme porte-micro. » Jean-Claude Narcy n'hésite d'ailleurs pas à comparer le journal du soir à un « news » : « Quand les cadres ont passé leur journée à réfléchir, ils veulent des nouvelles, des faits essentiels. Et c'est ce qu'il faut leur donner. Quant à la différence entre un papier d'humeur dans *Le Monde* et 1′30″ d'analyse à l'antenne, il n'y en a pas véritablement. C'est avec le livre que la différence se noue. »

Marque de ce rapport de forces? Rien ne fut plus conforme à l'esprit de la machine médiatique que l'émission « La Trace », programmée pour le 16 mai 1990. Une émission qui menaçait de tourner en appel à la délation au nom du spectacle, du plaisir du consommateur. Ladislas de Hoyos, journaliste de son état, avait accepté de l'animer. Et cela après les refus de Philippe Gildas, Jean-Marie Cavada et Stéphane Paoli. Cette acceptation déclencha un tollé dans la rédaction de TF1. La profession mobilisa tous ses amis. Ladislas de Hoyos se retrouva presque seul. La sanction tomba : les journalistes obtinrent gain de cause : « La Trace » fut reportée *sine die.* À l'inverse, les journalistes se battent pour conserver la programmation d'émissions d'actualité, pour augmenter le temps consacré aux reportages – ce fut le grand combat sur La Cinq –, pour porter en « prime time » des produits journalistiques comme « L'Heure de Vérité ».

Et puis, soyons réaliste : puisque *money is money,* le partisan du journalisme peut constater qu'un animateur coûte cher. Trop cher par rapport aux téléfilms. Il est clair que la fonction d'animateur est condamnée à moyen terme. Déjà aux États-Unis, leurs cours ont chuté aussi vite qu'ils avaient spéculativement monté. Alors que le journalisme, malgré la multiplication des médias, reste une valeur sûre.

Une valeur refuge même pour ceux qui ont pour secrète ambition la notoriété...

Les intellectuels qui dénoncent pêle-mêle journalisme, animation, machine, techniques, publicités, qui rêvent de la grande connivence dans une classe ou une société politico-médiatique devraient y regarder à deux fois. Malgré la tentation de la connivence, la marque que le journalisme laisse sur les médias n'est pas forcément celle qu'ils croient. Et le plaisir que procure le spectacle n'est pas forcément une preuve de leur opposition à la vérité.

Le vraisemblable mis en spectacle

« Vive le spectacle! » Tel pourrait être le cri de ralliement des médiacrates. À condition de souligner qu'il y a spectacle et spectacle. Qui peut nier que dans la recherche de la vérité, peuvent se glisser de multiples éléments de séduction? Séduction des postulats de départ, des axiomes, des conceptions du monde... Qui peut nier que dans l'exposition de la vérité se glissent autant d'entreprises séductrices? L'habillage des théories est une nécessité.

Où est le mal? Faut-il nécessairement que la recherche et, plus encore, l'exposition de la vérité, s'opèrent dans la souffrance?

Certes, s'ils ne veut pas se transformer en sophiste sans foi ni loi dans ce monde de l'ambiguïté et de l'opinion, le médiacrate ne peut se laisser aller à répondre au seul principe de plaisir. À la différence de l'animateur, pour ne pas construire la société de l'homme « zéro-dimensionnel », il lui faut contrôler la prolifération des signes. Réaliser la mise en scène du sens au service non des publics mais de l'esprit républicain et de la vérité. Ce qui revient à jouer du désir des publics contre le désir.

Un tel pari sur le jeu des désirs appelle bien entendu plus qu'une bonne volonté : l'art. L'art de la séduction. Un tel art ne concerne pas la seule télévision : il faut savoir mettre en valeur les articles, les articulations des raisonnements. De la couverture aux petites annonces, des photos au choix de la taille des caractères, de la « titraille » au « chapeau » – tout se rapporte à l'art de séduire...

La télévision est bien entendu le lieu où se joue de façon paroxystique le rapport des journalistes au spectacle. Là aussi où le dérèglement guette le plus. « Il y a une grande partie spectacle ici », dit Jean-Pierre Pernaut. « Un sujet de télévision analyse Sylvain Gouz, à la différence de l'écrit, ce sont des images et de l'information. C'est une œuvre à tendance spectaculaire. Ce n'est pas péjoratif car l'image apporte un plus. Mais elle peut aussi être un moins. Si tu as de trop belles images, le spectateur n'écoute plus. »

Faire plaisir, mais ne pas oublier sa vocation, tel est le dilemme. Ne pas organiser le plaisir pour le plaisir mais viser le sens : tel est le défi.

« En arrivant à TF1 en 1982, poursuit Sylvain Gouz, je me suis aperçu d'un bas niveau journalistique. Il a fallu montrer que les sujets TV, cela ne consiste pas à mettre en images les dépêches d'agence. Maintenant grâce au CFJ, on récolte des gens formidables. »

Faire du spectacle au service du vraisemblable est un art qui demande des moyens. D'où la désespérance sur A2 et FR3 jusqu'en 1991. « En décembre 1986, on nous annonce des moyens grandioses, dit Noël Mamère. Des hélicoptères même. Nous n'avons pas eu les moyens nécessaires. Et pas le temps non plus. En Grande-Bretagne, l'investigation peut durer un an. Ici, c'est inimaginable. Il y a eu seulement deux exceptions. " L'affaire Barbie " de Daniel Leconte et " Sans domicile fixe ", coproduit en 1988 par Canal Plus et Taxi-Production, pour lequel Hervé Chabalier eut beaucoup d'argent, un million de francs environ, et trois équipes de tournage pendant un mois. Pour " Résistances " ou " Édition spéciale " nous n'avons qu'un budget de 350 000 F. C'est dérisoire. » Même écho chez Claude Sérillon : « Il y a un problème de choix. On trouve plein d'argent pour les jeux et les fictions américaines... »

Sans moyens, quand l'animation est privilégiée au détriment de ces hommes de l'actualité, le journaliste ne peut interroger la quotidienneté. Il se contente de commenter les dépêches, de faire un plateau qui met bien souvent en valeur la personne interrogée ou de reprendre les produits américains achetés par la chaîne sur lesquels il lui faut mettre sa voix.

Il faut aussi une gestion professionnelle de ces moyens. Écoutons F. : « Ce qui me frappe, c'est plutôt l'incompétence. Non seulement parce qu'il y a 10 % de gens qui ne travaillent pas mais aussi parce qu'il y a des dysfonctionnements. Ainsi sur l'Afghanistan, on a été la seule chaîne, sauf FR3, à avoir une seule équipe dans Kaboul. Les autres en avaient deux. Et comme notre équipe a été expulsée, il n'y avait plus personne. Pour les obsèques de Khomeiny, toutes les chaînes avaient des envoyés spéciaux depuis le dimanche car les obsèques avaient lieu le lundi, sauf nous. Le gars est parti le lundi. Si les obsèques n'avaient pas été retardées, on était tricard. On doit récupérer grâce à la banque d'images internationale. La Cinq elle aussi regorge de gags du même genre. »

Mais la technique ne suffit pas. N'est pas artiste qui veut. Quand Michel Rocard et Jean-Pierre Chevènement s'opposent sur la défense, ce dernier devient prolixe. Il offre en spectacle son opposition à toutes les chaînes... sauf à FR3 qui ne saisit pas l'occasion. « Il y a des gens qui sont depuis quinze ans à la télévision et qui n'ont pas le sens de l'image », dit Éric Pierrot. Deux écueils : l'animation ou le discours incommunicable.

L'événement

L'événement n'est pas la copie d'un fait, copie au demeurant tout simplement impossible. Il est l'interprétation d'un « advenu » par le biais de médiations diverses. Il y avait à Athènes une multitude d'« advènements » qui touchaient le commerce, les guerres, l'art, les naissances mais pour devenir des « événements », une condition : que l'on en fasse état par le biais de la parole sur l'agora...

Les médias techniques jouent un rôle fort important dans la mesure où ils recouvrent la majeure partie de l'agora, notre sol de discussion. Leur rôle ne consiste pas à recevoir l'événement mais bien à le produire. L'événement n'est donc pas ce qui préexiste mais ce qui « existe par »,

par la télévision, la radio, la parole, le tract, la rumeur, l'affiche...

Bien entendu, il existe encore nombre d'événements qui ne sont pas tributaires du champ médiatique. Des événements musicaux (la « percée » du chanteur J.-J. Goldman) aux événements politiques (la victoire de Robert Vigouroux), la mise en scène des médias n'est pas « incontournable ». Néanmoins, tendanciellement, l'autonomisation et la professionnalisation des médias de presse à forte technicité ont eu pour conséquence de faire des médiacrates les plus forts pourvoyeurs d'événements. Malheur à l'homme politique ou à l'homme de lettres qui ne parvient pas à convaincre ces professionnels que son « bien » mérite le titre envié d'événement! Le premier ne pourra vendre son image de marque et ses discours : tel Michel Rocard durant le premier mois de la guerre du Golfe, il tiendra des conférences de presse dans des salles à moitié vides, et ses discours seront à peine repris. Le second, sans articles critiques, sans photos, sans images, sans son ne pourra vendre son livre : il deviendra furtif.

Les médiacrates ne pourvoient pas les événements n'importe comment. Il est possible, parvenus à ce point, de passer à côté de l'essentiel si on ne voit pas les raisons et les causes de la multiplicité des événements créés. Par exemple, si les comptes rendus d'une manifestation sont contradictoires ce n'est pas seulement parce que les actions collectives sont complexes. Il faut plutôt rapporter cette pluralité à la guerre pacifiée des cités, à la concurrence, à la pluralité des jeux sociaux auxquels elle renvoie.

Une concurrence qui contraint, nous le savons, à jouer la différence. Cette différence se réalise d'abord par la mise en scène. Le fait particulier est analysé à travers des grilles d'interprétation et il est constitué en événement par le biais du style singulier des médiacrates et de leurs assistants. Chaque consommateur reconnaîtra ainsi, plus ou moins facilement, les siens : du *Figaro* au *Monde*, de TF1 à La Cinq.

Elle apparaît aussi dans la vitesse et le choix des morceaux de réalité montés en spectacle. Le médiacrate doit saisir l'occasion très vite sous peine de ne pouvoir répondre à la concurrence, de tomber sous les coups de zapping du consommateur. La recherche du scoop est la forme extrême que prend cette course à la nouveauté. L'angoisse est le prix à payer devant la connaissance de cette réalité mouvante et hasardeuse. L'idéal : aller à la vitesse de la lumière.

Les médiacrates trouvent une réponse dans le style. Le style c'est en effet, plus rapide encore que la lumière, l'instantanéité qui se fait chair. C'est la loi que la singularité donne au général pour le courber par l'intermédiaire du particulier dans l'étreinte de la séduction. C'est la règle que le corps pose sur son ouvrage afin que le vraisemblable soit reçu. Contre le vide, le style est l'œuvre médiatique qui donne à voir l'univers des hommes, dans sa vraisemblance et son ambiguïté. Voilà pourquoi les périodes de crise, d'accélération de l'histoire comme la guerre du Golfe sont aussi passionnantes pour l'étude des êtres humains. Les médiacrates révèlent leur véritable rapport à la machine médiatique dans ces moments-là face au consommateur qui zappe à l'émotion, se construisant une 8e chaîne dans sa tête. Connivence ou autonomie : ils avaient déjà choisi.

Le spectacle contre le conformisme

Les prétendus amis de la démocratie dénoncent le consensus mou qui serait inhérent au journalisme. On confond alors le « consensus lisse » (ou conformisme) et le « consensus d'aspérités ». Un consensus d'aspérités qui ose se heurter à l'animation appelée par la machine et demandée par le public.

La tentation conformiste paraît incontournable. « La récession dit Laurent Joffrin, cela fait six ans que tous les trois mois on nous explique : “ C'est obligatoire. ” Trois millions de papiers nous disent que c'est inévitable et elle n'est toujours pas là. De la même façon, on nous a expliqué que Ronald Reagan était un crétin. Il y a eu une amplification des informations qui allaient dans ce sens mais les informations contraires ne passaient pas... Et toutes ces bêtises écrites sur le Viêt-nam du Nord? Même des grands reporters ont été victimes des *a priori* généraux. Autre exemple : pendant un mois nous avons eu droit au thème du déclin, puis cela a cessé. »

Modes politiques, économiques, culturelles tendent à éliminer toute différence. C'est le « consensus lisse ». Consensus lisse et non mou car il n'y a aucune mollesse dans la violence accompagnant souvent la mise au pas des récalcitrants. Que l'on songe aux difficultés rencontrées par un médiacrate des années 70 abordant les problèmes culturels en refusant de se situer dans le paradigme droite contre gauche.

Quel plus grand conformisme à cet égard que la dénonciation du « conformisme journalistique »? Le moraliste le proclame : il n'y aurait plus de hiérarchie dans les journaux télévisés, tout se vaudrait sur le marché de la sensation maximum. Pour rendre visibles les différences, le médium les transformerait en différends. Un seul objectif : le spectaculaire. Résultat pervers : tout devenant spectaculaire, l'ensemble des informations serait vide.

La réalité? La hiérarchie ne disparaît pas le moins du monde. Elle est autre. Son critère? L'intensité de la sensation. Dans le monde livré à la seule logique machinique, celui du téléfilm, du film, de l'animation, il n'y a pas à proprement parler consentement ou accord, mais communion dans la sensation née de l'exposition spectaculaire. Les consommateurs forment alors une sorte de monde orbital qui tourne autour de la machine. Au-delà du sens. Au-delà du vrai. Au-delà de l'existence.

La machine, dans ce jeu, a un allié puissant : le spectateur. Sa passion pour les faits divers, les films et téléfilms sanglants n'est pas dissociable de son affection pour les sensations extrêmes. Le spectacle de l'élimination des Ceausescu, qui a recueilli plus de 20 % d'audience malgré son heure tardive, est révélateur. Le spectateur n'est pas dupe. Il ne pleure pas sur le sort des « malheureux » époux dictateurs. Il ne se dit pas que le droit a été violé. Il voit tout simplement ce qui est projeté : une mise à mort. Et cela lui plaît. Regarder, c'est d'une certaine façon participer. Tout juste a-t-il regretté peut-être qu'on ne lui ait pas demandé son jugement par Minitel. Nul doute, il l'aurait donné. Les époux n'auraient guère fait de vieux os.

Sublime-t-il ainsi son angoisse devant les menaces naturelles et surtout sociales? Probablement. Comme le spectateur des cirques romains, veut-il vivre par procuration cette « bête » qui est en lui et qui devra, le poste fermé, continuer à sommeiller jusqu'au rêve qui lui permettra enfin d'exister? Comment comprendre le goût du spectaculaire si l'on évacue cette dimension?

Le médiacrate le sait. Qu'il prétende violer les règles de l'émotion et le consommateur cessera d'acheter son journal, d'écouter sa radio. Il zappera. Une vérité qui sera plus rude encore demain. Quand les médias anglo-saxons débarqueront massivement sur les écrans des salons avec leurs spectacles à forte valeur émotive ajoutée. Que l'on suive nos moralistes et l'espace audiovisuel français sera bientôt une ruine, le français un souvenir, nos industries (pas seulement culturelles) de petits artisanats locaux. Le journalisme? Un présentoir de nouvelles totalement incontrôlées et incontrôlables faute de moyens, faute de temps, faute de professionnels.

Le jeu journalistique autonome? Il consiste non à violer les règles techniques du médium mais à les détourner. Non pour obtenir un consensus lisse – la machine n'a pas besoin de lui pour cela – mais pour mettre en spectacle le dissensus. Un objectif : le « consensus d'aspérités ».

La posture du médiacrate qui refuse l'animation apparaît dès le départ radicalement subversive par son opposition à l'idéologie scientiste dominante. Notre société fonctionne en effet de plus en plus à la compétence et celle-ci s'identifie dans notre imaginaire à la spécialisation. Des sciences à la médecine, des techniques aux travaux quotidiens, la division du travail paraît avoir imposé la spécialisation. Même dans le monde politique, longtemps le lieu par excellence des détenteurs de culture générale en démocratie, les généralistes de type instituteurs ont laissé la place aux énarques, spécialisés dans la gestion et l'économie. Cette spécialisation, favorisée par le système scolaire conformiste (qui vit à l'ère des mathématiques), développée par la concurrence est sanctionnée partout par des postes de pouvoir, de la notoriété et des revenus. Partout sauf dans le monde médiacratique.

Tel est bien le sens de ces chapitres consacrés à l'itinéraire des médiacrates : la naissance d'une sphère spécialisée, le journalisme, n'a pas donné naissance à un pouvoir de spécialistes. Étrange résistance au consensus du tout-scientifique et de la dévalorisation des littéraires qui devrait à elle seule faire réfléchir nos zélés pourfendeurs de la médiacratie autonome.

Quelle est la posture du médiacrate dans notre univers? Le médiacrate non animateur est, qu'il le veuille ou non, le point subversif de cette non-communication qui menace nos sociétés occidentales. Le corollaire d'un système de spécialisation est en effet que les savants parviennent difficilement à communiquer. Or tous les mondes auxquels notre subjectivité participe, jusqu'aux mondes des jeux, sont devenus spécialisés. L'espace public, de fait, se rétrécit.

Il est possible, à cet égard, de montrer que nombre d'espaces publics peuvent être décrits à partir de deux pôles opposés.

À un pôle, il est possible de placer les systèmes de communication à dénominateur fondamental commun. Plus ce commun dénominateur est riche, moins la communication est coûteuse. C'est pourquoi le système français du type IIIe République avait mis l'accent sur la culture générale commune, notamment civique, moins coûteuse qu'un système de répression et plus efficace pour le débat démocratique qui n'avait pas besoin de revenir, une fois l'affaire entendue pour le plus grand nombre, sur la légitimité de la République, le respect du droit. C'est aussi du côté de ce pôle que pourraient être situées les discussions entre savants partageant le même paradigme.

À l'autre bout de cette ligne, on trouve un modèle de communication sur l'espace public à la japonaise : les discours communiquent non plus sous le principe égalitaire mais hiérarchique. Ce dernier système met les uns dans la position de donner et les autres de recevoir. C'est de ce côté-là que, dans les groupes scientifiques, on pourrait ranger les rapports qu'un maître entretient avec ses élèves.

Mais dans notre société, la culture commune se perd;

de l'autre côté, la hiérarchie des discours est impossible puisque chacun dans sa sphère s'avère être un spécialiste qui vaut tout autant que le spécialiste de la sphère voisine.

Dès lors : comment communiquer? Le médiacrate doit au paradoxe de son apparente faiblesse en savoirs et de son extraordinaire pouvoir symbolique, de résoudre la question de la communication entre les mondes d'une façon qui engage l'avenir de nos sociétés.

Pour découvrir le vraisemblable dans cet univers, il est contraint d'user d'un stratagème : la mise en spectacle des différences. Il va opposer Raymond Barre et Pierre Bérégovoy, Georges Marchais et Michel Rocard, Jean-Marie Le Pen et Laurent Fabius... La communication va devenir « un fait ». Un jeu rendu possible par le « tensionnel », présent dans chacun des mondes...

Le médiacrate est ainsi l'homme qui fait communiquer ce qui ne communique plus ou mal : les différents mondes avec leurs rites, leurs paradigmes, leurs effets. Au fond, les journalistes autonomes sont ces êtres qui protègent la grande révolution commencée par les aristocrates guerriers à la sortie de la Grèce archaïque lorsqu'ils posèrent pour la première fois « en commun » leurs biens et leurs paroles, inventant l'espace public. Des nomades qui construisent des passerelles dans le désert de la post-modernité.

Nomades? Voilà la subversion. Voilà l'ultra-modernité dont la « culture générale » était déjà le signe. Qui plus est : des nomades qui veulent le rester. Jean-Claude Narcy exprime bien le sentiment général de la médiacratie lorsqu'il dit : « Aujourd'hui, les journalistes qui arrivent sont quelquefois plus spécialistes que généralistes et cela pose problème. Les plus efficaces sont ceux qui sont à la fois spécialistes et généralistes. » Polac dit de façon plus directe encore, plus « offensive », ce que le microcosme pense tout bas : « Les journalistes spécialistes sont souvent des fonceurs et des bluffeurs sans culture véritable. Un bon journaliste d'enquête est celui qui a d'abord une solide culture générale. »

Ce qui signifie d'abord que l'élite sent sa position tout à fait spécifique et la menace qui la guette. Menace d'autant moins illusoire que la presse « spécialisée » se développe.

Et pourtant, un Alain Duhamel doit être capable de parler de Tchernobyl comme de la politique économique du gouvernement, du lancement d'Ariane comme du tchador.

Qu'est Bernard Pivot lui-même? Apparemment un spécialiste du monde intellectuel, mais quand on y réfléchit, les livres qu'il présente portent aussi bien sur la politique que les lettres, les arts que le cinéma, la cuisine que le sport. Autrement dit : il est le nomade-instituteur de la machine médiatique. Et c'est peut-être pourquoi il trouve légitime d'organiser des dictées auxquelles les instituteurs acceptent de participer. Car, épargnés par l'idéologie scientiste, confrontés à de jeunes enfants venus de tous les milieux sociaux, les instituteurs sont sensibles à l'aliénation par la machine médiatique. Ils sentent que ce médiacrate est un allié contre la mise en place d'un ordre machinique médiatique.

Rien n'est pire que la paix dans les discussions sur l'espace public. Le consensus lisse ne peut se faire que dans l'ignorance des débats réels. Car les modèles et les hommes s'affrontent, les hypothèses se confrontent et se mêlent... Et cela indéfiniment. Seuls ceux qui rêvent d'un État totalitaire ont intérêt à ce que les citoyens se croient les marionnettes d'une nécessité sociale ou naturelle. Mais la République a besoin d'aspérités.

Contre l'infantilisation généralisée qui menace comme on le voit aussi bien aux États-Unis qu'au Japon, le jeu des médiacrates valorise ces aspérités. D'où toutes ces pratiques de mise en spectacle du dissensus qui sont le lot quotidien du médiacrate. « Duel » de J.-C. Bourret n'est pas une exception mais la règle.

Finalement, le dissensus permet l'obtention d'un nouveau consensus, le « consensus d'aspérités ». Il ne s'agit plus de gommer les différences mais au contraire de s'accorder sur la nécessité de débattre, de délibérer et de choisir. Le consensus n'est pas à la fin – contrairement à ce que pense Habermas – mais au début. Un quasi-contrat dont la condition est l'accord des volontés pour préserver la pluralité de médias libres dans un espace public démocratique.

Un quasi-contrat qui se réalise seulement lorsque le

médiacrate, affirmant son propre pouvoir, est ainsi contraint de pousser son rejet de la connivence jusqu'au bout, jusqu'au refus de la connivence avec la machine malgré les pressions du public : refus de parler des rapts d'enfants, refus de montrer certains prisonniers irakiens baisant les mains de militaires américains... Au fond, contre les pensées modernes, le médiacrate affiche la nécessité d'un horizon dissensuel. Contre les pensées totalitaires et nostalgiques, il postule un point de départ pluriel. Contre les pensées « grecques », il affirme son volontarisme. Contre les post-modernes enfin, il prétend que tout cela fait sens. Tel est le point de vue « ultra-moderne » latent du médiacrate indépendant. Il pose alors, par ses propres œuvres, contre l'existence par procuration des animateurs, sa réalité : la vie pour la liberté dans la Cité.

2. LE MÉDIACRATE MIS EN SPECTACLE

L'illusion majeure de cette fin de siècle est d'avoir cru que de la multiplicité des médias jailliraient des productions de beau, des myriades de subjectivités créatrices. Nous le savons à présent : un nouveau Léviathan s'avance. Un Léviathan qui, à la différence de l'État totalitaire, s'impose non par violence mais par consentement. C'est en définitive avec l'accord conjoint du médiacrate et du consommateur que la subjectivité est détruite. C'est dans cette grande communion que l'espace public est féodalisé au bénéfice des serveurs de la machine.

La clef de voûte de tout le système de la grande connivence? Le consentement du Moi des médiacrates. En mettant le médiacrate sur orbite autour d'elle, la machine médiatique lui procure un indéniable plaisir. Le sens de la complicité avec le public? Il demande du sang et de la frayeur, et c'est moi, celui qui vient d'entrer chez vous par l'écran, par le son, par l'écrit, c'est moi qui vous offre cette attraction.

Voilà pourquoi, il est erroné de dire qu'« à la télévision, même lorsqu'ils n'ont rien à signifier, les journalistes se montrent quand même ». « Quand même? » Vous n'y êtes pas. Si lorsqu'ils n'ont rien à dénoter, rien à signifier, ils occupent l'espace, dans ce dénuement d'informations, le système dévoile sa vérité : ce monde du spectacle pour le spectacle.

L'idéal : la suppression entière de cette réalité qui freine de si nobles ambitions. Un objectif quelquefois réussi lorsque le microcosme, par génie, parvient à ne plus disserter que sur la façon dont il commente les commentaires. En pleine guerre du Koweït, alors que très peu d'images du front parvenaient aux rédactions, la presse a-t-elle comblé son manque par des informations dans d'autres domaines? L'activité de la Syrie au Liban, la famine en Éthiopie, les massacres au Liberia, les troubles dans les Philippines, le choléra au Pérou? Vous n'y êtes pas. Certains médiacrates ont préféré utiliser l'espace et le temps dont ils disposaient pour discuter du cours du monde, des hypothèses de guerre ou de paix. Là, en gros plan, Philippe Alexandre et Serge July, vers 1 heure du matin sur TF1, jouaient aux petits soldats de plomb. Ils dissertaient de leurs difficultés en temps de guerre, de leurs prédictions, de leurs analyses. Des analyses sur les analyses. Certains médiacrates furent ainsi conduits à jouer une pièce qu'ils avaient déjà largement commencée lors de l'affaire roumaine. Bombardés par les fausses informations, pris dans une logique spectaculaire, ils avaient « oublié » de parler des (réels) 3 000 morts de Panama...

Comme le dit Franz-Olivier Giesbert : « Allumez votre poste de télévision, et, au train où vont les choses, vous y verrez bientôt Mme Ockrent interviewer M. Masure à propos du dernier livre de Mme Cubadda, qui pourrait être, par exemple, une biographie de Mme Sinclair. » Tant et si bien que la présence de militaires sur les plateaux en février 1991 permettait presque de souffler : enfin des gens qui semblaient parler de... la réalité! Avant qu'on ne s'aperçût qu'ils étaient souvent là pour boucher les trous, pour jouer les faire-valoir. Faire-valoir aussi certains intellectuels, habitués de l'épreuve, appelés précipitamment à donner leur avis sur un conflit dans une région que, dix jours auparavant, ils auraient été bien en peine de localiser.

Narcissisme? Pas même. Cette présence est niée aussitôt qu'elle est consentie : le médiacrate ne joue pas, il est joué. Comme Starski et Hutsch sont fictifs (c'est pourquoi depuis le temps, ils ne se sont pas entre-tués), le médiacrate perd sa singularité. La machine pousse en effet le divertissement à un point que Pascal n'aurait jamais imaginé, jusqu'au travestissement qui nous divertit du divertissement. Tout se passe comme si, par l'itération et les jeux de miroirs, une partie de la médiacratie cherchait à affirmer que rien n'advient jamais. Quelle erreur de ce point de vue que de critiquer les sourires figés, les mots sous-entendus, les sempiternelles analyses erronées. Est-il toujours « égal » à lui-même? Est-il toujours le « même »? Mais il le faut : n'est-ce pas ce que lui demande son désir et celui du spectateur? Ah l'harmonie préétablie!

Pour le consommateur, il a été assez dit à quel point le spectacle était appelé par le désir. Mais que cache ce désir? La fuite. Si le spectacle a autant d'importance, s'il procure autant de plaisir, si le morbide peut tant s'y afficher, c'est qu'il faut fuir, le plus loin possible, et le plus bas possible.

Marque de la fuite : la machine médiatique fait de la violence elle-même un spectacle de l'ailleurs. Regardez, dit-elle, comme « ça » souffre, comme « ça » se déchire, comme « ça » tombe sur l'Irak et... comme « ça » leur plaît. De téléfilms en Roue de la Fortune, « ça » ne concerne pas existentiellement le consommateur. La source de cette attitude : la vie par procuration. Le monde est dissous, le spectacle devient le réceptacle du spectacle. Et le médiacrate le héros de la féerie.

Une féerie qui détruit la distinction des lieux de vie et des lieux télévisés. Emporté par le sourire figé de Marie-France Cubadda ou la voix éraillée d'Yves Mourousi, le spectateur ne voyage plus. Le temps s'est arrêté, il meurt lui-même dans une volupté sans fin, libéré des aspérités de son corps et de ses problèmes. Grâce aux médiacrates connivents il parvient enfin, entre deux ouvertures télévisuelles, à supporter et simuler la vie. Adieu souffrance : c'est cela qui importe.

On applaudirait même à cette nouvelle distribution des rôles si, en écho de cette « déréalisation », ne nous parvenait cette musique devenue presque inaudible dans le vacarme des médias : Adieu humanité.

Comment suivre dans ces conditions ceux qui traitent de façon similaire les acteurs de cinéma et ceux de la télévision? La salle de cinéma est à l'extérieur, le spectateur paie sa place. Il est dans un lieu public, et non privé, avec d'autres spectateurs. L'identification puis la mystification avec les acteurs que proposent certains films est simulée en toute conscience, elle cessera dans un temps prédéterminé. Le spectateur déterminant son lieu et son temps est un peu Dieu jouant aux dés. Un Dieu qui affronte un autre Dieu. N'affronte-t-il pas un créateur?

Le médiacrate qui se met en scène est un Dieu qui transforme le lieu privé en passage public, avec ses spectacles sans silence car il faut assurer aux hommes une vie par procuration, une vie sans ponctuation, pour s'assurer contre la vie. La télévision est la garnison la plus avancée de cette armée en « tiques » qui nous permet de vivre des drames qui « nous » concernent comme des spectacles à regarder, qui met à jamais le médiacrate et la réalité à distance. Voilà donc ceux qui me gouvernent, voilà donc ce que je fais, voilà donc ce qui me touche, voilà donc ce que j'éprouve, voilà donc ce que... je suis.

Le passage du héros de cinéma au héros télévisé est l'expression d'un passage au monstrueux. Monstrueux puisque la télévision détruit toute distance spatiale ou temporelle au seul bénéfice de la vitesse et élimine ainsi les codes sur lesquels la civilisation humaine s'est édifiée dans nos sociétés occidentales. Monstrueux puisqu'elle constitue l'individu en être lisse dans un monde qui devient pourtant de plus en plus complexe. Monstrueux puisqu'elle permet l'appropriation de l'espace public aux mains de quelques-uns.

Inutile pourtant de nier que tout cela n'a été rendu possible que parce que nous désirons tous, journalistes et non-journalistes, être transportés par les flux machiniques. Notre servitude est volontaire. Ce n'est pas la première fois, mais ce pourrait bien être la dernière. Comme si le destin de la vie – car c'est bien elle qui partout pose sa marque dans ces créations « machiniques » – était de nous condamner à la mort intellectuelle...

Le philosophe Jean Baudrillard a raison de souligner qu'ainsi faisant, nous vivons dans un monde sans Mal. Mais nous sommes sans Bien tout autant. Non parce que nous serions au-delà mais parce que nous sommes en deçà, fétus humains, désingularisés. Nous voilà propulsés dans la « belle » Totalité inter-télévisuelle par le sourire de Jean-Pierre Foucault, « Miami Vice » ou le dernier téléfilm téléporté qui aurait tout aussi bien pu être le premier.

Et je ne suis traversé par ces flux que parce qu'ils sont miens. Non seulement parce que cette Machine est une production humaine mais surtout parce qu'elle n'existe que par ma seule présence. Cessons de regarder le petit écran et tout cela s'écroule. Comme une pure production de notre imaginaire.

D'où cette situation tout à fait extraordinaire du journaliste indépendant : il est le Mal-Aimé. Et cela comme on l'a vu lorsque furent dénoncés les scandales liés au football professionnel, non parce qu'il ne dit pas la vérité mais précisément parce qu'il la dit, parce qu'il est l'empêcheur de tourner en rond autour du principe de plaisir, parce qu'il est le monstre du monstre... Tout est là. C'est aussi pourquoi, plutôt que d'assumer cette posture, les médiacrates préfèrent quelquefois jouer le jeu du pur spectacle.

Le syndrome de la « grosse tête »

Ne pas être le monstre du monstre, se faire aimer : si tant de médiacrates jouent la connivence avec le public, ne leur attribuons pas une volonté « mauvaise ». Le plus souvent, il est probable qu'ils cherchent seulement à fuir leur destinée de nomade qu'une chute inexorable attend. Une ligne de fuite qui rejoint dans le simulacre celle des spectateurs. Une ligne de fuite qui donne momentanément l'impression d'exister en communion avec la Machine et le public. Derrière la splendeur vainement recherchée : la misère montre son terrible visage.

Voilà donc notre médiacrate qui tente de s'introduire au cœur du paradis artificiel : le star system. Un objectif : se placer au centre de l'espace public, devenir l'incontournable portier des débats et, plus encore, rêver de devenir tel un mage ou un devin des sociétés de la Grèce archaïque : Celui qui par ses dires fait advenir la Vérité *(aléthéia).*

C'est Christian Bernadac qui a transformé ce qui

n'était encore qu'une solution artisanale en un système de travail pour l'audience maximum. Il a ainsi installé Roger Gicquel, Yves Mourousi et Jean-Claude Bourret. « La conception de Christian Bernadac, en 1975, était simple et en même temps d'une très grande ingéniosité dit Pierre Géraud de TF1. Pour lui, à 13 heures les gens qui regardent sont de différentes catégories sociales, mais le plus souvent ils n'ont pas terminé leur journée de travail. Il faut donc en tenir compte et en porter témoignage. C'était cela le pari Mourousi. Le soir, par contre, l'idée est que les gens croient la journée terminée. Il faut donc la leur raconter comme si elle était terminée, même si l'on sait bien qu'il n'en est rien et que l'actualité n'a pas cessé. Ce fut le pari Gicquel. Son idée enfin était que durant le week-end, il fallait prendre son temps, jouer plus bas de gamme. Ce fut le pari Bourret. » Ces trois présentateurs devaient devenir les « vedettes » du petit écran.

Dans la mesure où il visait avant tout l'audience, Christian Bernadac put avoir un temps l'illusion d'avoir réussi. Mais en ce qui concernait le bien-être médiacratique, très rapidement l'échec fut complet. Le star système présentait des « ratés » que le vrai star system ne connaissait pas. L'identification du consommateur d'information au journaliste ne se faisait pas.

Voilà peut-être le plus terrible : l'échec inéluctable conduit ceux qui s'engagent sur la ligne de fuite de la starisation à la catastrophe.

À cet égard, on s'amusera à rapporter deux déclarations de Bernard Pivot. La première vient de l'entretien qu'il a accordé pour ce livre : « La frontière entre le spectacle, le journalisme et la comédie, cela se mélange un peu. Moi-même, je suis une sorte d'acteur. On est toujours un peu acteur de soi-même même si on ne peut pas être tout à fait autre que soi. » La seconde fut recueillie par la revue *Débat :* « Beaucoup de gens pensent que questionner, converser, devant des caméras, oblige le journaliste à être différent de ce qu'il est lorsqu'il s'entretient avec quelqu'un dans l'ordinaire de la vie. Pour ce qui me concerne, je ne vois que des ressemblances, *sauf,* bien sûr, qu'à la télévision le temps presse, qu'il faut aller plus vite que chez soi ou dans la rue, et que tout mot doit être “ utile ”. Mais dans le roulé-boulé de la conversation, comment être autrement que ce qu'on est profondément? »

Ces deux déclarations sont-elles contradictoires? Ce n'est pas sûr. Peut-être indiquent-elles plutôt le chemin de la catastrophe.

Nul doute : cela se mélange en effet toujours « un peu ». Un mélange quelquefois involontaire. Jean-Pierre-Pernaut raconte : « Il m'est arrivé quelque chose d'assez étrange. Un jour, pour un magazine de télévision, une journaliste m'a posé un certain nombre de questions qui avaient trait à mon image. Un mois après, elle sort un livre où elle explique que je suis champion de planche à voile, que je prends des petits déjeuners à La Coupole et d'autres choses tout aussi invraisemblables. »

Mais au moins, de Bernard Pivot à Jean-Pierre Pernaut, tous avaient gardé la propriété de leur tête en la... prêtant. Le danger? Que le mélange confonde les genres au point de ne plus permettre au journaliste de « se » retrouver. Une tentation d'autant plus forte que le journaliste a accepté de s'investir dans l'image créée.

« Quand tu es dans la presse écrite, dit Sylvain Gouz, ta signature est un acte intellectuel. C'est une sorte d'enseigne. Mais à la télévision c'est autre chose. Même s'ils ne font qu'un seul plateau, l'être des journalistes est en cause. Le papier tu l'as fait avant, tu l'as fait relire, tu l'as corrigé. Tu demandes ensuite : “ Est-ce qu'il était bien? ” Tandis qu'après un plateau, la question c'est : “ Est-ce que j'étais bien? ” C'est un genre très particulier. Il faut imaginer la pesanteur pour les présentateurs, cela rend fou. »

Le présentateur est lui sans être tout à fait lui : « Quand je suis passé du 23 heures au 13 heures rapporte Jean-Pierre Pernaut, j'ai changé ma manière de parler. Par exemple, je dis de Moubarak qu'il est le “ président égyptien ” à 13 heures mais pas à 23 heures. » Jean-Claude Narcy confirme ce jeu : « Mon journal s'adressera plutôt à ceux qui se couchent tard, mais je ne dois pas oublier que si ce sont des cadres et des décideurs, il peut aussi y avoir des ruraux qui dorment mal. » Par ce ciblage, le médiacrate joue avec tout : les mots, les gestes, les décors, les images, le niveau du vocabulaire, les comportements, le masque du visage : il n'y a pas une seule seconde où je sois « moi », pas une seule où ce ne soit pas « moi ».

Cette façon de jouer avec soi, de jouer « à soi », est une situation difficile à vivre. Comme le pense G. : « Montrer son visage, cela est perturbant psychologiquement. Tu vois ton image, c'est cette tête qui arrive chez les gens. Le blanc ne passe pas. Le rouge non plus. Si tu as des rides cela ne passe pas plus. »

C'est alors que la ligne de fuite se crée : plutôt que d'affronter sa réalité plurielle, le médiacrate réagit. Plutôt que d'être cette pluralité, il se substantifie. Qui est-il? La machine médiatique le lui dit : il est cette image qui lui fait face. Survient alors le problème dit de « la grosse tête ». Expression étrange largement employée par les médiacrates interrogés qui désigne tant les médiacrates de l'audiovisuel que de l'écrit. Néanmoins, le microcosme s'accorde avec Christian Dauriac : « C'est la présentation surtout qui donne cela. Ils vivaient comme des cadres moyens et, du jour au lendemain, on les emmène à Istanbul ou chez Hermès. » La télévision pousse au paroxysme le fétichisme de son image. Du jour au lendemain, le médiacrate devient un *Deus ex machina.* Il concentre la notoriété du village à l'échelle du pays. « Quand je faisais des articles, je n'avais rien remarqué, dit François de Closets. J'arrive à la télévision, quinze jours après, ma femme de ménage me dit : " Vous êtes très connu. " Si on se laisse emporter, les dimensions craquent. » « Il y a des gens qui implosent dit PPDA. Des postes aussi... » Peu ont le courage de reprendre leur souffle, d'arrêter leurs émissions quand elles sont à leur apogée. Un jour, Bernard Rapp va trouver la direction de sa rédaction et déclare : « J'arrête le journal dans trois mois. » Surprise. On lui réplique : « Tu es fou, quand on a son bâton de maréchal, il faut le garder. » Il ne cède pas. Il arrêtera l'« Assiette anglaise » dans les mêmes conditions. Peu ont la lucidité de préférer perdre un quart de leur salaire pour quitter un univers où ils ne se sentent psychologiquement pas bien. C'est pourtant ce que fit Bruno Masure en quittant TF1 pour Antenne 2. Peu conservent, arrivés sur les cimes, ce goût du défi qui fait quitter les places les plus solides; ce que joua Albert du Roy toute son existence.

Le médium télévisé n'annonce pas l'univers harmonieux de Marshall McLuhan. Celui-ci n'avait pas vu que deux voies étaient ouvertes et non une : l'ultra-modernité et la société de contrôle. Les possibilités nouvelles offertes par les médias? Un univers où les artistes deviendraient rois, l'espace public sans murs, l'individu actif... Tout cela, qui est le monde de l'ultra-modernité, il le rapporte à la machine, à la télévision et au téléphone, au monde en « tiques ». Accordant trop d'importance au médium, il n'a pas vu que la machine médiatique pouvait conduire à ce point où les subjectivités seraient mises sous contrôle de la plus terrible des façons : accrochées à la machine, au « plaisir » par procuration et sans discernement qu'elle offre.

Que l'individu puisse être brûlé, broyé avec son consentement, il le sent pourtant. C'est pourquoi, en même temps, dans l'annonce faite au monde du surgissement du village planétaire, il pense contradictoirement que le mouvement dessiné par la machine est celui d'un « retour » à l'avant-Marconi et à l'avant-Gutenberg, aux sociétés tribales.

Il s'agit bien de cela. En occupant tous les sens – et plus seulement un seul – la machine, en particulier la télévision, ne les active que pour les désactiver, ne les alimente que pour les digérer.

Le médiacrate pris dans la connivence avec l'ordre machinique est la première victime de ce système. Alors que le journaliste de l'écrit ou le romancier apparaissent sous les signes d'imprimerie, son style parvenant jusqu'à nous malgré ces caractères, la télévision transporte directement. Le style du médiacrate parvient apparemment sans détour et avec véracité. L'identification du médiacrate avec son image peut alors s'opérer : il est bien tout entier là. Incontestablement, ce personnage est bien sa création dans la machine médiatique. Et l'on conçoit qu'il le séduise : cette création est l'expression d'un style qui est sien.

Conséquence : la « grosse tête ». L'image de sa tête parvenue par le médium prend la place de toutes les autres. Dans les relations amoureuses, c'est « T.-présentateur » qui arrive, dans une fête d'amis c'est encore « T.-présentateur » qui survient, du tennis à la plage... Comment sa démarche pourrait-elle n'être pas lourde? Avoir une seule tête revient donc forcément à la « grossir » pour qu'elle puisse tenir lieu de toutes les autres, celles que le médiacrate a habituellement dans les autres mondes qui ne sont pas journalistiques.

Cette tête paraît d'autant plus grosse que, d'une certaine façon, elle est difforme : c'est un simulacre de tête. Derrière l'enflure, le microcosme sent la désindividualisation. Voilà pourquoi, à la différence d'un Patrick Sabatier, un Bruno Masure envoie aux spectateurs son sourire ironique. Non pas pour critiquer les pouvoirs – ce serait bien insuffisant – mais pour se garder lui-même. Pour se montrer à lui-même qu'il existe autrement que par l'image. D'où ces pantoufles aux pieds qui le mettent en position de joueur : il n'est pas son image, son rôle, sa fonction. Si Diderot a raison sur le jeu des acteurs, le médiacrate indépendant est celui qui joue pour préserver sa matérialité.

Celui qui a la grosse tête épouse une tout autre attitude. L'enfant lui-même est à mille lieues de ce processus. Dans ce que l'on appelle « le stade du miroir », il se constitue dans et par la forme qu'il perçoit en face de lui en même temps que cette image le constitue. Le rapport du sujet avec son corps propre se fait par la découverte d'un monde de formes. L'inachèvement de ce processus est inévitable. Plus l'identification tend à s'opérer, plus elle apparaît en effet impossible. Le narcissisme affronte une image étonnante, d'une extériorité définitive. Elle n'est pas tout à fait lui et ne peut pas l'être. Ne serait-ce que parce que l'image dans le miroir a une symétrie inversée. Le médiacrate qui s'éprend de son image affronte, lui, une image qui raconte son identité. Il se trouve confronté, en même temps, à un récit de lui-même et à lui-même comme substance restée identique au-delà de tous les récits.

De là naît le « paradoxe du médiacrate » : celui qu'il voit ne voit pas avec les yeux de celui qui voit. Le présentateur ne se verra pas, tel Narcisse, dans l'instant, mais plus tard. C'est après qu'il saura si « il a été bien ». Dans cette distance temporelle, le journaliste, surtout le présentateur, ne peut pas vraiment s'aimer.

Voilà pourquoi il doit toujours simuler être soi. Et s'engager dans le simulacre. D'où ce drame qui attend son heure et grossit lui aussi, comme la tête, d'instant en instant, d'échec en échec. La chute sociale signera la mort de toute sa singularité. Lorsqu'il disparaît de l'image, qu'est-il en effet? Tout se lézarde alors et la folie menace. Il est encore et pourtant il n'est plus. La chute équivaut à une mort qui n'est pas que symbolique. Dépressions et tentatives de suicide sont le plus souvent le prix à payer.

Sentir le jeu, c'est refuser le piège du « contrôle de soi » par la machine. Nombre de médiacrates le sentent. Tel Pierre-Luc Séguillon signant un autographe à l'entrée de La Cinq, il peut dire, le sourire aux lèvres : « Ce n'est pas moi que l'on aime. » Tout est alors possible, même, comme le fit PPDA après une chute, le retour. Le médiacrate qui voit la comédie humaine, s'il n'échappe pas plus à la chute qu'un autre, au moins ne voit-il dans son échec que la perte d'un de ses masques; usé, celui-ci peut être jeté. Il ne sera pas moins malheureux, il n'aura pas moins de douleur, mais il préservera sa tête, c'est-à-dire sa force créatrice. Et il pourra choisir d'autres masques pour d'autres jeux.

Le monstre du monstre

Le dernier rempart contre la terrible machinerie que nous avons nous-mêmes créée s'appelle le médiacrate. Seul, il sait utiliser la machinerie non seulement en laissant apparaître les dissensus, mais en allant au centre, au spectacle de la situation de l'homme dans le monde, c'est-à-dire aux drames. Non pour donner du plaisir, mais pour rappeler la souffrance. Contre la déréalisation, il réalise. Et il ne le peut qu'en refusant le contrôle de soi par la machine.

Il arrive d'ailleurs que les médiacrates hésitent à assumer un tel rôle, à mettre en scène les drames du monde. Lorsque la petite Omaïra de Colombie est emportée le 16 novembre 1985 dans une catastrophe qui fera frémir l'humanité, faut-il amoindrir le choc que représenterait la diffusion des images? Geneviève Guicheney de FR3, emportée par sa soif toute platonicienne, se croyant investie de la lourde charge morale de faire le bonheur des hommes malgré eux, refuse de montrer le reportage. La médiacratie de TF1 en juge autrement : « l'événement » ouvrira le journal télévisé.

Le fait divers donne paradoxalement la clé de l'activité médiacratique. Par lui, en lui, se découvre ce rapport existentiel de l'individu à la réalité : la souffrance. Rien ne heurte plus le consensus lisse qui s'abat, de jour en jour plus lourd, comme une chape de plomb sur la France. Rien n'est plus opposé à la logique mise en œuvre par la machine médiatique : celle qui nous a fait passer du divertissement à la lissité.

Si certains intellectuels s'égarent, c'est peut-être parce qu'ils ont oublié cette relation première au monde et aux autres que rapportent tragédies et mythes grecs. Il est vrai que rien ne paraît aussi éloigné des préoccupations actuelles de notre temps. Ladite « fin des idéologies » a sonné dans les années 80 le retour du temps... des cerises. Tant et si bien qu'on se retrouve presque seul de son état à proclamer l'impitoyabilité du monde, la souffrance qu'il occasionne, le Dieu caché ou absent. Comme, d'un autre côté, l'idée de souffrance sociale a été largement gommée par les conformistes et les savants des structures, le médiacrate éprouve quelques difficultés à penser son activité...

Par le fait divers – pointe avancée de l'activité du médiacrate –, magazines et journaux télévisés renvoient avec violence l'individu tenté par la société de contrôle, qui ne voulait plus être qu'un appendice tranquille de son poste de télévision ou de radio, de son Minitel ou de son ordinateur personnel, à la réalité.

Le succès de NRJ ne laisse pas plus de doute que celui de Guy Lux : il y a une rage de se distraire qui tient au ventre. Pourquoi cette soif d'abolition des distances et de tout mouvement du corps au profit de ce que Virilio appelle magistralement dans son ouvrage du même nom « l'inertie polaire »? Pourquoi cet emballement – au sens propre – pour les émissions où l'on gagne des cadeaux? Pourquoi cette recherche de la fiction où les héros ne meurent jamais ? En notre âme et conscience nous le savons. Il s'agit bien, par cette déréalisation, d'une fuite devant notre condition d'être souffrant, une fuite commencée il y a bien longtemps, une fuite que dit aussi bien la mythologie que la Bible, l'art que la politique.

Quelle est, devant cette auto-aspiration aliénante, devant ce flux subjectif qui tend à se mettre sur orbite autour de la machine médiatique (télévision, radios, écrit), la posture ultra-moderne des médiacrates ?

Par l'engagement d'un processus de « dé-déréalisation », ils rappellent au consommateur de spectacle ce qu'est sa réalité et celle du monde. D'où, d'ailleurs, la mauvaise grâce que l'on sent chez le destinataire devant ce cadeau qu'il sait bien « empoisonné » : « Ils n'annoncent que des mauvaises nouvelles », dit-il. Son vouloir-mourir enrage.

Il enrage vraiment. On le force à voir la vie en face lui qui a allumé ce poste pour ne plus la voir. Pis encore, il sent que, par le spectacle, le médiacrate tente de le séduire : il veut l'attirer vers le vouloir-vivre, c'est-à-dire aussi vers une zone où il faut s'activer dans une pluralité de mondes, où il faut créer, où l'attend aussi la souffrance.

C'est pourquoi le théoricien Jacques Ellul, qui a produit par ailleurs tant d'analyses subtiles, paraît ne pouvoir être suivi : le média le plus aliénant, la télévision, ne présente pas dans ces journaux télévisés Dalida et la famine d'Éthiopie « en même temps ». « En même temps », voilà qui est refusé. Le médiacrate, contre son média, hiérarchise selon une ligne qui n'est pas purement du sensationnel mais selon une ligne de sens. Il y a les sujets qui font l'ouverture, ceux qui appellent quelques secondes d'images et un plateau, ceux qui appellent un plateau, ceux qui appellent des images et un commentaire du présentateur, ceux qui n'appellent qu'un commentaire « off », ceux qui n'appellent qu'une phrase... La hiérarchie est là.

Lorsque le médiacrate joue son autonomie dans la machine, il présente la famine d'Éthiopie « contre » une Dalida qui n'aurait rien à dire sur le monde et qui se trouverait renvoyée, pour parler (et chanter) à l'émission de Patrick Sabatier, au vide. Il la présente « avant » Dalida, lorsque celle-ci appelle aussi l'événement (une tournée importante). Il la présente « après » Dalida, quand la « star » met fin à ses jours, découvrant, derrière la splendeur des spots, la misère de l'humanité. Le journalisme de la médiacratie qui joue son rôle? C'est le film du monde contre le monde en film.

Et si le spectacle de la douleur est reçu et, quelquefois, fait souffrir vraiment (et non jouir) par sympathie ou par pitié, c'est parce qu'il est vraisemblable. Aucune autre raison ne permet sinon de comprendre les audiences des journaux télévisés lorsque les faits divers secouent l'actualité, la soif d'informations lors des grandes affaires (comme on le vit lors de la guerre du Golfe) qui menacent la vie. Vérité incontournable : sinon, avec ces morts qu'il ramasse à la pelle dans les téléfilms, le spectateur sevré ne devrait verser qu'un soupir d'ennui devant le spectacle d'un enfant qui meurt en direct – un direct qui est celui du réel.

La pensée magique

Lorsque les médiacrates disent dans une belle unanimité : « l'authenticité paie » et « la télévision est un fantastique révélateur », ils disent cela même. Par cette pensée magique, ils donnent la clé de l'échange avec la population et celle de leur posture dans l'échange. Mieux vaudrait, à cet égard, se débarrasser définitivement de la thèse de Lévy-Bruhl sur l'existence d'une « mentalité primitive » dont serait épargnée notre société contemporaine. Non seulement parce que l'humanité n'est pas gouvernée par des structures logiques mais aussi parce que nous ne sommes pas exempts de pensée magique. « Au-delà du travail essentiel, ce qui est important à l'antenne dit Bernard Rapp, c'est une sorte de grâce : ou tu prends bien la lumière ou non. Il y a aussi le rapport psychologique au média : l'image de moi peut me faire peur, je deviens agoraphobe ou au contraire, je jubile trop. Dans les deux cas cela se voit. Rares sont ceux qui, tel Bernard Pivot, parviennent à avoir cette grâce. »

Dès que l'on se met à penser la relation au public, n'est-il pas étrange de voir surgir cette théorie indigène :

ce « truc », cette « grâce », ce « machin » magique qui expliquerait le succès? Jean-Marie Colombani, à plusieurs reprises, dit : « Il y a un côté magique à la télévision. On ne sait pas trop pourquoi cela marche. » La beauté joue-t-elle un rôle ici? Pas le moins du monde. Georges Bortoli ne passe pas pour un don juan, il montre pourtant des qualités qui le font passer « bien » à la télévision. L'échec, à l'inverse, de Jacqueline Alexandre montre qu'un visage avenant est loin d'être une garantie.

Cette pensée magique du média révélateur ne paraît pas fausse. Il y a bien quelque chose qui se révèle. Mais les médiacrates n'énoncent pas eux-mêmes la raison majeure qui explique que leur style puisse rencontrer les mondes ordinaires : l'information, c'est-à-dire le renvoi à la réalité par son spectacle. Et s'ils ne l'énoncent pas, c'est en raison de leur position paradoxale : n'ont-ils pas le sentiment de vivre pour la machine médiatique? Ne travaillent-ils pas et ne pensent-ils pas en elle? Voilà pourquoi, personnages actifs et non réactifs, ils formulent leur posture en langage de la machine : un « machin », un « truc »...

Il ne faudrait pas croire, à nouveau, qu'une telle logique du discours soit propre aux médiacrates de la télévision. Nombre de médiacrates peu suspects de complaisance attribuent par exemple à Jean-François Kahn une « façon de sentir ce qui est d'actualité », « un truc pas comme les autres », à Philippe Tesson « un je ne sais quoi qui le rend parfois génial ». Simplement, la télévision est un média qui pousse plus loin que les autres la logique à l'œuvre.

Cette magie exprime bien ainsi la relation particulière entretenue par le médiacrate envers la machine. Il est bien le monstre du monstre puisqu'à partir du code du média, il développe une autre logique. Face aux métastases de perte de soi, il ralentit le développement de l'identification mystificatrice. Entre l'animation de 19 heures et le téléfilm de 20 h 40, entre les publicités et les publicités, l'émission de journaliste ralentit la vitesse de prolifération de la simulation (en jouant elle-même sur la vitesse). Elle permet de distinguer le rêve de la réalité. Et l'homme qui allait dépasser le stade de la simulation jusqu'à mettre sa vie en coma orbital, cet homme-là revient à lui.

Le médiacrate est ainsi l'expression d'une relation, qui montre au spectateur qu'il n'est pas l'élément d'une masse in-formée par le média. Face aux œuvres de PPDA, de Jean-Claude Bourret ou de Jean-Pierre Elkabbach, notamment lors de la mise en scène de la souffrance réelle, l'individu est renvoyé à « sa » singularité. Un renvoi qu'il n'est pas toujours facile de jouer. Écoutons D. : « Un jour, Paul Moreau qui était l'attaché de presse de Pierre Méhaignerie, nous prend à part et nous dit : " Est-ce que cela vous intéresserait un voyage de Simone Veil au Struthof, le seul camp de concentration français? " On répond positivement. Il nous indique qu'il ne doit y avoir qu'une seule caméra. On se met d'accord pour que ce soit celle d'A2. Avant le voyage dans le camp, Simone Veil avait décidé de s'arrêter au cimetière. Les photographes de la presse de province s'étaient joints à nous. Simone Veil, arrivée dans le camp, a commencé à marcher. Les photographes l'ont assaillie. D'un seul coup, elle ne se sentit pas bien, ses souvenirs d'enfance revenaient sans doute à sa conscience. Elle était émue. Elle avait les larmes aux yeux. Et elle était choquée de voir qu'il y avait autant de photographes. Que faire? On s'est finalement cachés derrière un autobus, attendant que cela se passe. Le gars de FR3-province disait : " On n'en a rien à faire. Pourquoi est-ce que ce serait les Parisiens qui auraient l'information et les images? " C'était gênant. On a fini par le calmer. Les images, c'était pour moi un peu comme un viol. Finalement, quand Simone Veil est revenue près de nous, on lui a dit : " Écoutez, si vous voulez, on ne passe pas certaines images. " Soulagée, elle répond : " Pas quand il y a les larmes, pas quand j'entre dans le camp. " Que faire? Elle m'a remercié ensuite car elle se méfiait d'une certaine presse et j'ai tenu ma promesse. On a passé très peu d'images, et on a éliminé toutes celles qui la gênaient. Qu'est-ce que tu aurais fait? »

Rétrospectivement, que répondre? La simulation devait avoir lieu puis soudain, écrasante, est venue une réalité plus puissante, la réalité de la condition humaine, celle de la souffrance. Fallait-il l'effacer comme un mauvais rêve dans un monde où le rêve se prend pour la réalité? Fallait-il, dans l'impossibilité de faire de la simulation, en revenir à la dissimulation? Peut-être la vérité valait-elle la peine d'être dite : la peine comme vérité. Peut-être s'agit-il là même du rôle premier des journalistes que de dire la souffrance, plus encore que la joie? Peut-être Guillaume Durand est-il dans le vrai, lui qui osa montrer les larmes d'une infirmière sur La Cinq?

Pour un médiacrate, la recherche de la vérité est sa seule justification. Il ne fallait donc pas tergiverser. J'ajouterai que cette recherche doit bien rencontrer la plus haute morale. Le cœur a ses voies, que l'image permet quelquefois d'atteindre plus sûrement que les discours. Elle pleurait? Comme ces enfants juifs arrachés à leurs mères avant d'être conduits dans les chambres à gaz, elle pleurait? Et si pour dénoncer les simulacres, pour détruire les simulations que quelques-uns dispensent sur notre pays comme autant de murs qui enterrent l'esprit français, quelques larmes avaient déridé quelques âmes? J'y aurais vu un succès. Ils sont si rares ces instants, si désespérément rares, que l'on comprend l'émotion de celui qui a mis dans sa boîte à images ce Chinois debout, seul face aux tanks. Elle pleurait? Contre un monde de simulation, une larme, c'est encore un coin d'authenticité, de soulagement, d'espoir même. Espoir que la « zéro-dimensionalité » ne nous ait pas encore tous dévorés, que le principe de vie créateur soit là, qui résiste encore. Elle pleurait? Tout bien pesé, je demande à voir.

N'est-il pas contradictoire que le spectateur souhaite à la fois se déréaliser avec l'animateur ou le téléfilm et voir le spectacle vraisemblable de la réalité que lui offre le médiacrate? Qu'il veuille se voir donner une âme *(anima)* et se trouver confronter à sa liberté?

On me permettra ici d'émettre de façon trop simple une hypothèse qui fera grincer quelques dents : le même principe gouverne les deux attitudes. Ce sont bien les œuvres créées par l'homme qui le déréalisent, comme ce sont les œuvres créées qui le renvoient aux réseaux qui circulent dans la multiplicité des mondes qu'il habite et qui l'habitent. Ce ne sont donc pas deux principes qui se combattent. Ce sont des flux de puissance créatrice qui emportent d'autant plus facilement l'homme, qu'ils sont l'homme « tensionnel ». C'est bien pourquoi le jeu médiacratique est possible comme l'expression d'une puissance de vie créatrice.

Ainsi, contrairement à ce que pense Jean Cazeneuve, un de nos plus grands spécialistes des médias, si les médias transmutent bien le réel en spectacle, le spectacle journalistique, lorsqu'il vise le sens, a cette particularité de procéder à une transformation spéculaire pour retourner au réel. Voilà d'ailleurs qui seul peut expliquer ce « fait » incontournable sur la grève duquel toutes les théories ont échoué : nul ne s'identifie à Claude Sérillon ou à Jean-Marie Cavada. Nul n'aime ces empêcheurs de tourner en rond... autour du médium. Nul n'aime ces hommes qui nous contraignent à affirmer notre propre puissance.

Vous ne parvenez pas à aimer les jounalistes dites-vous, surtout lorsqu'ils sont indépendants, irrévérencieux? Tant mieux. Cela signifie qu'ils n'ont pas encore été avalés par la machine à animation, qu'ils n'ont pas encore été « contrôlés » selon votre plaisir. C'est bien ainsi qu'un amoureux de la liberté les aime : quand on ne les aime pas.

Le sacrifice du magicien

Constatons l'étrange pouvoir du médiacrate. Il n'est pas seulement l'individu qui permet de resserrer les mailles sociales. Il proclame son droit au crime de lèse-majesté sociale en diffusant le scandale que constitue le fait divers et il montre que la substance sociale est de part en part violente : née et développée contre la nature par des conflits entre les hommes. Voilà pourquoi, derrière leur apparente irréductibilité, les faits divers sont tout autant le crime de sang que le massacre politique, l'extermination des baleines que celle des Ceausescu.

C'est surtout dans le rapport au pouvoir d'État que l'on peut découvrir son étonnante posture. Le grand journaliste autonome semble pouvoir exercer son pouvoir symbolique indépendamment de la fonction incarnée par les maîtres du pouvoir. « Pourquoi avez-vous dissimulé les effets de Tchernobyl en France? » « Pourquoi avez-vous manipulé les journalistes lors de l'affaire de Carpentras? » Si, comme le pensait Pascal, nous devons tous respect aux grandeurs d'établissement, le médiacrate est un être bizarre. Comment peut-il transgresser des règles que le monde admet pour lui-même? Comment expliquer que pour lui l'irrespect soit un droit... quand bien même il s'exerce contre l'individu incarnant la nation, le chef d'État? Bien plus : ne lui reproche-t-on pas de ne pas user de ce droit dans son comportement envers les Grands, comme s'il violait là, par sa connivence, une règle non écrite valide pour lui seul?

Avec ce paradoxe de l'Opinion publique : lorsque le journaliste dénonce les idoles, on ne l'aime guère... quand on ne le hait pas. Car il lui est accordé un droit tout à fait exceptionnel : le sacrifice. Ce dont il use. Chefs d'entreprise, grands intellectuels, professionnels politiques tombent ainsi quelquefois sous les coups répétés (et relayés) de certains médiacrates. De l'affaire Pechiney à celles de Nice, les exemples abondent. Le médiacrate préfère-t-il organiser le spectacle des autres ou de lui-même? Il est aimé tel Patrick Sabatier, mais nul ne le considère plus comme un « grand journaliste », nul ne croit plus en ses informations : il n'exprime plus l'Opinion publique.

La solution est peut-être toute simple : le médiacrate est celui qui exorcise dans nos sociétés modernes les puissances maléfiques. Car il suffit d'écouter chansons et histoires, de lire romans populaires et journaux à scandales pour le voir : les pouvoirs, politique en premier lieu, sur le mode archaïque, sont restés « maléfiques ».

Le médiacrate est convié à user de son pouvoir symbolique avec le souci d'un spectacle qui ne broie pas le sens mais le met en valeur. il est bien le magicien sans magie de nos sociétés, son prêtre sans soutane. Un magicien plus haï qu'aimé : on ne tue pas les héros impunément.

Situation terrible en vérité : le sacrifice qu'elle met si souvent en œuvre guette l'élite elle-même. Ce dieu « Opinion publique » finit par se venger de ce qu'il demande pourtant : la mise en cause de ses idoles, la destruction de son univers imagé. Un rite s'impose donc pour elle, aussi vieux que l'humanité elle-même : le sacrifice.

Quand arrivera-t-il? À n'importe quel moment. Que risque le médiacrate au sommet de sa gloire? Tout : le sacrifice prend plus de sens encore. Michel Polac n'aurait jamais dû être étonné : « Je venais juste d'avoir le " 7 d'or ", n'est-ce pas étonnant du point de vue de la logique même de l'entreprise TF1 ? » Claude Sérillon précise : « Nous avons été trois à avoir eu en 1986 le " 7 d'or " : Philippe Alfonsi, Michel Polac et moi, et nous avons été renvoyés quelques mois plus tard. »

Le médiacrate expérimente ainsi sa fragilité. Le dieu auprès duquel il intercède, à la différence du Dieu chrétien, méprise la charité. Voilà qui éclaire peut-être d'une lueur toute nouvelle ce rapport au temps remarqué : « vite, très vite ». Il faut courir pour échapper à son... destin. Vanité pourtant : la tragédie attend toujours au tournant.

« Dans la vie des ambitieux et de tous ceux qui ne peuvent parvenir qu'à l'aide des hommes et des choses, par un plan de conduite plus ou moins combiné, suivi, maintenu, il se rencontre un cruel moment où je ne sais quelle puissance les soumet à des rudes épreuves : tout manque à la fois, de tous côtés les fils rompent ou s'embrouillent, le malheur apparaît sur tous les points. Quand un homme perd la tête au milieu de ce désordre moral, il est perdu. Les gens qui savent résister à cette première révolte de circonstances, qui se roidissent en laissant passer la tourmente, qui se sauvent en gravissant par un épouvantable effort la sphère supérieure, sont les hommes réellement forts. Tout homme, à moins d'être né riche, a donc ce qu'il faut appeler sa fatale semaine. (...) Ce cruel moment était venu pour Lucien » (Balzac).

Le sacrifice arrive. Et les sunlights s'éteignent à minuit, quand meurent ceux qui ne furent pas des étoiles. Malheur alors à ceux qui se sont laissés aller aux délices de la machine médiatique, qui n'ont pas saisi que leurs marques n'étaient que des masques. Derrière leur chute d'éphémère, pire que la mort..., l'insignifiance de leur existence.

Quand le gouffre s'ouvre sous les pas, quand le *Deus ex machina* qui avait tenté le médiacrate prononce son jugement, la fin juge le sens de la vie.

INDEX

CET OUVRAGE
A ÉTÉ COMPOSÉ
ET ACHEVÉ D'IMPRIMER SUR ROTO-PAGE
PAR L'IMPRIMERIE FLOCH À MAYENNE
EN JUIN 1991
(30927)
POUR LE COMPTE DES
ÉDITIONS CALMANN-LÉVY, 3, RUE AUBER
PARIS-9e – N° 11723/02
DÉPÔT LÉGAL : JUIN 1991